inspire 3

Méthode de français **B1**

Véronique BOISSEAUX et Armelle PLOT

Cahier d'activités

FRANÇAIS LANGUE ÉTRANGÈRE

Crédits photographiques

Intérieur : Shutterstock

p. 55 : Vincent Van Gogh, *La Méridienne, dit aussi La Sieste,* Photo © RMN-Grand Palais (musée d'Orsay) / Tony Querrec.

p. 74 : Henri Matisse, *Lectrice à la table jaune*, Vence, 1944, huile sur toile, Musée Matisse Nice © Succession H. Matisse, Photo © François Fernandez.

p. 77 : Vincent Van Gogh, *Le Docteur Paul Gachet*, Photo © RMN-Grand Palais (musée d'Orsay) / Gérard Blot.

p. 129 : Portrait de Sylvain Tesson © Raphaël GAILLARDE / GAMMA-RAPHO.

Remerciements :
Nous remercions **Anne-Marie Diogo** pour le portfolio et l'épreuve DELF B1.

 indique les activités un peu plus difficiles.

Couverture : Nicolas Piroux
Maquette intérieure : Eidos
Adaptation graphique : Anne-Danielle Naname
Mise en page : Sylvie Daudré
Illustration : Gabriel Rebufello
Édition : Françoise Malvezin / Le Souffleur de mots
Enregistrements audio, montage, mixage : Quali'sons, David Hassici
Maîtrise d'œuvre : Françoise Malvezin / Le Souffleur de mots

L'analyse automatisée de l'oeuvre visant à extraire des informations, notamment sur les constantes, les tendances et les corrélations, conformément au III de l'article L.122-5-3 du code de la propriété intellectuelle, est interdite.

978-2-01-713346-9
© HACHETTE LIVRE, 2022
Le code de la propriété intellectuelle n'autorisant, aux termes des articles L. 122-4 et L. 122-5, d'une part, que « les copies ou reproductions strictement réservées à l'usage privé du copiste et non destinées à une utilisation collective » et, d'autre part, que « les analyses et les courtes citations » dans un but d'exemple et d'illustration, « toute représentation ou reproduction intégrale ou partielle, faite sans le consentement de l'auteur ou de ses ayants droit ou ayant cause, est illicite ». Cette représentation ou reproduction, par quelque procédé que ce soit, sans autorisation de l'éditeur ou du Centre français de l'exploitation du droit de copie (20, rue des Grands-Augustins, 75006 Paris), constituerait donc une contrefaçon sanctionnée par les articles 425 et suivants du Code pénal.

Sommaire

UNITÉ 1 — **ÊTRE DIFFÉRENTS ET VIVRE ENSEMBLE, C'EST POSSIBLE ?** — 4
- LEÇON 1 — Parler de soi — 4
- LEÇON 2 — Comprendre les autres — 8
- LEÇON 3 — Expliquer des différences culturelles — 12
- BILAN — 16

UNITÉ 2 — **PEUT-ON COMBATTRE LES INÉGALITÉS ?** — 18
- LEÇON 5 — Raconter un engagement — 18
- LEÇON 6 — Donner son avis — 22
- LEÇON 7 — Parler des inégalités — 26
- BILAN — 30

UNITÉ 3 — **PEUT-ON TOUT FAIRE EN LIGNE ?** — 32
- LEÇON 9 — Donner des renseignements — 32
- LEÇON 10 — Organiser une activité à distance — 36
- LEÇON 11 — Parler de ses expériences — 40
- BILAN — 44

UNITÉ 4 — **PROFITONS-NOUS DE NOTRE TEMPS LIBRE ?** — 46
- LEÇON 13 — S'informer sur les loisirs — 46
- LEÇON 14 — Découvrir un fait de société — 50
- LEÇON 15 — Imaginer — 54
- BILAN — 58

UNITÉ 5 — **COMMENT AMÉLIORER SON CADRE DE VIE ?** — 60
- LEÇON 17 — Proposer un projet — 60
- LEÇON 18 — Faire visiter un lieu — 64
- LEÇON 19 — Parler de son lieu de vie — 68
- BILAN — 72

UNITÉ 6 — **L'ART PEUT-IL CHANGER NOTRE QUOTIDIEN ?** — 74
- LEÇON 21 — Parler d'une œuvre d'art — 74
- LEÇON 22 — Nuancer un avis — 78
- LEÇON 23 — Échanger sur le rôle de l'art — 82
- BILAN — 86

UNITÉ 7 — **SOMMES-NOUS TOUS JOURNALISTES ?** — 88
- LEÇON 25 — Parler des métiers de l'information — 88
- LEÇON 26 — Transmettre des informations — 92
- LEÇON 27 — S'interroger sur l'information — 96
- BILAN — 100

UNITÉ 8 — **QUELLE PLACE RÉSERVER AU VIVANT ?** — 102
- LEÇON 29 — Parler des changements climatiques — 102
- LEÇON 30 — Prendre position sur les droits des animaux — 106
- LEÇON 31 — Agir pour l'avenir — 110
- BILAN — 114

UNITÉ 9 — **POURQUOI VOYAGE-T-ON ?** — 116
- LEÇON 33 — Raconter une expérience — 116
- LEÇON 34 — Parler du tourisme — 120
- LEÇON 35 — Réfléchir au voyage — 124
- BILAN — 128

ANNEXES — 130
- Portfolio — 130
- Épreuve de DELF B1 — 135

Leçon 1 — Parler de soi

COMPRENDRE

1 🎧 2 **Jovan, Erica et Maëlle se présentent sur un podcast des habitants de leur ville. Écoutez leurs messages et reliez les informations à la bonne personne.**

a. Jovan
b. Erica
c. Maëlle

1. voudrait partager sa passion.
2. a des enfants.
3. ne travaille pas.
4. aime soigner des jeunes.
5. vit en couple.
6. est fier/fière de son métier.
7. a du temps libre.
8. est à l'écoute des autres.
9. est québécois(e).
10. voudrait créer une association.

(Jovan est relié à 1.)

2 🎧 2 **Réécoutez les messages du podcast et complétez les fiches d'identité.**

a.
Prénom : Jovan
Âge : ....
Situation familiale : ☐ célibataire ☐ marié
                     ☐ pacsé   ☐ divorcé
Métier : ....
Loisir : théâtre
Caractère : ....

b.
Prénom : Erica
Âge : ....
Situation familiale : ☐ célibataire ☐ mariée
                     ☐ pacsée   ☐ divorcée
Métier : ....
Loisir : ....
Caractère : de bonne humeur

c.
Prénom : Maëlle
Âge : ....
Situation familiale : ☐ célibataire ☐ mariée
                     ☐ pacsée   ☐ divorcée
Métier : aide-ménagère
Loisir : ....
Caractère : ....

LEÇON 1

VOCABULAIRE

La ville (1)

3 Lisez les phrases et entourez le mot qui convient.

Ex. : La mairie • (L'action municipale) • La commune est l'activité de l'équipe qui dirige la ville.
a. Une citoyenne • Une association • Une commune est une ville.
b. Un(e) habitant(e) • Un(e) maire • Un(e) citoyen(ne) dirige la commune.
c. Un(e) citoyen(ne) • Une municipalité • Une garderie peut participer aux décisions dans la ville.
d. Une garderie • Une commune • Une municipalité est un lieu pour les enfants.
e. La maire • La garderie • La municipalité est l'équipe qui prend les décisions dans une ville.
f. Une garderie • Une mairie • Une action municipale est un lieu où le conseil municipal se réunit.

Le caractère (1)

4 Complétez le témoignage de Chloé avec les mots ou les expressions suivants :

fière de • d'optimisme • timide • bonne humeur • attachée • réservés • à l'écoute de • sociable

Je m'appelle Chloé, je suis fière de participer au groupe de réflexion *Sport et bien-être* de la mairie et je suis très _____ aux personnes qui y travaillent avec moi. Venez nous rejoindre ! Si vous êtes _____, pas de problème, tout le monde est très _____ et nous sommes _____ toutes les propositions, avec beaucoup _____ !
Les gens ici sont parfois _____ mais toujours de _____ !

+5 Lisez les phrases et soulignez le mot ou l'expression qui convient.

Ex. : Ewan aime aller vers les autres, il est <u>ouvert</u> • réservé • attaché.
a. Flore se fait facilement des amis, elle est **sociable** • **timide** • **fière**.
b. Hilda rit beaucoup, elle est toujours **à l'écoute** • **fière** • **de bonne humeur**.
c. Gwen reste souvent seule, elle est **ouverte** • **optimiste** • **timide**.
d. Ali a réussi son examen, il est **nostalgique** • **fier** • **réservé**.
e. Adama rêve à son avenir, on aime **son écoute** • **son optimisme** • **sa bonne humeur**.
f. Fouzia travaille dans une association pour aider des personnes, elle est très **attachée** • **à l'écoute** • **réservée**.
g. Lucas aime se rappeler le passé, il est **nostalgique** • **de bonne humeur** • **ouvert**.

GRAMMAIRE

Le présent de l'indicatif

6 Complétez avec les verbes au présent, puis indiquez le nombre de base.

Ex. : Je participe (participer) à l'atelier d'écriture cet après-midi. → 1 base
a. Vous _____ (choisir) une activité ? → ____ base(s)
b. Ils _____ (sortir) très peu le soir. → ____ base(s)
c. Je _____ (voir) souvent le maire. → ____ base(s)
d. Tu _____ (pouvoir) faire des propositions. → ____ base(s)
e. Les habitants _____ (venir) nombreux aux réunions de la mairie. → ____ base(s)
f. Vous _____ (connaître) la commune ? → ____ base(s)
g. Nous _____ (prendre) des cours de yoga. → ____ base(s)

Leçon 1 — Parler de soi

◀ Le passé récent, le présent continu et le futur proche

7 🎧 3 Écoutez les phrases. Sont-elles au passé récent, au présent continu ou au futur proche ? Cochez la bonne réponse.

	Le passé récent	Le présent continu	Le futur proche
Ex. :		✔	
a.			
b.			
c.			
d.			
e.			
f.			

◀ Les pronoms relatifs *qui*, *que*, *où* et *dont*

8 Lisez les débuts de phrase et soulignez la fin de la phrase correcte.

Ex. : Éva s'est installée avec son frère à Briançon **où elle a grandi**.
  que nous avons rencontré hier.
  qui sont intéressantes pour la commune.

a. Je rencontre des habitants **dont il a parlé avec le groupe « Ateliers et vie associative »**.
  qui veulent participer à la vie de la commune.
  où il y avait le maire.

b. C'est l'équipe municipale **que les enfants adorent**.
  qui veulent participer à la vie de la commune.
  que nous rencontrons demain à la mairie.

c. La maire a pris une décision **dont les citoyens sont fiers**.
  qui sont intéressantes pour la commune.
  où il a participé à la réunion.

d. Vous vous êtes connus à la réunion **que nous avons rencontré hier**.
  qui a raconté son expérience.
  où il y avait le maire.

e. Ils ont des idées **qui sont intéressantes pour la commune**.
  que nous rencontrons souvent dans les ateliers.
  où je l'ai vu pour la première fois.

f. Il va créer l'atelier de théâtre **où il a pris sa plus grande décision**.
  dont il a parlé avec le groupe « Vie associative ».
  qui revient demain matin.

LEÇON 1

9 Complétez les phrases avec *qui*, *que*, *dont* ou *où*.

Ex. : Les citoyens font des propositions à la municipalité **qui** les étudie.

a. J'ai déménagé à Nîmes l'année _____ j'ai fini mes études.
b. C'est un travail _____ il a besoin.
c. Le maire _____ je connais bien est très ouvert.
d. Je préfère les réunions _____ tout le monde peut parler.
e. Nous sommes arrivés à la mairie _____ se trouve sur la place.
f. C'est une décision _____ je me souviens.

Dictée

10 Écoutez et écrivez les phrases.

COMMUNIQUER

11 David se présente sur le blog de la mairie. Écrivez sa présentation à l'aide des notes.

David, 29 ans

plombier, aime son métier

travaille beaucoup, pas le temps de sortir

un peu timide, n'aime pas parler de lui

assez calme pour ses amis

végétarien

Loisirs : basket-ball, vélo, se promener en forêt

Projets : créer un club de vélo, faire le tour de la région

Semur — un des plus beaux villages de France

Votre mairie | Visiter Semur | Vivre à Semur | Association | Blog

Bonjour,
Je m'appelle David, _____

PHONÉTIQUE

Le groupe rythmique

12 Lisez le témoignage. Indiquez les groupes rythmiques et soulignez les syllabes accentuées. Puis écoutez pour vérifier.

Je m'appelle Johana Refor<u>ma</u> / j'habite à Montpellier depuis un an Je vis avec mon compagnon Ivan et nous avons un enfant qui a deux ans Je suis vendeuse dans le magasin de chaussures qui se trouve sur la place de la mairie Le week-end nous sortons avec nos amis nous allons au cinéma ou au théâtre Mon compagnon est très sociable Moi je suis plus réservée mais j'aime rencontrer des gens

sept 7

Leçon 2 — Comprendre les autres

COMPRENDRE

1 🎧 6 Écoutez le dialogue entre Kader et Elsa et cochez les réponses correctes.

Ex. : Qui sont Kader et Elsa ?
- ☐ Des amis qui habitent ensemble.
- ☑ Des jeunes qui parlent de la colocation.
- ☐ Un jeune et une personne âgée qui souhaitent cohabiter.

a. Que dit Elsa ?
- ☐ Elle cherche un appartement.
- ☐ Elle cherche un(e) colocataire.
- ☐ Elle a trouvé un appartement.

b. De qui parle Kader ?
- ☐ D'une vieille dame qu'il connaît.
- ☐ D'une personne qui habite en colocation.
- ☐ D'un appartement où il habite.

c. Que fait l'amie de Kader ?
- ☐ Elle vit seule.
- ☐ Elle vit dans un appartement.
- ☐ Elle partage sa chambre d'étudiante.

d. Que pense Elsa ?
- ☐ La cohabitation est plus facile avec une personne jeune.
- ☐ La cohabitation est difficile en général.
- ☐ Les personnes âgées sont très ouvertes.

e. Que pense Kader ?
- ☐ C'est important de discuter avant d'habiter ensemble.
- ☐ La cohabitation n'est pas une bonne expérience.
- ☐ Les jeunes sont plus flexibles que les personnes âgées.

f. Que va faire Kader ?
- ☐ Il va rencontrer un(e) futur(e) colocataire.
- ☐ Il va habiter avec Elsa.
- ☐ Il va donner à Elsa les coordonnées de son amie.

g. Comment est Elsa ?
- ☐ Elle est contente.
- ☐ Elle est réaliste.
- ☐ Elle est idéaliste.

2 🎧 6 Réécoutez le dialogue. Entourez les conseils de Kader.

- ⬤ ~~Chercher une colocation~~ *(entouré)*
- • Habiter dans le centre-ville
- • Rencontrer avant son/sa futur(e) colocataire
- • Prévoir les règles de la vie quotidienne
- • Être plus flexible
- • Parler avec des personnes qui sont en colocation
- • Partager son expérience avec d'autres
- • Être plus ouverte avec les personnes âgées

VOCABULAIRE

L'âge, les relations (1), les indicateurs temporels

3 Complétez le post avec les mots et les expressions suivants :

aîné(e) • l'allongement de la vie • dans quelques années • générations • âgées • échanges • le partage • jeunes

C'est une bonne idée la cohabitation intergénérationnelle entre un(e) jeune et un(e) **aîné(e)**. Grâce à _____, les personnes _____ vivent mieux et plus longtemps.

La cohabitation permet des _____ entre les _____.

Beaucoup de _____ aimeraient trouver une colocation pour résoudre le problème du logement et aussi pour _____ avec quelqu'un. _____, la colocation entre des personnes qui ne sont pas du même âge sera très normale !

LEÇON 2

Le travail (1)

4 Lisez les phrases et soulignez le mot ou l'expression qui convient.

Ex. : C'est un collègue • hiérarchique que j'apprécie beaucoup.
a. Il a trouvé **un emploi** • **le temps libre** dans une entreprise du bâtiment.
b. Les jeunes sont hyperconnectés et préfèrent **l'entreprise** • **le télétravail**.
c. Quand on télétravaille, c'est parfois difficile de séparer **le temps de repos** • **le salaire** du temps de travail.
d. Elle voudrait travailler en free-lance, elle dit qu'elle a des difficultés avec **les relations hiérarchiques** • **la réussite**.
e. Si je travaille dans une **petite entreprise** • **reconnaissance**, je serai plus heureux.
f. Il va quitter son travail, il a besoin d'**une meilleure reconnaissance** • **un meilleur effectif**.
g. Les jeunes générations préfèrent **entreprendre** • **le salaire** que travailler dans une grande organisation.
h. Nous allons quitter notre travail parce que **la durée du travail** • **le salaire** est trop bas.

Le caractère (2)

5 Lisez les définitions et complétez la grille de mots croisés.

a. Il/Elle peut faire plusieurs choses en même temps dans son travail.
b. Il/Elle veut toujours faire mieux.
c. Il/Elle peut s'adapter aux autres.
d. Il/Elle est loin de la réalité.
e. Il/Elle est très positif/positive, toujours de bonne humeur !
f. Il/Elle aime changer de travail et changer de lieu.
g. Il aime trouver des nouvelles idées.
h. Il/Elle travaille vite et bien.
i. Il/Elle prévoit des projets agréables pour le futur.

GRAMMAIRE

Le comparatif et le superlatif

6 Comparez avec les indications données.

Ex. : Les membres de la génération Z sont connectés • + • les membres de la génération Y
→ Les membres de la génération Z sont plus connectés que les membres de la génération Y.

a. La génération Z a des difficultés à s'adapter aux modes de communication • – • les baby-boomers
→ ....

b. Les jeunes diplômés ont un bon salaire • + • les non-diplômés
→ ....

c. Les jeunes veulent de la reconnaissance au travail • = • les baby-boomers
→ ....

d. La cohabitation ? Les seniors la proposent rarement • + • les jeunes
→ ....

e. Les jeunes sont optimistes • – • leurs aînés
→ ....

f. Les membres de la génération Z sont bien adaptés au télétravail • + • les seniors
→ ....

Leçon 2 — Comprendre les autres

7 Transformez les phrases avec un superlatif.

Ex. : Ce sont les jeunes qui veulent partir à l'étranger. (+)
→ Ce sont les jeunes qui veulent le plus partir à l'étranger.

a. Les baby-boomers sont flexibles. (–)
→ _____

b. C'est l'entreprise où on travaille bien. (+)
→ _____

c. L'environnement est un sujet important pour les jeunes. (+)
→ _____

d. Ce sont des réunions utiles pour prendre des décisions. (–)
→ _____

e. La génération Y est bien formée. (+)
→ _____

f. Ce sont les jeunes qui restent longtemps dans la même entreprise. (–)
→ _____

◀ Le conditionnel présent (1)

8 Complétez les phrases avec le verbe au conditionnel.

Ex. : Elle aimerait (aimer) travailler à l'étranger.

a. Vous _____ (pouvoir) trouver un ou une colocataire.
b. Ils _____ (devoir) réfléchir au contrat pour la cohabitation.
c. Ce _____ (être) bien qu'elle trouve un travail intéressant.
d. Nous _____ (faire) un métier passionnant.
e. Vous _____ (être) en télétravail ?
f. Je _____ (préférer) un meilleur salaire.
g. Est-ce que vous _____ (venir) avec nous demain ?
h. Tu _____ (aller) habiter avec cette personne ?

◀ Pour conseiller

9 🎧 7 Écoutez. Entendez-vous un conseil ? Cochez la bonne réponse.

	Ex.	a.	b.	c.	d.	e.	f.	g.	h.
Oui	✓								
Non									

LEÇON 2

10 Lisez les phrases et donnez un conseil avec les indications données.

Ex. : C'est difficile de trouver un colocataire. → passer par une agence (il faut / conditionnel)
→ Il faudrait passer par une agence.

a. Vous n'allez pas rencontrer vos futurs locataires ? → faire connaissance avant d'emménager (c'est préférable de)
→ ....

b. Il trouve que son salaire n'est pas assez élevé. → changer d'emploi (devoir / conditionnel)
→ ....

c. Vous avez des problèmes de cohabitation ? → faire un contrat (impératif)
→ ....

d. Mon amie est trop idéaliste. → être plus réaliste (devoir / conditionnel)
→ ....

e. Je n'ai pas encore terminé mon travail. → finir demain (il vaut mieux)
→ ....

f. Tu n'arrives pas te faire des amis ? → être plus ouvert (je / conseiller)
→ ....

g. Ils ne font jamais le ménage. → respecter le contrat (devoir / conditionnel)
→ ....

h. On perd beaucoup de temps dans les transports. → proposer le télétravail (il faut / conditionnel)
→ ....

Dictée

11 8 Écoutez et écrivez les phrases.

COMMUNIQUER

12 Votre voisine Kate aimerait partager son appartement, vous lui donnez des conseils. Vous lui écrivez un message à l'aide de vos notes.

- avoir une colocataire
- chercher une personne jeune, calme et indépendante
- être ouverte, à l'écoute
- faire un contrat
- décider des horaires pour la vie en commun
- être flexible et s'adapter

De : Moi
à : katewilson@msn.com
Objet : Des conseils pour ta colocation

Vendredi 10 septembre

Bonjour Kate,

Leçon 3 — Expliquer les différences culturelles

COMPRENDRE

1 Lisez le témoignage de Vidya et cochez Vrai ou Faux. Justifiez votre réponse avec une phrase du témoignage.

Des étudiants témoignent de leur expérience en France

Je m'appelle Vidya, je suis née à Chennaï, dans le sud de l'Inde. Je suis arrivée en France il y a trois ans pour faire des études de biologie. Au début, c'était difficile de parler avec les Français à cause des nombreux stéréotypes sur l'Inde ! Ici, beaucoup de gens pensent que tous les Indiens font du yoga. C'est pourquoi, on me parle toujours du yoga et de la méditation. Je suis végétarienne alors on me pose aussi beaucoup de questions sur le mode de vie végétarien. Je réponds que les Indiens mangent moins de viande que les Français puisque la vie animale est sacrée pour beaucoup de gens. Comme il y a souvent de la viande ou du poisson dans les menus, je mange peu au restaurant, mais je suis parfois invitée à dîner. Et au début, c'était très étrange pour moi ! En France, quand le repas est terminé, on reste avec les autres pour discuter. En Inde, on partage un moment ensemble avant le repas. Quand on a mangé, on part rapidement après parce que ce n'est pas poli de rester : cela veut dire qu'on n'a pas assez mangé ! Maintenant, grâce à mes amis français, j'ai pu m'adapter et découvrir la richesse de nos deux cultures très différentes.

Ex. : Vidya vient du nord de l'Inde. ☐ Vrai ☑ Faux
Justification : Je m'appelle Vidya, je suis née à Chennaï, dans le sud de l'Inde.

a. En France, il y a beaucoup de clichés sur l'Inde. ☐ Vrai ☐ Faux
Justification : _____

b. Les Français pensent que le yoga et la méditation sont très répandus en Inde. ☐ Vrai ☐ Faux
Justification : _____

c. Vidya ne mange ni viande ni poisson. ☐ Vrai ☐ Faux
Justification : _____

d. Les Indiens consomment autant de viande que les Français. ☐ Vrai ☐ Faux
Justification : _____

e. Vidya sort souvent au restaurant. ☐ Vrai ☐ Faux
Justification : _____

f. Vidya a trouvé facile de rencontrer des Français. ☐ Vrai ☐ Faux
Justification : _____

g. En France, les gens aiment bien partager un moment après le dîner. ☐ Vrai ☐ Faux
Justification : _____

h. En Inde, ce n'est pas poli de partir juste après le repas. ☐ Vrai ☐ Faux
Justification : _____

LEÇON 3

VOCABULAIRE

Le comportement

2 Reliez les mots ou les expressions à leur définition.

- a. puritain(e)
- b. distant(e)
- c. bizarre
- d. choquant(e)
- e. direct(e)
- f. familier / familière
- g. être hors de soi
- h. rigoler
- i. se fermer

- 1. difficile à comprendre
- 2. qui n'aime pas les relations familières
- 3. très désagréable, contraire aux habitudes
- 4. être très en colère
- 5. qui respecte les traditions
- 6. devenir silencieux
- 7. rire avec des gens proches
- 8. que l'on connaît très bien
- 9. qui dit ce qu'il/elle pense

3 Complétez le témoignage de Claudia avec les mots suivants :
bizarre • distant • ouverts • rigoler • se fermaient • directe • froids • choquant

La première fois que je suis venue en France, j'ai trouvé que tout était *bizarre*. Au Mexique, dans mon pays, les gens qui ne se connaissent pas se parlent facilement, ici non. Les Français ne paraissaient pas très _____, ils étaient assez _____. Pour moi, c'était un peu _____. J'ai été trop _____ parfois. Au début, je ne comprenais pas pourquoi les gens _____ quand je leur parlais. Maintenant je pense qu'il faut être plus _____ quand on rencontre une nouvelle personne. Par contre, quand on se connaît bien, c'est sympa, on peut _____ ensemble !

GRAMMAIRE

La cause

4 Mettez les mots dans l'ordre pour faire des phrases.

Ex. : parce que • pour découvrir les différences culturelles • normales. • nos habitudes nous paraissent • Il faut un peu de temps → *Il faut un peu de temps pour découvrir les différences culturelles parce que nos habitudes nous paraissent normales.*

a. très ouverts. • J'ai pu • des amis français • m'adapter facilement • grâce à
→ _____

b. très bien • d'une mauvaise compréhension interculturelle, • dans le pays. • À cause • il ne s'est pas senti
→ _____

c. c'est difficile • il est très distant, • pour lui • Comme • de se faire des amis.
→ _____

d. vous venez • Vous avez • froid • puisque • en Suisse • d'un pays chaud. • toujours
→ _____

e. d'où je viens • la langue du pays. • Les gens • je ne parle pas bien • me demandent souvent • car
→ _____

f. moyens de communication, • d'autres cultures. • qu'avant • il est plus facile • Grâce aux • de découvrir
→ _____

treize 13

UNITÉ 1 — Leçon 3 : Expliquer les différences culturelles

La cause et la conséquence

5 a. Écoutez les phrases. Indiquent-elles une cause ou une conséquence ? Cochez la bonne réponse.

	Ex.	a.	b.	c.	d.	e.	f.	g.	h.
Cause	✓								
Conséquence									

b. Réécoutez les phrases. Écrivez les expressions qui vous ont permis de répondre à l'activité **a**.

Ex. : parce que
a. ....
b. ....
c. ....
d. ....
e. ....
f. ....
g. ....
h. ....

6 Lisez les phrases et soulignez l'expression de la cause ou de la conséquence qui convient.

Ex. : Mes parents ont beaucoup voyagé parce que · <u>c'est pour ça que</u> je me sens bien partout.

a. Ils sont repartis après le dîner **car · donc** ils ne sont arrivés que maintenant.
b. Je trouve que les gens sont souvent fermés **parce qu' · par conséquent** ils n'ont jamais fait l'expérience des différences culturelles.
c. Nous ne nous posons pas de question sur les différences culturelles, **puisque · du coup**, les personnes étrangères nous paraissent bizarres.
d. Quand on voyage, c'est important de respecter la culture locale **car · c'est pour ça qu'** il faut respecter les gens.
e. Elle a habité très longtemps en Bolivie **parce qu' · par conséquent** elle connaît très bien les habitudes locales.
f. Il ne parlait pas très bien la langue **car · alors** il n'a pas pu discuter avec les habitants.
g. Vous vous intéressez à des personnes qui ont d'autres habitudes **car · c'est pourquoi** vous aimez voyager dans des pays inconnus.
h. Tu vas pouvoir découvrir une nouvelle culture **puisque · donc** tu pars habiter dans un autre pays.

7 Reliez le début à la fin de la phrase.

a. Je ne me sentais pas bien
b. J'ai vécu quelques années en Italie
c. Nous avons eu une offre d'emploi dans une école
d. Quand il est arrivé en France, c'était difficile
e. Elle est restée avec nous pendant trois mois
f. Elles connaissent des lieux superbes
g. Ils ont loué des vélos pour visiter Amsterdam

1. donc nous sommes partis au Kenya pour deux ans.
2. puisque les gens ne sortent pas en voiture dans cette ville.
3. du coup, elle a appris le français.
4. parce que dans mon pays les gens sont moins directs.
5. à cause des différences culturelles.
6. alors je connais bien la culture du pays.
7. grâce à leurs expériences de voyage.

Dictée

8 Écoutez et écrivez les phrases.

COMMUNIQUER

LEÇON 3

9 Osman répond à une enquête sur les différences culturelles. Lisez les questions et écrivez ses réponses avec les mots de la liste.

Vous venez de quelle région et depuis combien de temps êtes-vous en France ?
a. région d'Istanbul • Paris • deux ans

Comment vous êtes-vous senti quand vous êtes arrivé en France ?
b. réservé • distant • se fermer

Qu'est-ce que vous avez trouvé le plus bizarre ?
c. familier • parler beaucoup • rester assis longtemps à table

Qu'est-ce que vous aimez beaucoup maintenant ?
d. dire quand on n'est pas d'accord • acheter des croissants à la boulangerie • être plus ouvert

10 Mei témoigne des différences culturelles sur son blog. Écrivez son témoignage à l'aide des indications.

En France	En Chine
On se fait la bise.	On ne s'embrasse pas pour se dire bonjour.
Les étudiants fument.	Les étudiants ne fument pas.
Les gens sont plus directs.	Les gens sont plus distants.
On pose des questions plus familières.	On exprime moins ses sentiments.

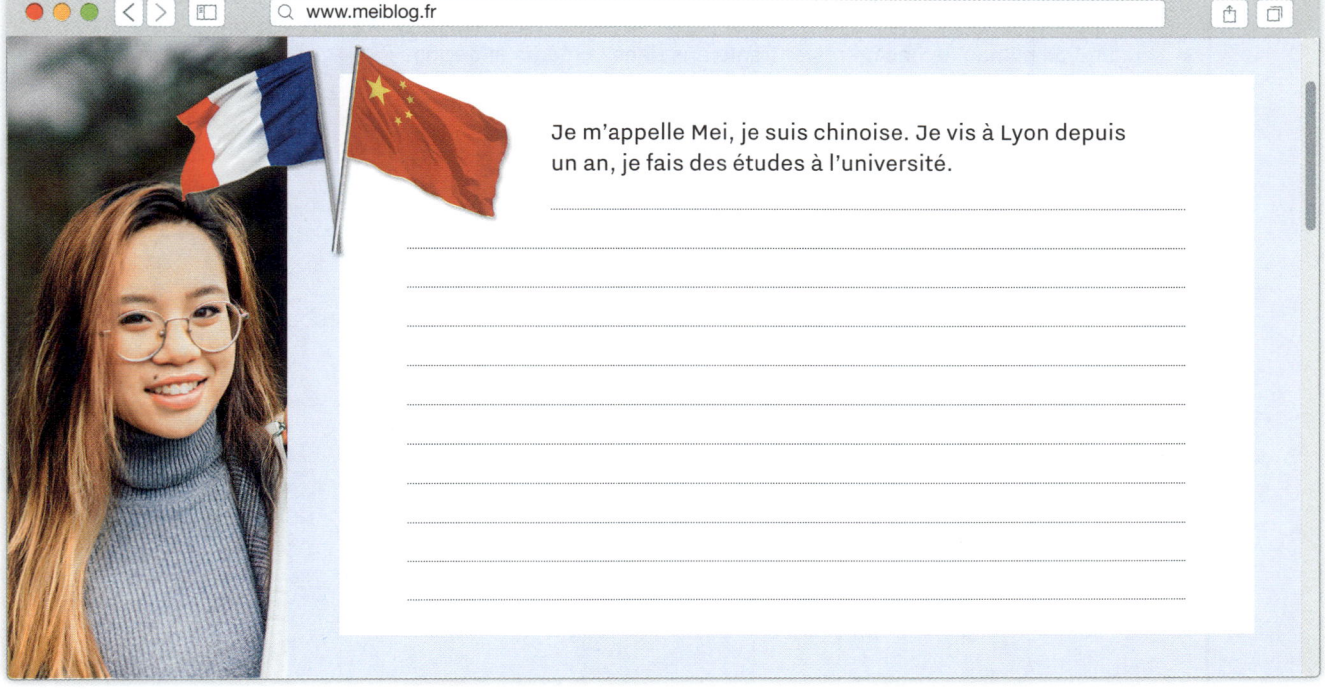

www.meiblog.fr

Je m'appelle Mei, je suis chinoise. Je vis à Lyon depuis un an, je fais des études à l'université.

BILAN

Compréhension écrite — 10 points

1 Lisez l'article et cochez Vrai ou Faux. Justifiez votre réponse avec une phrase de l'article.

Témoignages : les différences entre les générations dans le monde du travail

Grâce à l'allongement de la vie, plusieurs générations travaillent ou vivent ensemble. Les baby-boomers, qui sont nés dans les années 60 sont toujours en activité, et la génération Z, qui est née après l'an 2000 arrive dans le monde du travail. Alors, comment se passe cette collaboration ?

Nous avons rencontré Franck et Julien qui travaillent dans une grande entreprise d'agro-alimentaire pour leur poser la question. Voici leurs témoignages.

Franck : « J'ai 62 ans, je suis bientôt à la retraite, je travaille ici depuis plus de trente ans. Je suis très attaché à cette entreprise, j'y ai fait différents métiers, maintenant je suis responsable d'une équipe de production, c'est très intéressant. J'ai toujours été très optimiste, mais j'ai su attendre pour évoluer dans mon travail. Aujourd'hui, je trouve que les jeunes sont plus impatients et plus exigeants. En même temps, ils sont plus flexibles et plus inventifs que nous les plus âgés. Ils peuvent travailler à des horaires différents, et ils apprécient le télétravail, ce qui est impossible pour moi. Ils séparent moins la vie professionnelle et la vie privée que nous. »

Julien : « J'ai 25 ans, je viens d'avoir mon master en gestion à l'université, et je suis arrivé dans cette entreprise il y a deux mois. C'est mon premier emploi. Ici, je travaille avec des personnes de tous les âges, et j'apprécie l'expérience des plus âgés. À mon avis, les jeunes sont plus dynamiques et plus enthousiastes que leurs aînés. Mais les plus âgés, ceux qui ont entre cinquante et soixante ans, sont généralement plus réalistes et plus intéressés par la réussite professionnelle que nous. Moi, ce qui m'intéresse, c'est d'avoir plusieurs expériences, dans des lieux très différents. J'ai prévu de partir à l'étranger dans deux ans parce que je voudrais avoir une expérience professionnelle dans une autre culture. Je n'imagine pas de rester trente ans dans la même entreprise ! »

a. Le texte parle des différences entre les jeunes et les plus âgés au travail. *(1 point)* ☐ Vrai ☐ Faux
Justification : _____

b. Pour Franck, les jeunes sont moins patients que leurs aînés. *(1 point)* ☐ Vrai ☐ Faux
Justification : _____

c. D'après Franck, les jeunes font une grande différence entre leur temps de repos et leur temps de travail. *(2 points)* ☐ Vrai ☐ Faux
Justification : _____

d. Julien est très à l'écoute de l'expérience de ses aînés. *(2 points)* ☐ Vrai ☐ Faux
Justification : _____

e. Pour Julien, les personnes de cinquante ans sont moins intéressées par leur carrière professionnelle que les jeunes. *(2 points)* ☐ Vrai ☐ Faux
Justification : _____

f. Pour Julien, les aînés sont plus idéalistes que les jeunes. *(2 points)* ☐ Vrai ☐ Faux
Justification : _____

BILAN

Compréhension orale   10 points

2 🎧 11 **Écoutez l'émission de radio et choisissez les réponses correctes.**

a. De quoi parlent les personnes interviewées ?   *1 point*
  - ☐ de leur vie dans leur pays.
  - ☐ des rencontres qu'elles ont faites en France.
  - ☐ de leur expérience interculturelle.

b. Qu'est-ce qui a surpris Ashley au début ?   *1 point*
  - ☐ La réussite professionnelle des femmes françaises.
  - ☐ La différence entre les femmes de son pays et les femmes françaises.
  - ☐ Les attitudes des hommes en France dans la vie professionnelle.

c. D'après Ashley, qu'est-ce qui est le plus important pour les femmes dans son pays ?   *2 points*
  - ☐ Leur vie familiale.
  - ☐ Leur carrière professionnelle.
  - ☐ Leur argent.

d. Quelle était l'opinion de certains Français sur Ashley ?   *2 points*
  - ☐ Ils aimaient les questions qu'elle posait.
  - ☐ Ils pensaient qu'elle était trop familière.
  - ☐ Ils n'aimaient pas son caractère très formel.

e. Quelle comparaison fait Daria entre les gens de son pays et les Français ?   *2 points*
  - ☐ Les gens de son pays comme les Français boivent de la vodka.
  - ☐ Les gens de son pays connaissent mieux les États-Unis que les Français.
  - ☐ Les gens de son pays sont fiers de leur culture comme les Français.

f. D'après Daria, à quoi les Français associent-ils le plus souvent son pays ?   *2 points*
  - ☐ À la littérature.
  - ☐ Au climat.
  - ☐ À la cuisine.

Production orale   10 points

3 Votre ami Arto vient s'installer dans votre ville. Vous le présentez à la réunion d'accueil des nouveaux habitants à la mairie. Aidez-vous des indications.

> **Arto** 23 ans, finlandais, infirmier
> **Langues :** finnois, russe, anglais
> **Loisirs :** le saxophone +, les bandes dessinées +, la cuisine ++, le sauna +++
> **Centres d'intérêt :** les voyages (le tour du monde l'année dernière), la nature, l'écologie
> **Caractère :** ne parle pas beaucoup, écoute les autres, aime créer des choses, aime quand les choses sont bien faites, est très positif pour le futur

Production écrite   10 points

4 Vous écrivez un article sur votre blog. Vous vous présentez et vous racontez votre expérience de rencontres interculturelles. Vous donnez des conseils pour mieux échanger avec les autres, vous exprimez des causes et des conséquences.

Leçon 5 — Raconter un engagement

COMPRENDRE

1 Lisez le témoignage d'Anna et cochez Vrai ou Faux. Justifiez votre réponse avec une phrase de l'article.

---

www.jemengage.fr

Les formalités | Pourquoi s'engager | Les associations | **Vos témoignages**

La rencontre avec d'autres personnes est la raison principale de l'engagement des bénévoles. Voici le parcours d'Anna. Elle nous raconte son engagement.

« Je m'appelle Anna, j'ai 23 ans, je suis étudiante en sciences sociales. Je suis bénévole dans une association d'aide aux personnes qui vivent dans la rue. J'ai commencé il y a deux ans parce que je voulais agir pour plus de solidarité. Je voyais souvent des personnes avec des conditions de vie difficiles, juste à côté de chez moi. Je trouvais ça injuste alors que moi j'ai un appartement et j'ai assez d'argent pour vivre. Au début, j'aidais à faire les collectes d'aliments dans les supermarchés : avec deux autres bénévoles, nous distribuions des prospectus aux personnes qui faisaient leurs courses. On leur expliquait pourquoi c'est important de participer, en achetant un produit pour l'association. J'étais très contente parce que ça marchait très bien. Quelques mois plus tard, l'association m'a demandé de participer aux rencontres le soir avec les personnes qui dorment dans la rue. Cela s'appelle des « maraudes ». Nous leur donnons des boissons chaudes et nous leur parlons. Parfois, on leur apporte de la nourriture. Mais le plus important, c'est de créer des contacts et d'échanger avec ces personnes. Je suis très curieuse de leur histoire ! Une vraie relation existe avec ceux que je suis habituée à voir, et c'est très enrichissant pour moi. »

Ex. : Le texte raconte l'engagement d'une jeune femme bénévole. ☑ Vrai ☐ Faux
Justification : La rencontre avec d'autres personnes est la raison principale de l'engagement des bénévoles. Voici le parcours d'Anna. Elle nous raconte son engagement.

a. Anna agit dans une association d'aide aux enfants. ☐ Vrai ☐ Faux
Justification : _____

b. Anna s'est mobilisée pour aider les personnes qui vivent près de chez elle. ☐ Vrai ☐ Faux
Justification : _____

c. Anna n'avait pas d'argent pour aider d'autres personnes. ☐ Vrai ☐ Faux
Justification : _____

d. Anna a participé à des actions de collecte alimentaire. ☐ Vrai ☐ Faux
Justification : _____

e. Anna aidait en faisant des dons de produits à l'association. ☐ Vrai ☐ Faux
Justification : _____

f. Pour Anna, aller à la rencontre des gens est le plus important. ☐ Vrai ☐ Faux
Justification : _____

LEÇON 5

VOCABULAIRE

Le travail (2), l'immigration

2 Lisez les phrases et soulignez le mot ou l'expression qui convient.

Ex. : Il est arrivé dans ce magasin pour apprendre un métier, il fait <u>un apprentissage</u> • un don.

a. Ils ont été obligés de quitter leur pays à cause des catastrophes climatiques, ce sont **des réfugiés** • **des apprentis**.
b. Ils viennent en France pour y trouver du travail, ce sont **des régularisations** • **des migrants**.
c. Elle dirige l'entreprise et les employés, c'est **la patronne** • **l'apprentie**.
d. Quand on obtient une autorisation de vivre et de travailler dans un pays, on est **régularisé** • **expulsé**.
e. Ces jeunes migrants ont appris la langue et ont trouvé du travail. Ils se sont **intégrés** • **expulsés**.
f. Elle a été obligée de quitter son pays d'accueil, c'est **une régularisation** • **une expulsion**.

L'engagement

3 Lisez les phrases et complétez avec les mots ou les expressions suivants :

grève de la faim • bénévole • juste • une collecte • manifestons • un don • association caritative • agit • engagée • se mobiliser • pétition • solidarité • injustice • rassemblés • mobilisation • protection • soutiens

Ex. : Pour la régularisation des employés de l'entreprise, le patron fait une grève de la faim.

a. Nous avons signé la _____ parce que nous croyons que c'est une cause _____ .
b. Je suis devenu membre de cette _____ il y a deux ans, je suis _____ .
c. Si l'on veut développer plus de _____ avec les migrants, on doit _____ .
d. La _____ de la nature est très importante, nous _____ toutes les semaines.
e. Nous organisons _____ d'argent pour notre association. Faites _____ !
f. Ils se sont _____ sur la place des Vosges pour montrer la force de la _____ .
g. Je _____ cette association parce qu'elle _____ pour intégrer les réfugiés.
h. Elle s'est _____ pour combattre cette _____ .

GRAMMAIRE

L'opposition

4 🎧 12 Écoutez les débuts de phrase et cochez la fin de la phrase correcte.

Ex. : ☑ elle ne veut pas s'occuper des personnes âgées.
☐ elle va tous les jours à l'hôpital.
☐ elle souhaite se mobiliser.

a. ☐ nous allons à la manifestation.
☐ notre association a de l'argent.
☐ c'est une cause juste.

b. ☐ peu de personnes se mobilisent.
☐ c'est une cause juste.
☐ il faut aller manifester.

c. ☐ il devait être expulsé le mois prochain.
☐ il n'aime pas manifester.
☐ il soutient cette cause.

d. ☐ ils ne participent pas aux réunions de l'association.
☐ ils ne sont pas disponibles.
☐ ils se mobilisent pour le climat.

e. ☐ on s'occupe des jeunes migrants.
☐ on n'est pas obligé de faire des dons.
☐ on a besoin de se sentir utile.

f. ☐ nous allons aider plus de personnes sans logement.
☐ les gens ont fait beaucoup de dons.
☐ nous avions peu de bénévoles.

dix-neuf 19

Leçon 5 — Raconter un engagement

L'imparfait et le passé composé

5 Lisez le témoignage de Sessou. Conjuguez les verbes au passé composé ou à l'imparfait.

J'**ai quitté** (quitter) mon pays le Soudan quand j'_____ (avoir) 15 ans. La vie _____ (être) difficile. Un jour, ma famille _____ (demander à moi) de partir. J'_____ (faire) la traversée de la Méditerranée sur un bateau. Il y _____ (avoir) beaucoup de migrants et le bateau était petit. Nous _____ (être) très inquiets, mais on ne _____ (pouvoir) rien faire, il _____ (falloir) être courageux. Pendant les premiers mois en France, j'_____ (avoir toujours peur) d'être expulsé parce que je ne _____ (parler) pas français et je _____ (se cacher) toute la journée. Je _____ (dormir). Il y a un an, grâce à une association, j'_____ (pouvoir) aller dans une famille d'accueil et j'_____ (commencer) une formation professionnelle. J'espère que je serai bientôt régularisé !

L'accord du participe passé

6 Lisez les phrases. Soulignez la forme verbale qui convient.

Ex. : Maman, tu es allé • <u>allée</u> • allés à la manifestation pour défendre la cause des réfugiés ?

a. Les deux sœurs se sont **mobilisé • mobilisées • mobilisés** pour une cause juste.
b. Le migrant est **parti • partie • partis** de son pays en bateau il y a un mois.
c. Les bénévoles ont **collecté • collectés • collectées** des dons alimentaires tous les samedis.
d. Elles ont **appris • apprises • apprise** la langue dans une famille d'accueil.
e. Les habitants du quartier sont **venus • venu • venues** à la réunion de l'association.
f. Les bénévoles des Restos du cœur se sont **engagé • engagées • engagés** à distribuer des repas.

+7 Lisez les phrases. Conjuguez les verbes au passé composé et faites l'accord du participe passé si nécessaire.

Ex. : Ces migrants **sont venus** (venir) en France pour fuir l'injustice dans leur pays.

a. Mon amie _____ (arriver) d'Italie où elle s'occupe des migrants avec une association.
b. Nous _____ (aller) manifester pour l'accueil des réfugiés.
c. Elles _____ (s'asseoir) à côté de lui pour écouter son histoire.
d. Maria, tu _____ (sortir) de la réunion à quelle heure ?
e. Ils _____ (expliquer) qu'ils marchaient depuis un mois.
f. Ton frère et toi, vous _____ (s'enfuir) de votre pays ?
g. Les bénévoles _____ (s'engager) pour aider les migrants.
h. Les réfugiées _____ (monter) dans le bateau de l'association.

Dictée

8 13 Écoutez et écrivez les phrases.

LEÇON 5

COMMUNIQUER

9 Votre amie Zara vous raconte son engagement. Écrivez son témoignage sur le site jeuneetbenevole.org à l'aide de vos notes.

Zara

Zara, 26 ans, toujours mobilisée contre l'injustice
2019 : bénévole d'une association pour l'accueil des migrants
2019 à 2021 : participation aux manifestations, collecte de dons, accompagnement des personnes arrivées en France
Novembre 2021 : rencontre de Amid, réfugié, ne parlant pas français, menacé d'expulsion
Décembre 2021 : engagement pour la régularisation d'Amid, création d'une pétition

10 Vous souhaitez vous engager dans l'association « Les Restos du cœur ». Sélectionnez les actions que vous pouvez faire et écrivez votre message au responsable du groupe de votre quartier.

Comment vous pouvez aider l'association
- ☐ don d'argent
- ☐ don d'aliments
- ☐ distribution de repas
- ☐ distribution des prospectus
- ☐ organisation d'ateliers de cuisine
- ☐ ramassage de produits dans les supermarchés chaque semaine
- ☐ participation à la collecte nationale une fois par an
- ☐ aide pendant quelques heures chaque semaine
- ☐ venir l'après-midi

De : Moi
à : responsable@restoducoeur.com
Objet : Bénévolat

Bonjour,
Je suis motivé(e) pour devenir bénévole dans votre association. Je voudrais ....
....
....

J'espère pouvoir m'engager pour faire des actions dans votre association.
Bien cordialement,

Leçon 6 — Donner son avis

COMPRENDRE

1 🎧 14 Écoutez le dialogue et cochez les réponses correctes.

Ex. : Où se passe le dialogue ?
☐ À une réunion d'entreprise.
☑ À la radio.
☐ Dans un hôpital.

a. Qui est Claire ?
☐ Une créatrice d'entreprise.
☐ Une personne handicapée.
☐ Une employée d'une banque.

b. Que voulait Claire ?
☐ Travailler dans un service communication.
☐ Proposer du travail à des personnes handicapées.
☐ Créer une entreprise avec un petit effectif.

c. Pourquoi Claire s'est-elle lancée dans son projet ?
☐ Parce qu'elle voulait un contrat de travail.
☐ Parce qu'elle adorait son métier.
☐ Parce qu'elle ne trouvait pas d'agence avec des employés handicapés.

d. Comment était Claire au début ?
☐ Elle était perdue.
☐ Elle était sûre d'elle.
☐ Elle était en difficulté.

e. Quelles sont les personnes qui travaillent avec Claire ?
☐ Des personnes malentendantes.
☐ Des personnes malvoyantes.
☐ Des personnes sans handicap.

f. Qu'a obtenu Claire ?
☐ Un contrat de travail.
☐ Un bureau adapté.
☐ Un soutien financier.

2 🎧 14 Réécoutez le dialogue et soulignez les opinions de Claire.

- <u>Il faudrait que toutes les entreprises embauchent des personnes handicapées.</u>
- C'est important de travailler en équipe.
- On devrait toujours proposer des contrats à durée indéterminée aux nouveaux employés.
- Il faut proposer des emplois aux personnes handicapées.
- C'est difficile d'embaucher des personnes en situation de handicap.
- Il faut adapter les missions aux personnes.
- Les personnes handicapées ont plus de compétences.
- C'est mieux d'employer des personnes handicapées à temps plein.

VOCABULAIRE

L'état psychologique, l'opinion, le travail (3)

3 Complétez le témoignage de Léo avec les mots ou les expressions suivants :
perdu • missions • à mon avis • pense • entreprise • à temps plein • vocation • sûr de moi • embauché

Quand j'ai fini mes études, je ne savais pas ce que je voulais faire. J'étais **perdu**, je n'avais pas d'idée sur ma _____. J'ai travaillé dans une _____ qui aide les personnes âgées. _____, c'est très important de s'occuper des gens qui ont des difficultés pour vivre au quotidien. On m'a _____ pendant quatre mois _____. J'avais plusieurs _____ : accueillir les personnes, les aider à remplir des formulaires... C'était très intéressant. Maintenant, je suis _____ : je _____ que je vais travailler à aider les autres !

LEÇON 6

L'état psychologique, le handicap, le travail (3)

4 Barrez l'intrus.

Ex. : un emploi • un salaire • un contrat à durée indéterminée • ~~une personne handicapée~~

a. confiant(e) • sûr(e) de soi • motivé(e) • perdu(e)
b. une personne en situation de handicap • un fauteuil roulant • un(e) aveugle • un(e) sourd(e)
c. une vocation • une entreprise • une multinationale • une agence
d. un apprenti • un effectif • un patron • un collègue
e. une mobilisation • une cause • un contrat à durée déterminée • une pétition
f. employer • entreprendre • embaucher • s'épanouir

Le handicap, l'État, le travail (3)

5 Lisez les phrases et entourez le mot ou l'expression qui convient.

Ex. : C'est nécessaire de sensibiliser les employeurs à l'emploi des effectifs • **des personnes handicapées**.

a. Il faut informer les entreprises pour **embaucher** • **partager** ces personnes.
b. Quand elle embauche une personne handicapée, l'entreprise peut demander **une aide financière** • **une loi**.
c. Les personnes en situation de handicap ne sont pas toutes dans **une loi** • **un fauteuil roulant**.
d. Depuis que j'ai fait ce travail, j'ai trouvé **ma vocation** • **ma reconnaissance**.
e. Nous avons embauché trois personnes handicapées en **contrat à durée déterminée** • **multinationale**.
f. Cette personne handicapée est très compétente, elle est **malvoyante** • **perdue**.

L'état psychologique, le handicap, l'État, le travail (3)

6 **15** Écoutez et cochez le thème de chaque phrase.

	Ex.	a.	b.	c.	d.	e.	f.	g.
L'état psychologique								
Le handicap	✔							
L'État								
Le travail								

GRAMMAIRE

La mise en relief : *ce qui / ce que / ce dont... c'est / ce sont*

7 **16** Écoutez les phrases. Soulignez le mot ou le groupe de mots mis en relief.

Ex. : C'est difficile pour moi <u>de trouver du travail</u>.

a. La solidarité au travail compte le plus pour moi.
b. Il a besoin de se reposer après toutes ces années de bénévolat dans l'association.
c. Pour lui, son engagement est le plus important.
d. J'ai le plus aimé la rencontre avec les jeunes dans cette mission.
e. Cette agence de communication devrait embaucher des personnes handicapées.
f. J'ai envie de faire un service civique l'année prochaine.

Leçon 6 — Donner son avis

8 Mettez les mots dans l'ordre pour faire une phrase. Aidez-vous de la majuscule et du point.

Ex. : c'est ce • à temps plein, • Avoir • un contrat • qu'il cherche.
→ Avoir un contrat à temps plein, c'est ce qu'il cherche.

a. c'est • Ce • que • le travail en équipe. • nous préférons,
→ ....

b. est important, • d'employer • des personnes handicapées. • c'est • Ce qui
→ ....

c. c'est • Ce • de • il parle souvent, • son stage de bénévole en Afrique. • dont
→ ....

d. sont • des personnes • Les personnes handicapées, • aussi compétentes que les autres. • ce
→ ....

e. je voudrais. • ce • bénévole, • c'est • que • Devenir
→ ....

f. c'est • Ce • qui a compté pour moi, • la rencontre • avec cette personne.
→ ....

9 Transformez comme dans l'exemple. Mettez en relief les mots soulignés de deux manières différentes.

Ex. : Je me rappelle cette grande manifestation pour l'accueil des étrangers.
→ Ce que je me rappelle, c'est cette grande manifestation pour l'accueil des étrangers.
→ Cette grande manifestation pour l'accueil des étrangers, c'est ce que je me rappelle.

a. Ton association a besoin d'argent pour faire des actions.
→ ....
→ ....

b. Nous organiserons des cours de français pour les migrants.
→ ....
→ ....

c. Travailler sur ce projet me prend beaucoup de temps.
→ ....
→ ....

d. Nous devrions proposer plus de stages pour les jeunes.
→ ....
→ ....

e. Elle aime se sentir utile aux autres.
→ ....
→ ....

f. Je suis fière de mon engagement pour le climat.
→ ....
→ ....

Dictée

10 🎧 17 Écoutez et écrivez les phrases.

COMMUNIQUER

11 Vous travaillez dans une association qui aide les entreprises avec des personnes handicapées. Pour obtenir une aide financière, vous décrivez l'entreprise Mediacom dans un formulaire. Aidez-vous des indications.

Entreprise de formation • 34 employés • 4 personnes en situation de handicap • 3 formateurs mal voyants • un formateur en fauteuil roulant • à temps partiel • contrats à durée indéterminée • depuis 2018

AIDE À L'EMPLOI DE PERSONNES EN SITUATION DE HANDICAP

Nom de l'entreprise : Mediacom
Adresse : 26 allée des Sports – 31100 Toulouse
Informations sur l'entreprise :
C'est une entreprise de formation

12 Vous lisez cette brève sur le handicap dans un journal en ligne. Vous donnez votre opinion.

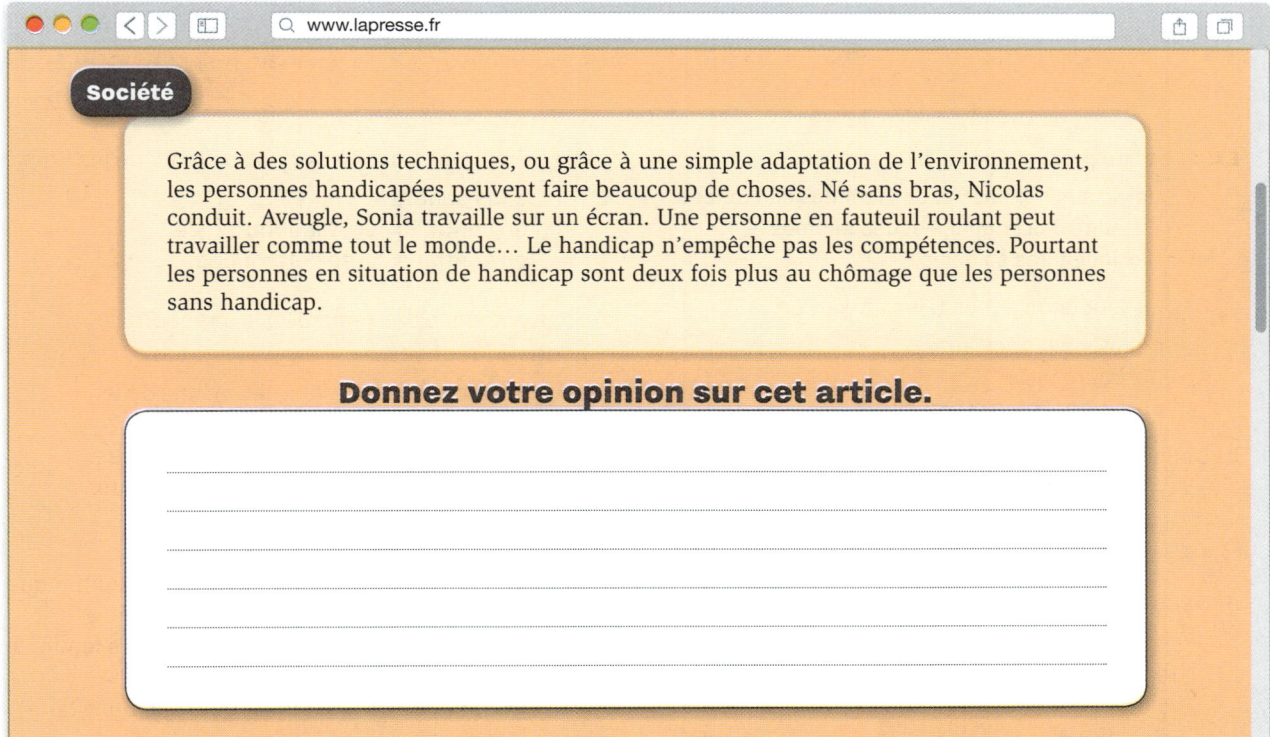

www.lapresse.fr

Société

Grâce à des solutions techniques, ou grâce à une simple adaptation de l'environnement, les personnes handicapées peuvent faire beaucoup de choses. Né sans bras, Nicolas conduit. Aveugle, Sonia travaille sur un écran. Une personne en fauteuil roulant peut travailler comme tout le monde... Le handicap n'empêche pas les compétences. Pourtant les personnes en situation de handicap sont deux fois plus au chômage que les personnes sans handicap.

Donnez votre opinion sur cet article.

Leçon 7 — Parler des inégalités

COMPRENDRE

1 Lisez l'étude et choisissez les fins de phrase correctes.

> **Les inégalités entre les femmes et les hommes ont diminué ces dernières années. Mais on voit encore trop de différences de salaire ou dans le partage des tâches ménagères. Voici quelques informations du sondage réalisé par l'Observatoire des inégalités*.**
>
> Les femmes sont plus nombreuses que les hommes à faire des études supérieures. Mais les filières sont différentes : les filles choisissent plutôt des études de lettres et de sciences humaines, alors que les garçons préfèrent les études d'ingénieur. Dans le domaine de l'emploi, les femmes sont de moins en moins au chômage, et sont maintenant à égalité avec les hommes. L'emploi des femmes a donc progressé mais elles ont encore un salaire moins élevé. Les femmes gagnent 23 % de moins que les hommes. Pour un même poste et un même temps de travail, l'écart reste important : 9,9 % de moins. Les contrats de travail à durée déterminée concernent plus les femmes que les hommes. Depuis quelques années, il y a de plus en plus de femmes qui dirigent des entreprises, mais ce n'est pas encore la parité. Plus les postes sont importants, moins le nombre de femmes est élevé. La présence des femmes aux postes de direction progresse donc lentement. Enfin, pour les tâches de la maison, ce sont plutôt les femmes qui les réalisent. Les hommes participent beaucoup moins aux activités ménagères, surtout quand il y a des enfants. Les femmes passent généralement une heure de plus par jour que les hommes aux tâches de la maison. Les hommes préfèrent le bricolage et le jardinage alors que ce sont surtout les femmes qui font le ménage et la cuisine.

*INSEE, ministère de l'Enseignement supérieur, ministère de l'Intérieur.

Ex. : Le texte présente des informations sur…
- ☐ la vie des hommes et des femmes en France.
- ☑ l'égalité des hommes et des femmes.
- ☐ les inégalités sociales.

a. Depuis plusieurs années, les inégalités…
- ☐ sont moins importantes.
- ☐ ont progressé.
- ☐ sont toujours les mêmes.

b. Dans le domaine de l'emploi, les femmes…
- ☐ sont plus au chômage que les hommes.
- ☐ sont autant au chômage que les hommes.
- ☐ sont moins au chômage que les hommes.

c. Dans le monde professionnel, l'inégalité la plus forte est dans…
- ☐ le temps libre.
- ☐ le type de métier.
- ☐ le salaire.

d. Les femmes travaillent plus souvent que les hommes…
- ☐ sans contrat.
- ☐ en contrat à durée indéterminée.
- ☐ en contrat à durée déterminée.

e. La présence des femmes à la direction des entreprises…
- ☐ est globalement aussi élevée que celle des hommes.
- ☐ progresse vite depuis quelques années.
- ☐ reste plus faible aux postes importants.

f. À la maison,…
- ☐ les hommes s'occupent des enfants autant que les femmes.
- ☐ les hommes participent moins que les femmes aux tâches ménagères.
- ☐ les femmes passent une heure par jour à faire le ménage.

LEÇON 7

2 🎧 18 Écoutez les résultats du sondage et cochez Vrai ou Faux.

	Vrai	Faux
Ex. : Le thème principal de ce document est la répartition des tâches à la maison.	✓	
a. Les Français pensent que l'égalité hommes-femmes a progressé.		
b. Il y a plus d'inégalités pour les tâches ménagères d'après les femmes.		
c. S'occuper des enfants est la tâche la plus souvent réalisée par les hommes.		
d. Les hommes s'investissent plus dans les tâches à la maison.		
e. Les femmes font autant le repassage que les hommes.		

VOCABULAIRE

Les statistiques (1), l'égalité, l'intensité

3 Complétez la conclusion de l'étude avec les mots ou les expressions suivants :

étude • vraiment • différences de salaire • assez • de plus en plus • progresse • sondage • trop de

Les inégalités en Europe

Une **étude** a été réalisée pour donner des informations sur les inégalités sociales en Europe. Dans ce _____, 48 % des Européens pensent que l'Union européenne devrait lutter contre la pauvreté et les _____. Ce chiffre _____ depuis l'année dernière. _____ de personnes veulent l'accès à une éducation de qualité. Mais c'est la protection de l'environnement qui est _____ la cause défendue la plus importante : les gens trouvent qu'il y a _____ pollution et pas _____ d'actions pour le climat. ■

GRAMMAIRE

La formation des adverbes en *-ment*

4 Transformez les phrases avec un adverbe en *-ment*, comme dans l'exemple.

Ex. : Il a été courageux quand il a défendu cette cause, hier.
→ Il a courageusement défendu cette cause, hier.

a. Nous avons été patients quand nous avons attendu les résultats de l'enquête.
→ _____

b. Ils étaient tranquilles quand ils sont partis après l'interview.
→ _____

c. Il est intelligent quand il dirige les réunions.
→ _____

d. Ils sont prudents quand ils donnent leur avis.
→ _____

e. Les manifestants étaient silencieux quand ils ont défilé contre les injustices sociales.
→ _____

f. Il a été précis quand il a parlé des résultats du sondage.
→ _____

Leçon 7 — Parler des inégalités

5 Écrivez les phrases avec l'adverbe contraire. Aidez-vous des adjectifs suivants pour trouver l'adverbe :

~~difficile~~ • rare • léger • inutile • mou • silencieux • triste

Ex. : Le partage des tâches ménagères entre les femmes et les hommes progresse facilement.
→ Le partage des tâches ménagères entre les femmes et les hommes progresse difficilement.

a. Les bénévoles ont joyeusement participé à la manifestation.
→

b. Ils ont fréquemment répondu à des sondages.
→

c. Les associations ont bruyamment manifesté à la marche pour l'égalité.
→

d. Ils ont activement combattu le réchauffement climatique.
→

e. Il s'est lourdement trompé dans son étude sur les inégalités.
→

f. On a utilement diffusé les statistiques dans les associations.
→

La place de l'adverbe

6 Mettez les mots dans l'ordre pour faire une phrase. Aidez-vous de la majuscule et du point.

Ex. : font • que les hommes. • plus souvent • Les femmes • les tâches ménagères
→ Les femmes font plus souvent les tâches ménagères que les hommes.

a. évidemment • La qualité • est • de l'éducation • très importante.
b. certainement • pour l'égalité hommes-femmes. • Il y a • des progrès • à faire
c. insuffisante. • est • La lutte contre le réchauffement climatique • vraiment
d. voit • On • fréquemment • des inégalités de salaire entre les femmes et les hommes. • assez
e. exprimées • couramment • Ces personnes • dans la langue du pays. • se sont
f. facilement • On • très • les chiffres de ce sondage. • comprend

7 🎧 19 Écoutez les phrases. Avez-vous entendu un adverbe ? Cochez la bonne réponse et écrivez l'adverbe entendu.

	Ex.	a.	b.	c.	d.	e.	f.	g.	h.
Oui	✓								
Non									
Adverbe entendu	bien								

Dictée

8 🎧 20 Écoutez et écrivez les phrases.

COMMUNIQUER

9 Vous lisez cette infographie sur un site d'information. Écrivez un commentaire sur les résultats du sondage et donnez votre opinion.

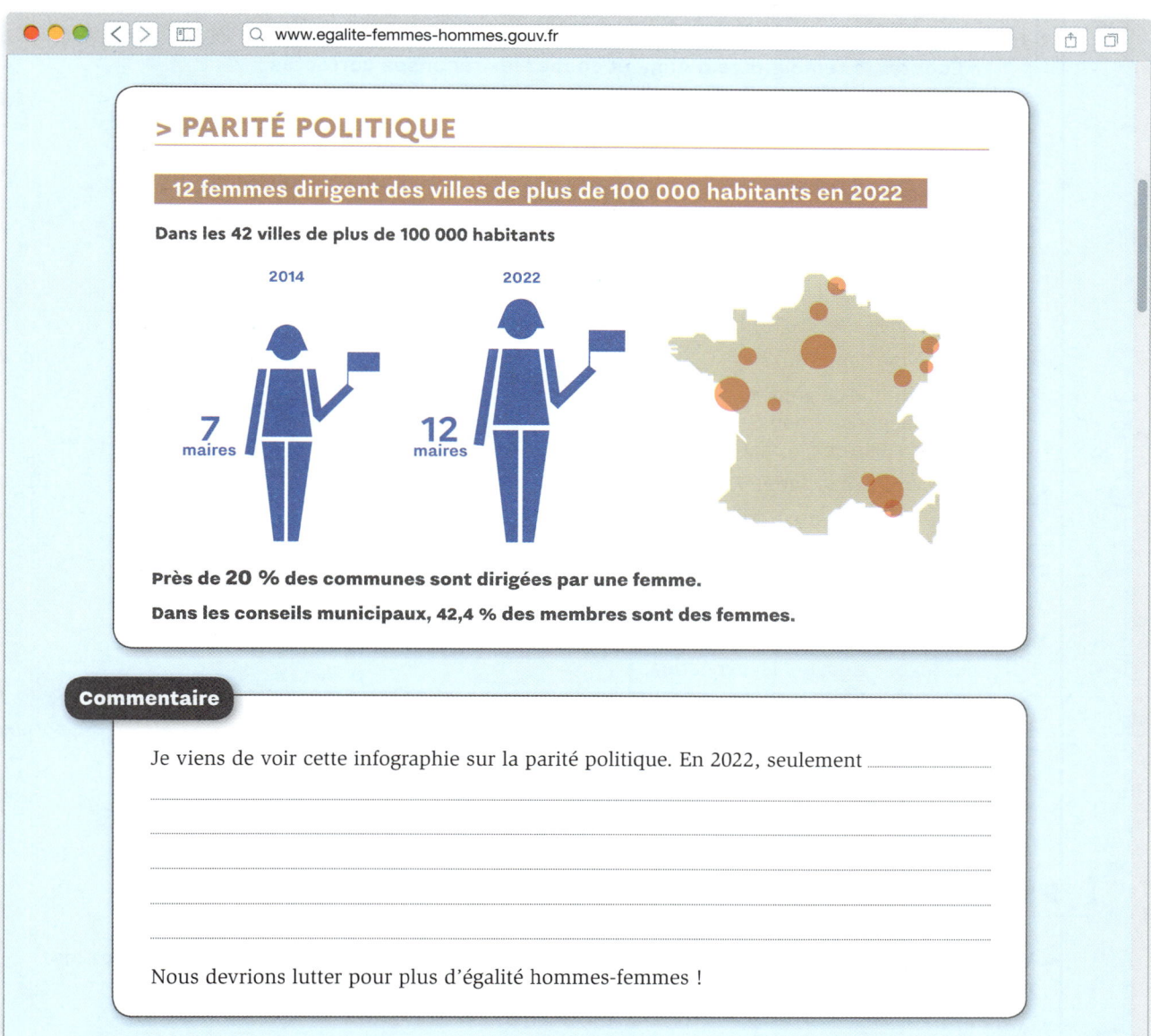

PHONÉTIQUE

Voyelles nasales et dénasalisation

10 🎧 21 Écoutez. Entendez-vous le son [ɛ̃], le son [ɑ̃] ou le son [ɔ̃] ? Cochez la bonne réponse.

	Ex.	a.	b.	c.	d.	e.	f.	g.	h.
[ɛ̃]									
[ɑ̃]	✓								
[ɔ̃]									

UNITÉ 2 — BILAN

Compréhension orale — 10 points

1 🎧 22 Écoutez le témoignage d'Alma et cochez les réponses correctes.

a. Qui est Alma ? *1 point*
- ☐ Une étudiante en économie.
- ☐ Une apprentie.
- ☐ Une jeune diplômée.

b. Qu'est-ce qui choque Alma ? *1 point*
- ☐ Les conditions de vie des migrants.
- ☐ Les difficultés des jeunes.
- ☐ Les inégalités entre les femmes et les hommes.

c. Que fait Alma depuis un an ? *2 points*
- ☐ Elle distribue des repas.
- ☐ Elle est bénévole dans une association.
- ☐ Elle organise des formations.

d. Que propose l'association ? *2 points*
- ☐ Une aide financière à des personnes au chômage.
- ☐ Des programmes d'apprentissage pour les jeunes.
- ☐ Des emplois pour ceux qui n'ont pas de formation.

e. Quelle est la conséquence des actions de l'association ? *2 points*
- ☐ Le chômage diminue de plus en plus.
- ☐ Les jeunes trouvent leur vocation.
- ☐ La collecte de dons progresse plus vite.

f. Qu'est-ce qui compte le plus pour Alma ? *2 points*
- ☐ Développer de nouvelles compétences.
- ☐ Redonner confiance aux autres.
- ☐ Former des jeunes à de nouveaux métiers.

Production orale — 10 points

2 Vous faites partie d'une association qui propose une aide aux migrants. Vous expliquez les raisons de votre engagement et ce que vous faites.

Production écrite — 10 points

3 Vous lisez le sondage sur les inégalités entre les femmes et les hommes. Vous écrivez un article sur votre blog pour présenter les résultats.

Les inégalités entre les femmes et les hommes en 2021	Hommes	Femmes
Étudiant(e)s à l'université	41,3 %	58,7 %
Chômage	8,5 %	8,4 %
Emplois à temps partiel	386 200	1 012 200
Pauvreté	8,2 %	8,5 %
Temps par jour au travail ménager	2 heures	3 h 26
Personnes passant tous les jours au moins une heure aux tâches ménagères	35,6 %	79,6 %
Député(e)s	61,3 %	38,7 %

Compréhension écrite — 10 points

4 Lisez l'article et cochez Vrai ou Faux. Justifiez votre réponse avec une phrase de l'article.

Le Parisien

À LA UNE | INTERVIEWS | DOCUMENTS | VOTRE AVIS

EMPLOI ET HANDICAP : LE POINT SUR LA SITUATION

Les embauches des travailleurs handicapés ont progressé grâce à la loi de 1987 et à la volonté de certaines entreprises. Mais l'emploi des personnes handicapées reste insuffisant.

« Je viens de signer dix contrats à durée déterminée de trois mois avec des personnes en situation de handicap », raconte Christian Astruc, directeur d'une entreprise familiale de 70 salariés située à Villeparisis (Seine-et-Marne). Pour lui, ce n'est pas une première fois, puisqu'il a déjà trois travailleurs handicapés en contrat dans son entreprise. Il a continué à embaucher, mais il pense que la situation actuelle n'est pas facile. Il est inquiet : « La période que nous vivons est encore plus difficile pour les personnes handicapées. »

Le taux de chômage des travailleurs handicapés diminue, mais il est encore trop élevé : 16 % en 2019, c'est deux fois plus que pour les autres personnes qui cherchent un emploi. Pourquoi ? Parce que trop de chefs d'entreprise pensent encore que c'est difficile d'embaucher des personnes en situation de handicap (62 %)*. Un employeur sur trois croit qu'un travailleur handicapé a plus de difficultés à s'adapter professionnellement. D'autres patrons pensent que cela peut être une charge financière pour l'entreprise. Néanmoins, 34 % des chefs d'entreprise souhaitent employer des personnes handicapées, et ce chiffre augmente. Ils sont moins nombreux à trouver difficile d'employer un travailleur handicapé. C'est une bonne nouvelle pour l'embauche des travailleurs handicapés.

*Source des chiffres : www.ifop.com (institut de sondage)

---

a. Le texte parle de l'embauche des personnes handicapées. ☐ Vrai ☐ Faux
Justification : _____ *1 point*

b. La situation des personnes handicapées dans le monde professionnel s'est améliorée. ☐ Vrai ☐ Faux
Justification : _____ *1 point*

c. D'après Christian Astruc, la situation actuelle est favorable pour l'embauche des personnes handicapées. ☐ Vrai ☐ Faux
Justification : _____ *1 point*

d. Le nombre de personnes handicapées qui ne trouvent pas de travail est en baisse. ☐ Vrai ☐ Faux
Justification : _____ *2 points*

e. Beaucoup de dirigeants pensent que c'est assez facile d'embaucher un handicapé. ☐ Vrai ☐ Faux
Justification : _____ *1 point*

f. Certains dirigeants croient qu'employer une personne handicapée coûte cher. ☐ Vrai ☐ Faux
Justification : _____ *2 points*

g. Les dirigeants qui veulent embaucher des handicapés sont moins nombreux qu'avant. ☐ Vrai ☐ Faux
Justification : _____ *2 points*

Unité 3 — Leçon 9 : Donner des renseignements

COMPRENDRE

1 🎧 23 **Écoutez la conversation téléphonique et cochez les fins de phrase correctes.**

Ex. : perdstesrondeurs est une application pour…
- ☐ faire du sport.
- ☑ perdre du poids.
- ☐ rencontrer l'amour.

a. Gonzague a hésité à s'inscrire car…
- ☐ il ne veut pas vraiment perdre du poids.
- ☐ il n'a pas d'accès à Internet.
- ☐ il pense qu'il faut suivre un vrai régime pour perdre du poids.

b. Finalement, il a décidé de s'inscrire parce que/qu'…
- ☐ ce n'est pas cher.
- ☐ il ne devra pas préparer ses menus.
- ☐ il n'aura plus besoin de faire ses courses.

c. Pour s'inscrire,…
- ☐ il est obligatoire de remplir son profil.
- ☐ il n'est pas nécessaire de compléter complètement son profil.
- ☐ il faut juste compléter les informations sur son poids.

d. Ce site…
- ☐ propose des menus pour les végétariens.
- ☐ n'est pas pour les végétariens.
- ☐ est seulement pour les végétariens.

e. Pour suivre ce régime,…
- ☐ il faut être bon cuisinier.
- ☐ il est indispensable d'être sportif.
- ☐ il n'est pas nécessaire de savoir cuisiner.

f. Finalement, Raoul décide de…
- ☐ commander des menus végétariens.
- ☐ s'inscrire sur le site.
- ☐ faire du sport.

2 🎧 23 **Réécoutez la conversation téléphonique. Numérotez dans l'ordre les actions qu'il faut faire pour s'inscrire sur l'application et l'utiliser. Attention, il y a plusieurs intrus !**

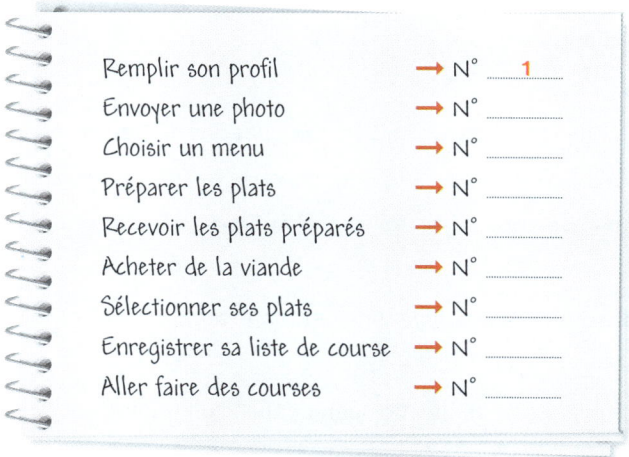

Action	N°
Remplir son profil	1
Envoyer une photo	
Choisir un menu	
Préparer les plats	
Recevoir les plats préparés	
Acheter de la viande	
Sélectionner ses plats	
Enregistrer sa liste de course	
Aller faire des courses	

VOCABULAIRE

La santé (1)

3 Complétez les tweets avec les mots ou les expressions suivants :

l'assurance maladie • médecin • assuré • cabinet médical • remboursement • pharmacies • consultation médicale • numéro de sécurité sociale • en pleine forme

a. Quand je suis arrivé en France, je me suis inscrit à l'assurance maladie. Mais je n'ai toujours pas reçu mon _____ . Si je consulte un _____ , est-ce que j'aurai droit à un _____ ?

b. Tu n'as pas l'air d'être _____ ! Pourquoi tu ne vas pas faire une _____ ?

c. Avec l'assurance maladie, vous êtes _____ quand vous voyagez à l'étranger.

d. Est-ce que les _____ prennent aussi la carte vitale ? Je dois acheter des médicaments.

e. Tu peux m'envoyer l'adresse du _____ du docteur Girard ?

Les activités en ligne (1)

4 Reliez les mots ou les expressions à leur définition.

a. application •   • 1. Peut être annulé à tout moment.
b. un lien •   • 2. Logiciel pour téléphone portable, smartphone, tablette…
c. se connecter •   • 3. Consultation médicale réalisée à distance.
d. sans engagement •   • 4. Permet de passer d'une page Internet à une autre.
e. un abonnement •   • 5. Établir une connexion (d'un ordinateur à un réseau).
f. une téléconsultation • • 6. On peut naviguer/surfer en toute sécurité.
g. sécurisé •   • 7. Permet de recevoir un service régulièrement.

La santé (1) – Les activités en ligne (1) – L'équipement (1)

5 Lisez les phrases et soulignez le mot ou l'expression qui convient.

Ex. : J'ai acheté le dernier remboursement • lien Internet • <u>smartphone</u> dans le magasin du centre-ville.

a. J'ai communiqué à distance mais je n'ai rien pu voir car **ma souris • ma webcam • mon clavier** ne fonctionnait plus.

b. La classe de sa fille est **équipée • transformée • fermée** en matériel informatique.

c. De quelle marque est **la séance d'essai • la tablette • la connexion** ?

d. Le médecin propose une **téléconsultation • tablette • pharmacie** remboursée par la sécurité sociale.

e. Pour voir ses remboursements, il faut **se connecter • écrire • téléphoner** à son compte sur le site.

f. **La tablette • L'application • La consultation médicale** est gratuite si tu es assuré.

Unité 3 — Leçon 9 : Donner des renseignements

GRAMMAIRE

La formation du subjonctif (1)

6 Lisez les phrases. Conjuguez les verbes entre parenthèses au subjonctif.

Ex. : Je veillerai à ce qu'il *prenne* (prendre) son médicament.

a. Il faut que tu _____ (aller) à l'assurance maladie pour retirer ta carte vitale.

b. Il devient urgent que nous _____ (faire) attention à notre poids.

c. Il est nécessaire que vous _____ (remplir) complètement votre profil pour avoir une séance d'essai.

d. Il est indispensable qu'ils _____ (s'inscrire) sur le site pour obtenir un abonnement.

e. Il ne veut pas que je _____ (faire) la séance de sport en ligne car je suis trop fatiguée.

f. Tu n'es pas d'accord pour qu'elle _____ (écouter) des émissions en replay tous les soirs ?

g. Il ne faut pas se connecter à un site qui _____ (ne pas être) sécurisé.

h. Il est nécessaire qu'ils _____ (être) inscrits sur le site AMELI pour avoir un compte.

i. Il faut que tu _____ (prendre) un abonnement sans engagement.

L'obligation

7 Transformez les phrases à l'aide des indications.

Ex. : Il faut que je me déplace. (devoir)
→ *Je dois me déplacer.*

a. Il est nécessaire que je fasse de l'exercice pour perdre du poids. (devoir)
→ _____

b. Il ne faut pas obligatoirement être sportif pour s'inscrire à la gym en ligne. (être nécessaire)
→ _____

c. Il n'est pas obligatoire de faire une séance d'essai. (être indispensable)
→ _____

d. Il faut que tu prennes un abonnement mensuel si tu es motivée. (devoir)
→ _____

e. Faut-il prendre un rendez-vous en ligne avant de venir à la consultation médicale ? (être indispensable)
→ _____

f. Faut-il présenter un numéro de sécurité sociale pour commencer les soins ? (être nécessaire)
→ _____

g. Il faut prendre rendez-vous avec le secrétariat ou en ligne. (devoir)
→ _____

h. Est-ce nécessaire d'opter pour une maison de santé ? (falloir)
→ _____

8 Réécrivez les phrases avec *il faut (que)* et la forme correcte du verbe.

Ex. : Je dois voir mon médecin habituel.
→ Il faut que je voie mon médecin habituel.

a. Vous devez vérifier que les données de santé sont sécurisées.
→ ....

b. Il est nécessaire de prendre rendez-vous pour une consultation médicale.
→ ....

c. Il est indispensable de posséder un ordinateur pour prendre un abonnement.
→ ....

d. Tu dois te connecter au site de l'assurance maladie pour avoir les informations.
→ ....

D Dictée

9 🎧 24 Écoutez et écrivez les phrases.

COMMUNIQUER

10 Vous venez d'arriver en France. Vous envoyez un message à l'assurance maladie pour vous renseigner sur la téléconsultation. Rédigez votre message à l'aide de vos notes.

- Être assuré pour faire une téléconsultation ?
- Voir un médecin avant une téléconsultation ?
- Quel équipement ? Ordinateur ? Tablette ? Webcam ?
- Prise de rendez-vous ? Avec le secrétariat ? En ligne ?
- Le déroulement d'une téléconsultation ?

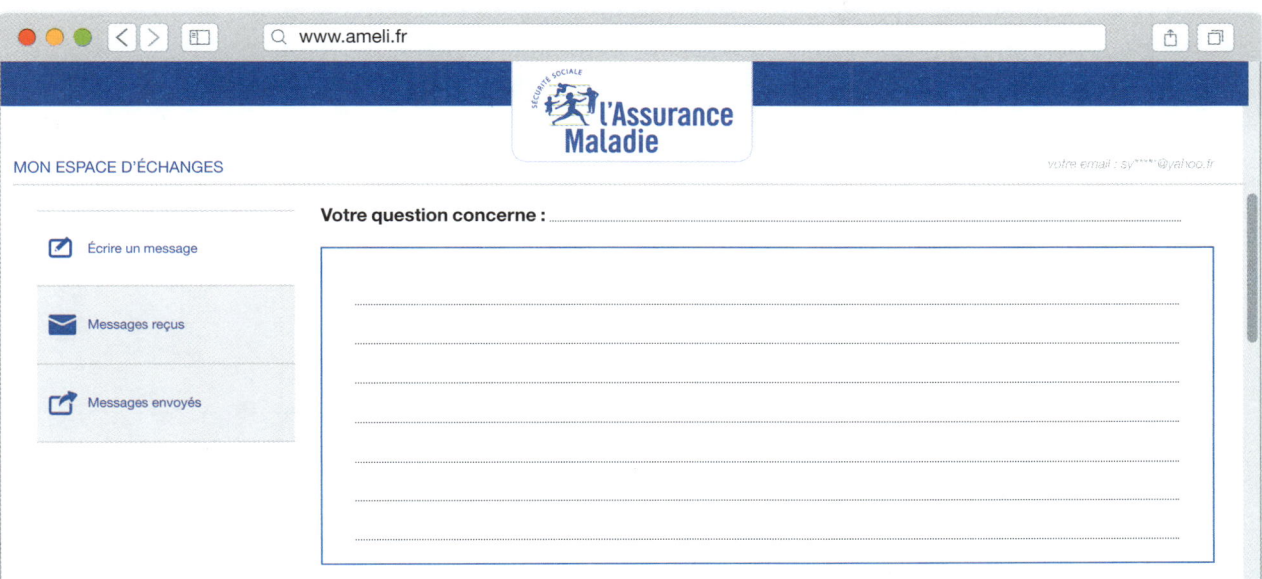

Organiser une activité à distance

COMPRENDRE

1 Lisez l'article et cochez Vrai ou Faux. Justifiez votre réponse avec une phrase de l'article.

EMPLOI

Être un *travailleur nomade* en 2022

Vous souhaitez voyager ? Vous voulez vivre au soleil toute l'année ? Mais vous devez aussi travailler !

En 2022, si vous aimez voyager, changer de lieu régulièrement et continuer à travailler, c'est possible ! Vous pouvez choisir de devenir travailleur nomade. Il suffit d'avoir une bonne connexion, un PC portable et un smartphone ! Aujourd'hui, le télétravail est possible partout dans le monde.

C'est le choix de Pablo, 41 ans, un entrepreneur qui habite à Lisbonne depuis deux ans. « Je voulais retourner dans la ville natale de mes parents, profiter du soleil, de la plage, des prix bas de ce pays. Alors, j'ai choisi de m'installer ici. Le matin, je travaille en visioconférence avec mes équipes restées en France. Le soir, si je veux parler avec mes parents et mes amis, je les appelle sur plusieurs plateformes en ligne. Ils viennent me voir pendant les vacances ou pour de longs week-ends. La vie est très agréable et je ne regrette pas mon choix ! »

Rihana, 24 ans, a posé ses valises à La Réunion il y a six mois : « L'année dernière, j'étais en Tunisie. Le mois prochain, j'irai vivre à Majorque. Ici, j'habite dans un grand hôtel où je rencontre des travailleurs nomades comme moi. J'ai beaucoup d'amis de toutes les nationalités. Le soir après le travail, nous nous retrouvons pour boire un apéro. J'ai rencontré Yanis le mois dernier et nous avons décidé de créer une entreprise de cosmétique. Nous avons tout organisé en ligne et des travailleurs nomades comme nous ont participé au projet. Nous vendons nos produits partout dans le monde. Le responsable commercial est à Madrid et le directeur financier à Santiago. Nous sommes en contact en visio tous les jours. Et si nous souhaitons nous rencontrer, nous nous donnons rendez-vous dans une ville que nous choisissons. Le travail nomade, c'est l'idéal ! »

Ex. : Cet article parle des gens qui voyagent et travaillent en même temps. ☑ Vrai ☐ Faux
Justification : Si vous aimez voyager, changer de lieu régulièrement et continuer à travailler, c'est possible !

a. Pour être un travailleur nomade, il n'y a pas besoin d'équipement. ☐ Vrai ☐ Faux
Justification : _____

b. Aujourd'hui, il n'est pas possible de télétravailler trop loin de chez soi. ☐ Vrai ☐ Faux
Justification : _____

c. Pablo a choisi de télétravailler à Lisbonne parce que la vie est moins chère. ☐ Vrai ☐ Faux
Justification : _____

d. Pablo gère ses équipes à distance. ☐ Vrai ☐ Faux
Justification : _____

e. Rihana change régulièrement de pays pour télétravailler. ☐ Vrai ☐ Faux
Justification : _____

f. Pour Rihana, le travail nomade ne permet pas de se faire des amis. ☐ Vrai ☐ Faux
Justification : _____

g. Rihana a créé une entreprise en ligne avec d'autres travailleurs nomades. ☐ Vrai ☐ Faux
Justification : _____

h. Rihana regrette d'être une travailleuse nomade. ☐ Vrai ☐ Faux
Justification : _____

VOCABULAIRE

Les relations (2), les activités en ligne (2), l'équipement (2)

2 Reliez les expressions suivantes à l'expression contraire.

a. rester en contact
b. un jeu en ligne
c. une visioconférence
d. télétravailler
e. maintenir le lien social
f. un PC portable

1. un ordinateur fixe
2. travailler au bureau
3. ne plus voir personne
4. une conférence où tout le monde est présent
5. ne plus téléphoner à ses amis
6. un jeu de société

+3 Complétez les définitions avec les mots ou les expressions suivants :

jeux de société • visioconférence • souris ergonomique • jeux en ligne • siège de bureau • écran • à distance • en réseau • rester en contact • clavier

Ex. : On joue aux *jeux de société* en famille ou entre amis, le plus souvent autour d'une table.

a. On joue aux _____ sur un _____ seul ou _____ .
b. Un PC portable réunit un écran et un _____ sur un seul support et il n'y a pas de _____ .
c. _____ , c'est se voir souvent ou s'écrire régulièrement sur les réseaux sociaux.
d. La _____ est une conférence qui se fait _____ , par des écrans d'ordinateur.
e. Le _____ est indispensable pour être assis confortablement devant sa table de travail.

Les mots tronqués

4 Lisez les mots tronqués et entourez le mot entier correspondant.

Ex. : un ordi → un ordre • (un ordinateur)

a. un apéro → un apéritif • un après-midi
b. la vie perso → la vie de personne • la vie personnelle
c. un ciné → un cinérama • un cinéma
d. la vie pro → la vie prochaine • la vie professionnelle
e. une visio → une visioconférence • une vision double
f. une photo → une photographie • une photographe

GRAMMAIRE

L'hypothèse (1)

5 🎧 25 Écoutez les phrases. Entendez-vous un conseil, une hypothèse ou aucun des deux ? Cochez la bonne réponse.

	Ex.	a.	b.	c.	d.	e.	f.
Conseil							
Hypothèse	✔						
Aucun des deux							

Leçon 10 — Organiser une activité à distance

6 Faites une hypothèse sur le futur, comme dans l'exemple.

Ex. : faire du sport • perdre du poids
→ Si vous **faites du sport, vous perdrez du poids.**

a. faire des apéros Zoom • rester en contact
→ Si nous _____.

b. inviter des amis à la maison pour dîner • faire des jeux de société
→ S'ils _____.

c. rester en pyjama toute la journée • ne pas pouvoir télétravailler
→ Si tu _____.

d. faire des pauses pendant le travail • être plus efficace
→ Si je _____.

e. s'inscrire sur les réseaux sociaux • pouvoir jouer en ligne
→ Si elle _____.

f. acheter un siège de bureau confortable • ne plus avoir mal au dos
→ Si vous _____.

Le souhait

7 Complétez les phrases avec l'infinitif ou *que* + subjonctif.

Ex. : Je passe beaucoup de temps devant mon ordinateur.
→ J'aimerais **passer** moins d'heures consécutives devant un écran.

a. Tu télétravailles deux fois par semaine.
→ Nous voudrions _____ trois fois par semaine.

b. Léo organise des jeux en ligne avec ses amis tous les week-ends.
→ Ses parents aimeraient _____ moins souvent des jeux en ligne avec ses amis.

c. Tu fais un apéro Zoom ce soir.
→ Tu voudrais _____ un apéro Zoom demain soir ?

d. Nous achetons un nouveau PC pour remplacer l'ancien ordinateur.
→ Nous souhaiterions _____ un nouveau PC pour donner l'ancien ordinateur à notre fille.

e. Tu restes en contact avec lui après ton déménagement.
→ Il aimerait _____ en contact avec lui pour le travail.

f. Nous nous inscrivons sur un site de sport en ligne.
→ Nous aimerions _____ sur un site de sport en ligne pour perdre du poids.

g. Tu loues du matériel de bureau pour aménager un espace chez toi.
→ Tes parents souhaitent _____ un siège de bureau confortable.

h. Vous participez à des réunions en ligne.
→ Vous voudriez _____ à la visioconférence jeudi matin.

i. Les télétravailleurs sont en contact avec les responsables des équipes.
→ Les responsables aimeraient que les télétravailleurs _____ plus en contact avec eux.

Dictée

8 🎧 26 Écoutez et écrivez les phrases.

COMMUNIQUER

9 Votre amie Stella veut créer une vidéo pour se présenter sur le réseau professionnel Viadeo. Elle vous demande de la conseiller. Vous lui envoyez un e-mail pour lui faire des recommandations. Aidez-vous de vos notes.

- Raconter son expérience de télétravail
  - Comment et pourquoi s'habiller ?
  - Quel espace de travail et quel matériel ?
  - Quelle organisation de travail ?
  - Goût pour le travail à distance ?
- Parler de sa motivation professionnelle
- Proposer un premier contact

De : Moi
à : Stella Bachir
Objet : Ta présentation sur Viadeo

Bonjour Stella,

PHONÉTIQUE

La liaison

10 🎧 27 Lisez les phrases à haute voix et indiquez les liaisons comme dans l'exemple. Puis écoutez pour vérifier.

Ex. : Mon_ordinateur actuel est trop petit, je dois m'en_acheter un_autre

a. Si vous avez un conseil à me donner, je le suis immédiatement.
b. C'est difficile de télétravailler quand les enfants sont à la maison.
c. Tu seras plus efficace si je t'offre un siège de bureau ?
d. Les apéros Zoom ?! C'est une idée géniale à mon avis !
e. Nous étions tous en télétravail vendredi.
f. Nous sommes allées à la soirée et il n'y avait personne !

UNITÉ 3 — Leçon 11 : Parler de ses expériences

COMPRENDRE

1 🎧 28 Écoutez le témoignage d'Aurélie et cochez les fins de phrase correctes.

Ex. : Aurélie a commandé sur un site Internet…
- ☑ des pulls.
- ☐ des robes d'été.
- ☐ des livres.

a. Le site proposait…
- ☐ une réduction sur les frais de port.
- ☐ un remboursement des achats.
- ☐ une réduction pour trois produits achetés.

b. Après deux mois, elle…
- ☐ a reçu ses articles.
- ☐ n'a rien reçu.
- ☐ a obtenu un remboursement.

c. D'abord, elle a contacté le site…
- ☐ par mail.
- ☐ par téléphone.
- ☐ par SMS.

d. Ensuite, elle a découvert que…
- ☐ des acheteurs likent le site.
- ☐ des acheteurs ont aussi des problèmes.
- ☐ les vendeurs ont envoyé les pulls.

e. Elle pense que/qu'…
- ☐ elle va recevoir un remboursement.
- ☐ le site est une arnaque.
- ☐ elle va vendre ses pulls.

f. Pour elle, la société d'aujourd'hui est…
- ☐ bien connectée.
- ☐ sans contact réel.
- ☐ une arnaque.

2 🎧 28 Réécoutez le témoignage d'Aurélie. Numérotez ses actions dans l'ordre.

a ☐   b ☐   c ☐   d ☐

VOCABULAIRE

◀ La vente en ligne, les réseaux sociaux

3 Lisez le commentaire sur un site de consommateurs. Complétez-le avec les mots ou les expressions suivants :

~~commandé~~ • arnaque • remboursement • article • sécurisé • le service client • livraison • frais de port • renvoi • commentaire • likes

Il y a un mois, j'ai **commandé** un pantalon de sport sur le site de culturesport. Il y avait beaucoup de _____. J'ai acheté mon _____ en ligne et les _____ étaient gratuits. Le site était _____. La _____ a eu lieu un jeudi matin ! J'ai ouvert le paquet et il y avait du matériel de gymnastique. J'ai contacté _____ qui m'a proposé un _____ des articles et un _____ de mon achat. J'ai reçu mon pantalon deux jours après. J'étais content, j'ai laissé un _____ sur le site : « Bravo, cette boutique en ligne est honnête, ce n'est pas une _____ ! »

 quarante

LEÇON 11

◖ Les réseaux sociaux, les nouvelles technologies

4 🎧 29 **Écoutez les mots et les expressions. Associez-les à leur définition.**

Ex. : un avis sur Internet → 3. un commentaire

a. le contraire de réel → ....
b. indique qu'on aime quelque chose → ....
c. un message sur un répondeur → ....
d. une lecture rapide d'un film → ....
e. indique un itinéraire → ....
f. une indication/sonnerie sur le téléphone → ....
g. moyen de voir un film sur Internet → ....

GRAMMAIRE

◖ Les pronoms COD et COI

5 Lisez les phrases et remplacez les mots soulignés par le pronom personnel qui convient.

Ex. : Depuis la naissance de mon fils, je commande <u>mes articles</u> en ligne.
→ **Depuis la naissance de mon fils, je les commande en ligne.**

a. Je n'ai jamais reçu <u>le téléphone portable</u>.
→ ....

b. Nous avons décidé d'offrir <u>aux clients</u> un remboursement du produit.
→ ....

c. Je ne vais pas payer <u>les frais postaux</u> si je ne reçois pas mon article !
→ ....

d. J'ai demandé <u>au service client</u> de rembourser les chaussures.
→ ....

e. Bazile a proposé <u>à Irma et moi</u> une rencontre virtuelle.
→ ....

f. Les acheteurs renvoient <u>la robe</u> à la boutique en ligne.
→ ....

g. Le vendeur lit <u>les commentaires</u> sur la page Facebook de la boutique.
→ ....

h. J'envoie <u>à Margaret et à toi</u> une notification pour l'heure du rendez-vous.
→ ....

➕ 6 🎧 30 **Écoutez et soulignez l'expression que le pronom personnel complément remplace.**

Ex. : du service client • <u>au service client</u> • le service client

a. des chaussures • les chaussures • aux chaussures
b. mon ami Philippe • à mon frère • le service client
c. à mon père et ma mère • à ma sœur et moi • toi et moi
d. moi • à moi • de moi
e. la lettre de réclamation • de la lettre de réclamation • pour mon amie
f. les membres de son équipe • à son équipe • aux membres de son équipe

Unité 3 — Leçon 11 : Parler de ses expériences

Les pronoms toniques

7 Reliez les expressions soulignées au pronom tonique qu'elles remplacent.

a. Karim échange des likes avec Armelle.
b. Je suis d'accord avec les commentaires.
c. Les acheteurs ont négocié avec le service client.
d. Entre mon amie italienne et moi, c'est une relation à distance !
e. Le site de sport a négocié le remboursement avec la cliente.
f. D'après les deux sœurs, c'est de l'arnaque !
g. La livraison est pour ton épouse et toi.

1. lui
2. elle
3. nous
4. vous
5. elles
6. eux

8 Lisez les phrases et entourez le mot que le pronom tonique remplace.

Ex. : J'adorerais regarder un film en speed watching avec eux.
→ mon amie • (mes amis) • mes sœurs

a. C'est une notification pour lui. → ton frère • Élena et toi • les acheteurs
b. Je suis d'accord avec elle, c'est une arnaque ! → le vendeur • l'acheteuse • ma mère et moi
c. Est-ce qu'on peut passer notre commande avec vous ? → Ramsès et toi • le service client • les deux amis
d. Il faut que le service client négocie avec nous. → les deux copines • le père et le fils • ma mère et moi
e. Il faut réfléchir avec eux au commentaire. → Ricco et moi • Élisa et toi • tes parents
f. D'après lui, le délai de livraison est trop long. → ces clients • cette acheteuse • ce commentaire

Les pronoms COD et COI et les pronoms toniques

9 Complétez les phrases avec le pronom COD ou COI ou le pronom tonique qui convient.

Ex. : Tu peux commander ces articles en ligne ? Je ne **les** trouve pas dans mon magasin habituel !

a. Si tu envoies un SMS à Livio, tu _____ diras que j'ai acheté un grand écran.
b. J'ai commandé un pull pour l'hiver il y a trois semaines, mais je ne _____ ai pas reçu.
c. Elke est allée chez son ami Helmut et elle s'est disputée avec _____ .
d. C'est la mère qui a commandé l'article, pas son fils ! C'est donc à _____ de laisser un commentaire !
e. Laure et toi voudriez que Vicente _____ réponde rapidement.
f. J'ai envoyé une notification aux vendeurs mais ils ne _____ ont pas répondu.
g. Le service client a remboursé les articles aux acheteurs mais il _____ a demandé de payer les frais de port.

Dictée

10 31 Écoutez et écrivez les phrases.

COMMUNIQUER

11 Vous travaillez pour le service client d'un site en ligne. Répondez aux commentaires des clients à l'aide des indications.

---

www.serviceclient-laredoute.fr

Jojo J'ai commandé des baskets en 42 et je les ai reçues en 40. C'est inadmissible ! Je veux un remboursement.

satisfaire le client • retour des baskets en 40 • renvoi des baskets en 42 • remboursement des frais de port

Monsieur,
Nous souhaitons que nos clients soient satisfaits. Nous aimerions que vous nous retourniez les baskets en 40 et nous vous renverrons de nouvelles baskets en 42. Nous vous rembourserons les frais de port.

---

a. Claire J'ai renvoyé mon article parce qu'il était trop petit. Vous m'avez remboursé de mon achat mais pas des frais ports. Ce n'est pas commercial !

frais de port pour le transporteur • pas de remboursement possible • une remise sur le prochain achat de 22,30 euros

---

b. Mdp48 J'ai reçu mon téléphone portable, mais il est beaucoup plus petit que celui de la photo de l'annonce. C'est de l'arnaque ! Je ne recommande ce site à personne !

satisfaire le client • dimensions du téléphone indiquées dans l'annonce • renvoi du téléphone • demander un remboursement de l'achat • pas de remboursement des frais postaux

---

c. Lalane J'ai commandé un smartphone. Je l'ai reçu, mais il est cassé. Que dois-je faire ?

satisfaire le client • renvoi de l'article pour un échange • frais de port gratuit

---

d. Fanfan98 J'ai commandé un écran plat il y a un mois et je ne l'ai toujours pas reçu. Je vous ai déjà contacté. Je vous demande un remboursement du produit et des frais de livraison.

Vol de matériel au centre de livraison • envoi d'un nouvel écran • frais de port gratuit • remboursement achat et frais de port possible • remise de 10 % sur le prochain achat

UNITÉ 3 — BILAN

Compréhension écrite — 10 points

1 Lisez l'article et cochez Vrai ou Faux. Justifiez votre réponse avec une phrase de l'article.

> **OPINION**
>
> ### « Conversation » en ligne ?
>
> En 2021, nous sommes de plus en plus en contact grâce à nos ordinateurs, smartphones et tablettes. C'est par les réseaux sociaux que nous maintenons les liens avec nos proches, nos amis, notre famille. Pourquoi est-il nécessaire de défendre la cause de la conversation en face à face ?
>
> Nos smartphones, ordinateurs et tablettes sont devenus des outils indispensables dans tous les domaines de la vie, personnel, professionnel, commercial, financier. Mais passer trop de temps sur les écrans n'est-ce pas limiter le lien social ? Souvenons-nous : nous sommes en famille, en rendez-vous, en classe, au travail, avec d'autres personnes, nous recevons une notification, nous regardons alors notre écran pour consulter le message ou réaliser une activité en ligne. Et nous oublions que nous étions en train de discuter avec quelqu'un. L'information virtuelle semble plus importante que la conversation réelle, que la réponse d'un ami à la question que je viens de lui poser, que nos échanges d'opinions, que son sourire pour me dire : « Je ne suis pas d'accord avec toi ! » ou que son regard étonné de ma réponse.
>
> Des recherches sur le comportement montrent que les jeunes générations, les plus âgées aussi, préfèrent les liens sans contact à la rencontre en face à face. Est-ce à cause de la peur de l'autre ? Ou parce que chacun derrière son écran peut dire ou écrire ce qu'il ne peut pas dire ou vivre dans la réalité ? Doit-on oublier les bienfaits de la conversation en face à face et sans écran ? La relation directe et souvent très efficace pour dire, pour raconter, échanger et avoir des émotions communes. Dans beaucoup de situations, la présence physique se révèle plus rassurante qu'un « smiley » ou un « like ».

a. L'article défend la cause des conversations sur les réseaux sociaux ? ☐ Vrai ☐ Faux
Justification : _____ *1 point*

b. Les nouvelles technologies sont utilisées surtout dans le domaine de vie personnelle. ☐ Vrai ☐ Faux
Justification : _____ *2 points*

c. D'après l'article, quand nous recevons une notification, nous répondons immédiatement. ☐ Vrai ☐ Faux
Justification : _____ *1 point*

d. D'après l'article, l'information virtuelle est plus importante que la situation réelle. ☐ Vrai ☐ Faux
Justification : _____ *2 points*

e. D'après des recherches sur le comportement, les jeunes préfèrent les rencontres en face à face ? ☐ Vrai ☐ Faux
Justification : _____ *2 points*

f. D'après l'article, la présence physique d'une personne connue est dangereuse. ☐ Vrai ☐ Faux
Justification : _____ *2 points*

BILAN

 **Compréhension orale** 10 points

2 🎧 32 **Écoutez le dialogue et choisissez les fins de phrase correctes.**

a. Giorgia est… *1 point*
   ☐ malade.
   ☐ en pleine forme.
   ☐ fatiguée.

b. Victor lui conseille… *1 point*
   ☐ de se reposer.
   ☐ d'aller voir un médecin.
   ☐ d'aller à la pharmacie.

c. Giorgia… *1 point*
   ☐ a un médecin en France depuis peu de temps.
   ☐ a un médecin en France depuis très longtemps.
   ☐ n'a pas de médecin en France.

d. Giorgia n'a pas de numéro de sécurité sociale,… *1 point*
   ☐ elle peut faire une consultation médicale dans un cabinet.
   ☐ elle peut faire une consultation payante à l'hôpital.
   ☐ elle ne peut pas acheter de médicaments à la pharmacie.

e. Pour obtenir un remboursement,… *1 point*
   ☐ il faut être assuré.
   ☐ il est obligatoire de faire une téléconsultation.
   ☐ il faut faire une réclamation.

f. Pour une téléconsultation, il est obligatoire… *1 point*
   ☐ d'acheter des médicaments à la pharmacie.
   ☐ de remplir son profil sur le site du médecin.
   ☐ de faire une consultation avec un médecin.

g. Pour une consultation dans un cabinet médical,… *2 points*
   ☐ il n'est pas nécessaire de prendre rendez-vous.
   ☐ il est obligatoire de prendre rendez-vous au secrétariat.
   ☐ il faut prendre rendez-vous à la pharmacie.

h. Avant la consultation, le médecin envoie un lien… *2 points*
   ☐ avec l'heure du rendez-vous.
   ☐ avec l'ordonnance de médicaments.
   ☐ avec l'adresse de la pharmacie.

 **Production orale** 10 points

3 Vous voulez réserver une salle avec du matériel pour une réunion de travail. Vous laissez un message vocal au responsable de l'espace de coworking. Vous demandez des informations sur les tarifs de location et le matériel disponible. Vous exprimez vos souhaits et vos obligations.

 **Production écrite** 10 points

4 Vous n'avez pas reçu le short de sport que vous avez commandé sur un site en ligne. Vous avez envoyé une réclamation et vous n'avez pas reçu de réponse. Vous écrivez un commentaire sur le site d'achat pour raconter votre expérience aux futurs acheteurs.

UNITÉ 4

Leçon 13 — S'informer sur les loisirs

COMPRENDRE

1 🎧 33 Écoutez le reportage et cochez Vrai ou Faux. Justifiez votre réponse avec une phrase du reportage.

Ex. : Rémy Plassard interviewe des gens qui ont terminé leur journée de travail. ☑ Vrai ☐ Faux
Justification : Rémy Plassard a installé son micro dans le quartier de La Défense à la sortie des bureaux.

a. Rémy Plassard demande aux employés de parler de leur journée de travail. ☐ Vrai ☐ Faux
Justification : _____

b. La femme imagine comment sa journée pourrait être différente. ☐ Vrai ☐ Faux
Justification : _____

c. Si elle travaillait à temps partiel, elle n'irait au bureau que l'après-midi. ☐ Vrai ☐ Faux
Justification : _____

d. Si l'homme allait au cinéma avec ses amis le matin, il participerait à une distribution de repas l'après-midi. ☐ Vrai ☐ Faux
Justification : _____

e. Si la femme organisait sa journée différemment, elle ferait plus souvent du yoga. ☐ Vrai ☐ Faux
Justification : _____

f. Si les deux employés travaillaient à temps partiel, ils auraient le temps de faire des devoirs avec leurs enfants. ☐ Vrai ☐ Faux
Justification : _____

2 🎧 33 Réécoutez le reportage et classez les activités imaginées par les employés.

~~Se préparer~~ • Aller au cinéma • Faire du yoga • Petit-déjeuner • Passer du temps avec ses enfants • Voir ses amis • Lire • Distribuer des repas • Faire du théâtre en famille • Écouter la radio • Départ au travail • Travail au bureau (× 2) • Lever du lit • Voir des expositions • Réveil

	La femme	L'homme
7 h 30		
8 h 00		
8 h 15	Se préparer	
8 h 30		
9 h 00		
Après-midi		
Soir		

LEÇON **13**

VOCABULAIRE

Les loisirs

3 Écrivez les activités de loisirs sous chaque photo.

a. l'astronomie   b. _____   c. _____

d. _____   e. _____   f. _____

4 Classez les photos des activités de loisirs de l'exercice **3** dans le tableau. Ajoutez une activité de votre choix dans chaque colonne.

Sciences	Jeux	Art et culture	Gastronomie	Plein air	Vie associative
Photo : a Biologie	Photo : _____	Photo : _____	Photo : _____	Photo : _____	Photo : _____

L'équipement (3), le temps

5 Complétez l'article avec les mots ou les expressions suivants :
~~temps physiologique~~ • casque de réalité virtuelle • repas • bricolage • ménage • temps domestique • courses • sommeil

> Le temps de travail occupe une grande partie de nos journées. À côté de ce temps de travail, le temps disponible se compose du **temps physiologique** nécessaire à la vie et du _____ consacré aux activités de la maison. Les _____ (petit-déjeuner, déjeuner, dîner) se répartissent dans la journée et le _____ a lieu généralement la nuit. C'est un temps obligatoire.
> Le temps passé aux activités de la maison est plus variable : le _____ (aspirateur, vaisselle, linge), les _____ (au supermarché) et parfois le _____ .
> Le temps consacré aux activités de loisirs est aussi très variable : culture, activités de plein air et parfois jeux en ligne avec un _____ pour retrouver ses amis.

Leçon 13 — S'informer sur les loisirs

GRAMMAIRE

Le conditionnel présent (rappel)

6 Complétez le dialogue avec les verbes entre parenthèses au conditionnel présent.

– Vous **souhaiteriez** (souhaiter) avoir plus de temps libre ?
– Oui, je _____ (être) prêt à organiser mon emploi du temps pour avoir quelques heures de libre supplémentaires !
– Vous _____ (accepter) de dormir moins longtemps ?
– Je _____ (préférer) dormir plus et ne pas perdre de temps de sommeil. J'_____ (aimer) mieux travailler moins.
– Comment _____ (organiser)-vous vos journées si vous aviez plus de temps ?
– Je _____ (passer) plus de temps avec ma famille. Nous _____ (aller) au parc ou au cinéma. Nous _____ (pouvoir) sortir le soir. Mon fils _____ (jouer) moins aux jeux vidéo. Je crois que ma femme et mon fils _____ (adorer) cette nouvelle situation !

7 Transformez les phrases au conditionnel présent.

Ex. : Tu as le temps de lire des romans ? → Tu aurais le temps de lire des romans ?

a. Je veux aller à la pêche le week-end prochain.
→ _____

b. Au centre de loisirs, nous jardinons et bricolons la plupart du temps ?
→ _____

c. Allez-vous au théâtre pendant vos vacances ?
→ _____

d. Selon vous, est-il possible d'établir un planning de ses activités de loisirs ?
→ _____

e. Une étude montre que les Français ne font pas assez de sport ?
→ _____

f. Tu deviens bénévole dans une association à partir du mois prochain ?
→ _____

L'hypothèse (2)

8 Soulignez la forme verbale qui convient.

Ex. : Si je vais à la pêche, j'**apporterai** · apporterais mon repas.

a. Si tu pratiquais des activités de plein air, tu **seras** · **serais** en meilleure forme.
b. Si nous consacrions plus de temps à notre famille, nous **aurons** · **aurions** de meilleures relations.
c. Si vous vous inscrivez à l'association, vous **devrez** · **devriez** distribuer des repas deux fois par mois.
d. Si elles vont au cinéma demain, je les **inviterai** · **inviterais** à dîner après.
e. S'il modifiait son emploi du temps, il **pourra** · **pourrait** aller à l'atelier de peinture toutes les semaines.
f. Si on me propose un travail à temps partiel, j'**accepterai** · **accepterais** immédiatement.

LEÇON **13**

9 Conjuguez les verbes aux temps corrects pour formuler des hypothèses sur le présent.

Ex. : Si elle **pouvait** (pouvoir) organiser sa journée différemment, elle **se lèverait** (se lever) plus tard.

a. Si tu _____ (avoir) deux jours de congés, que _____ (faire)-tu de ton temps libre ?
b. Si notre chef de projet _____ (organiser) un week-end « team building », nous _____ (accepter) tous de participer !
c. Si vous _____ (travailler) à temps partiel, vous _____ (s'inscrire) à des cours de sculpture ?
d. Si j' _____ (être) bénévole à l'association, je _____ (jouer) moins en ligne avec mes amis.
e. Si elles _____ (habiter) une grande ville, elles _____ (visiter) plus souvent les musées.
f. Si je _____ (gagner) beaucoup d'argent, j' _____ (aller) partout dans le monde.

Dictée

10 🎧 34 Écoutez et écrivez le texte.

COMMUNIQUER

11 Répondez au sondage d'IPSOS sur la gestion de votre temps.

Ipsos — Sondage
Comment gérez-vous votre temps ?

1. Avez-vous assez de temps pour faire tout ce que vous voulez faire ?

2. Pourriez-vous vivre sans montre ? Pourquoi ?

3. Quand manquez-vous de temps ?

4. Accepteriez-vous une réduction de travail d'une demi-journée par semaine et une réduction de salaire ? Pourquoi ?

5. Comment occuperiez-vous ce temps libre ?

6. À quel moment ou dans quelle situation avez-vous l'impression de perdre votre temps ?

7. Quels sont les objets de la vie quotidienne qui vous font gagner du temps ?

quarante-neuf 49

UNITÉ 4 — Leçon 14 : Découvrir un fait de société

COMPRENDRE

1 Lisez le blog de Marilou et cochez les fins de phrase correctes.

De quoi va-t-on parler aujourd'hui ? D'un fait de société : *la charge mentale*.

Qu'est-ce que cette expression signifie ? Qui concerne-t-elle ? Seulement les femmes ? Quelles classes sociales ? Qu'est-ce qu'on éprouve ? Quels sont les symptômes de ce malaise ?
L'expression « charge mentale » a permis à beaucoup de personnes de mettre des mots sur ce qu'elles éprouvaient : qu'on n'a pas assez le temps, qu'on a toujours quelque chose à penser, qu'on est toujours débordé ou qu'on doit tout gérer seul. On souffre d'une fatigue physique et psychologique, on ressent de l'inquiétude, un profond malaise et du stress. On se sent souvent coupable d'être épuisé.
La charge mentale, c'est toi, moi, elle, lui, nous, vous et les autres. Il y a des mamans fatiguées, des femmes débordées, des papas perdus, des amis pas organisés, des frères désordonnés. La charge mentale peut concerner tous les individus et toutes les classes sociales.
Ma copine Marion dit qu'elle ne comprend pas pourquoi elle se sent soudainement fatiguée le soir. Et elle se met à pleurer sans raison. Alors je me dis : OK, elle parle de charge mentale mais elle fait peut-être un burn-out !
Aujourd'hui, je vais te parler de ma charge mentale. À toi de me parler de la tienne en commentaire. Tu verras, on se sent mieux quand on parle de ce qu'on éprouve.

Ex. : Le sujet du blog de Marilou est…
- ☐ le stress.
- ☐ le burn-out.
- ☑ la charge mentale.

a. L'expression de charge mentale a permis à des personnes de…
- ☐ parler de ce qu'elles ressentent.
- ☐ trouver une solution au problème.
- ☐ d'aider les autres.

b. C'est l'impression…
- ☐ d'être seul à la maison.
- ☐ de n'avoir rien à faire.
- ☐ de ne jamais avoir le temps.

c. On se sent…
- ☐ coupable d'être très fatigué.
- ☐ triste de se sentir épuisé.
- ☐ épuisé d'être fatigué.

d. Les victimes d'une charge mentale sont…
- ☐ seulement les femmes.
- ☐ les pères.
- ☐ tout le monde.

e. Il faut en parler…
- ☐ parce qu'on se sent mieux après.
- ☐ parce que cela permet d'être moins fatigué.
- ☐ parce que cela augmente le stress.

VOCABULAIRE

❰ Les sciences humaines

2 Reliez les phrases au domaine correspondant.

Ex. : Échappons-nous du quotidien pour vivre pleinement !

a. Toutes les classes sociales sont concernées par le burn-out.
b. 1789 est une date importante de l'histoire de France.
c. Savoir se mesurer ne conduit pas à la paresse.
d. Voici dix conseils pour vivre sa vie et être soi-même.
e. On a construit les premiers avions au début du 20ᵉ siècle.
f. La famille a-t-elle une place importante dans la société du 19ᵉ siècle ?

1. la philosophie
2. l'histoire
3. les sciences sociales

LEÇON 14

La santé (2), l'analyse, les activités

3 🎧 35 Écoutez les définitions et complétez la grille de mots croisés.

a. ÊTRE ATTENTIF

4 Complétez l'article avec les mots ou les expressions suivants :

~~burn out~~ • dressera le constat • éprouve • charge mentale • inquiétude • fatigue psychologique • malaise • fatigue physique • sommeil • stress • épuisé • se sent

Problème *de société*

Le burn-out est une maladie de notre société moderne. Un individu se sent _____, il éprouve une grande _____ et une _____. Il dort mal : son _____ est perturbé. Il supporte difficilement la _____ : il a l'impression de ne pas réussir à gérer son temps.

Il _____ aussi une inquiétude pour tout. Le _____ augmente. Ses proches constatent avant lui son _____. Et leur _____ peut aggraver l'état du malade. Il _____ coupable d'inquiéter sa famille et ses proches. C'est un médecin qui _____ de la maladie.

GRAMMAIRE

L'interrogation

5 Transformez les phrases en une question avec inversion. Plusieurs réponses sont possibles.

Ex. : Est-ce que tu déjeunes tous les midis au monastère ? → Déjeunes-tu tous les midis au monastère ?

a. Est-ce qu'il y a un accès à Internet dans ce centre de méditation ?
→ _____

b. Quand est-ce que tu parleras de ta charge mentale ?
→ _____

c. Où est-ce que le concept de burn-out est apparu ?
→ _____

d. Qu'est-ce que vous pensez des symptômes du stress ?
→ _____

e. Qui est-ce qui a dressé le constat de sa maladie ?
→ _____

UNITÉ 4 — Leçon 14 : Découvrir un fait de société

6 Complétez les questions avec le mot interrogatif qui convient :
~~combien d'~~ • qui • comment • où • pourquoi • quand • combien de • quel • quelles

Ex. : Combien d'individus font un burn-out ?

a. _____ faut-il emporter des pulls pour la retraite à Majorque ?
b. _____ est-ce qu'on va pour s'échapper du quotidien ?
c. Il y a _____ place au stage de yoga ?
d. _____ type de malaise constate-t-on dans la société ?
e. _____ s'intéresse au bien-être dans les grandes villes ?
f. _____ a-t-on constaté l'importance du problème ? Au début du 20e siècle ?
g. Il faut faire _____ pour s'inscrire au cours de chant ?
h. _____ activités sont organisées pendant le stage de méditation ?

Le pronom personnel sujet *on*

7 Lisez les phrases. Remplacez le pronom personnel *on* par le sujet qui convient : *nous*, *quelqu'un* ou *les gens*. N'oubliez pas de faire l'accord.

Ex. : Aujourd'hui, on s'intéresse au problème de la charge mentale.
→ Aujourd'hui, les gens s'intéressent au problème de la charge mentale.

a. Est-ce qu'on vient nous chercher au monastère ?
→ _____

b. On va s'inscrire à un séminaire sur le yoga.
→ _____

c. J'aimerais qu'on commence à dresser un constat de la situation.
→ _____

d. Est-ce qu'on souffre plus de stress aujourd'hui qu'aux siècles passés ?
→ _____

e. On va vous accompagner à votre séance de méditation.
→ _____

f. C'est un atelier où on apprend à gérer ses émotions et son stress.
→ _____

g. On a finalement opté pour la demi-pension.
→ _____

h. Est-ce qu'on peut nous indiquer les vêtements à emporter ?
→ _____

Dictée

8 🎧 36 Écoutez et écrivez les phrases.

LEÇON **14**

COMMUNIQUER

9 Lisez les tweets. À votre tour, écrivez trois tweets sur des situations de charge mentale.

> **#machargementale**
>
> **#AM** C'est quand je lui répète 36 fois : « Non, ce samedi on ne peut pas, on est déjà invité » et qu'il oublie à chaque fois. — 11 h
>
> **#JP** C'est quand on va faire les courses et qu'elle me demande : « Qu'est-ce qu'on mange ce soir ? » — 10 h 15
>
> **#MP** C'est quand je passe tout mon dimanche après-midi à laver la salle de bains pendant qu'il joue à l'ordi et qu'il me dit quand j'ai fini : « Est-ce que tu as besoin d'aide ? » — 10 h
>
> **#TEO** C'est quand elle me dit : « Il faut qu'on aille acheter des places » et qu'elle ne fait rien. — 10 h 15

+ 10 Regardez la photo. Décrivez-la et expliquez le problème.

PHONÉTIQUE

Les voyelles [ø], [œ] et [ə]

11 🎧 37 Écoutez. Entendez-vous le son [ø], le son [œ] ou le son [ə] ? Cochez la bonne réponse.

	Ex.	a.	b.	c.	d.	e.	f.	g.	h.	i.
[ø]										
[œ]	✓									
[ə]										

UNITÉ 4 — Leçon 15 : Imaginer

COMPRENDRE

1 Lisez l'article et cochez Vrai ou Faux. Justifiez votre réponse avec une phrase de l'article.

Société — Profiter de son temps libre pour ne rien faire

Quand on rentre de congés, nos collègues nous demande : « Qu'est-ce que tu as fait pendant tes vacances ? » Mais est-il nécessaire de toujours faire quelque chose ? Dans une société où l'offre d'activités de loisirs est importante, le *farniente* et la paresse reviennent à la mode. On en redécouvre les bienfaits.

Ne rien faire, personne ne le fait jamais réellement. Si on a un peu de temps, on regarde son smartphone, on va sur Internet, on lit un magazine, on écoute de la musique, on regarde des séries… On occupe toujours son temps à faire quelque chose. A-t-on peur de s'ennuyer ? On a oublié ce que signifiait « ne rien faire ». On pense que c'est ne pas faire quelque chose d'utile. Mais ne rien faire, c'est être simplement avec soi, pour penser à tout et à rien. C'est profiter seulement des rayons du soleil. C'est se déconnecter et décrocher complètement des obligations… Pendant ce temps, le cerveau, lui, ne fait pas rien ! Au contraire, il continue à penser, à faire des liens entre les informations. Ne rien faire permet d'améliorer ses compétences. La plupart des grandes idées arrivent à ce moment-là ! Le professeur Ericsson de l'université de Floride a montré que les meilleurs musiciens ne pratiquaient leur musique que 90 minutes par jour et se reposaient plus que les autres. Ne rien faire est nécessaire pour mieux apprendre, faire face à un problème, trouver des solutions et être plus créatif !

Ex. : L'article explique les avantages de ne rien faire. ☑ Vrai ☐ Faux
Justification : Le *farniente* et la paresse reviennent à la mode. On en redécouvre les bienfaits.

a. Selon l'article, ne rien faire, c'est écouter de la musique. ☐ Vrai ☐ Faux
Justification : _____

b. Ne rien faire, c'est ne pas avoir d'activité. ☐ Vrai ☐ Faux
Justification : _____

c. Quand on ne fait rien, c'est bon pour la pensée. ☐ Vrai ☐ Faux
Justification : _____

d. Si on ne fait rien, les compétences diminuent. ☐ Vrai ☐ Faux
Justification : _____

e. Les meilleurs musiciens ne se reposent jamais. ☐ Vrai ☐ Faux
Justification : _____

f. Quand on ne fait rien, on n'est ni efficace ni créatif. ☐ Vrai ☐ Faux
Justification : _____

LEÇON **15**

VOCABULAIRE

◀ Les sensations, le travail (4)

2 Regardez le tableau de Vincent Van Gogh. Entourez les mots qui représentent ce tableau.

~~un rayon de soleil~~ • chaud • les congés • la paresse • décrocher • s'ennuyer • le repos • bleu • la mer • fraîcheur • la montagne • le chant • la fatigue • les vacances • la toilette • le sommeil • jaune • la randonnée • le jardinage • le ménage • lire

La Méridienne, Vincent Van Gogh, 1889-1890 (musée d'Orsay, Paris).

◀ Le jardin, les sensations, le travail (4)

3 Barrez l'intrus.

Ex. : les congés • ~~les réclamations~~ • les loisirs • les vacances

a. la poussière • le gravier • le travail • le jardin
b. triste • doux • chaud • frais
c. arrêter • décrocher • déconnecter • travailler
d. téléphoner • se connecter • regarder une série • partir en voyage
e. un rayon de soleil • un ordinateur • le jardin • la plage

◀ Le jardin, les sensations

4 Reliez chaque mot à sa définition.

a. un râteau   • 1. Lumière du soleil.
b. le gravier •   → 2. Outil qui sert à ramasser les feuilles.
c. la poussière •   • 3. Légèrement froid.
d. un rayon de soleil •   • 4. Forte émotion.
e. frais •   • 5. Petites pierres.
f. la sensation •   • 6. Particules fines qui obligent à faire le ménage.

◀ Le travail (4)

+5 Lisez les phrases et soulignez le mot ou l'expression qui convient.

Ex. : Il ne travaille pas le jeudi, c'est son jour de **congés** • vacances.

a. Pendant le week-end, beaucoup de salariés restent **accrochés** • **décrochés** à leur travail.
b. Plus de 60 % des Français ne réussissent pas à **s'ennuyer** • **se déconnecter** pendant leurs vacances.
c. Ne rien faire, c'est encourager **la paresse** • **les congés**.
d. Les activités de loisirs sont un moyen de ne pas **travailler** • **s'ennuyer**.
e. L'entreprise et les salariés négocient **la durée du travail** • **le temps libre**.
f. Les outils numériques ne permettent pas de **s'ennuyer** • **décrocher** du boulot.

cinquante-cinq 55

Unité 4 — Leçon 15 : Imaginer

GRAMMAIRE

La négation

6 Répondez aux questions par la négation. Utilisez *rien*, *personne* ou *jamais*.

Ex. : Vous allez souvent à la plage ?
→ Non, nous n'allons jamais à la plage.

a. Qu'as-tu fait hier soir ?
→

b. Vous partez souvent à la campagne le week-end ?
→ Non,

c. Combien de fois par semaine rendez-vous visite à votre ami ?
→

d. Ils ont vu quelque chose à Lisbonne pendant les grèves ?
→ Non,

e. A-t-elle demandé à quelqu'un la direction du centre de loisirs ?
→ Non,

f. Vous apporterez quelque chose pour déjeuner pendant votre temps libre ?
→ Non,

g. Quelqu'un lui a dit que 20 % des Français ne déconnectent pas pendant leurs congés ?
→ Non,

7 Transformez les phrases avec *ne… ni… ni* ou *ni… ni… ne* pour dire le contraire.

Ex. : Les Français aiment le soleil et la mer. → Les Français n'aiment ni le soleil ni la mer.

a. Il décroche du travail pendant le week-end et les vacances.
→

b. La semaine prochaine nous irons au yoga et à la séance de méditation.
→

c. Ces congés sont agréables et reposants.
→

d. Les responsables et les salariés travaillent pendant leurs congés.
→

e. Ils louent une maison et une voiture pour les vacances.
→

f. Elsa et Natacha partent en Australie avec des amis.
→

Dictée

8 🎧 38 Écoutez et écrivez les phrases.

LEÇON **15**

COMMUNIQUER

9 Vous lisez le compte rendu d'un interrogatoire de police. Complétez le dialogue entre le policier et l'individu interrogé.

> **COMPTE RENDU D'INTERROGATOIRE DU 13 DECEMBRE 2022**
>
> **Individu interrogé** : Loïc Garibaldi   Né le 4 octobre 1996 à Mulhouse
>
> **Témoignage** : Le jeudi 24 novembre, Loïc Garibaldi est resté seul chez lui toute la journée, c'était son jour de congé. Il a regardé des séries sur Internet. À 18 heures, il n'a pas entendu de bruit chez sa voisine, le son de l'ordinateur était très fort. Quand il est sorti à 18 h 15, il n'a pas vu que la porte de l'appartement de sa voisine était ouverte. Quand il est rentré à 18 h 30, il a remarqué un homme qui sortait de l'immeuble : il était grand et blond, avec un manteau long et une casquette. Il ne le connaît pas ; ce n'est pas un habitant de l'immeuble.

L'inspecteur de police : Qu'avez-vous fait le jeudi 24 novembre ?
Loïc Garibaldi : _____
L'inspecteur de police : Est-ce que quelqu'un est venu chez vous ?
Loïc Garibaldi : _____
L'inspecteur de police : Avez-vous entendu quelque chose à l'heure du vol ?
Loïc Garibaldi : _____
L'inspecteur de police : Quand vous êtes sorti, avez-vous vu quelqu'un ?
Loïc Garibaldi : _____
L'inspecteur de police : _____
Loïc Garibaldi : _____
L'inspecteur de police : _____
Loïc Garibaldi : _____

10 Regardez les images. Que font ces femmes pendant leur temps libre ? Racontez.

a.

b.

c.

cinquante-sept **57**

UNITÉ 4 — BILAN

Compréhension orale — 10 points

1. 🎧 39 Écoutez l'émission de radio et choisissez les réponses correctes.

a. Quel est le sujet du débat de l'émission ? *1 point*
- ☐ Comment organiser ses journées.
- ☐ Comment s'organiser dans son travail.
- ☐ Comment organiser son temps libre.

b. Que fait l'animateur ? *2 points*
- ☐ Il donne des règles à suivre pour bien s'organiser.
- ☐ Il interroge des personnes pour savoir comment elles s'organisent.
- ☐ Il interviewe des spécialistes.

c. Que faut-il faire d'abord ? *2 points*
- ☐ Aller faire ses courses puis faire du bricolage.
- ☐ Lister les activités et faire un emploi du temps.
- ☐ Faire les activités faciles le matin.

d. Pourquoi faut-il faire un emploi du temps sur une semaine ? *2 points*
- ☐ Pour partager des activités longues sur plusieurs jours.
- ☐ Pour pouvoir profiter de son temps libre plus longtemps.
- ☐ Parce que c'est plus facile que sur une journée.

e. Que dit l'animateur pour terminer sa présentation du débat ? *2 points*
- ☐ Pendant son temps libre, il faut penser au travail avec un esprit plus léger.
- ☐ Pendant son temps libre, il faut aussi se déconnecter et décrocher du travail.
- ☐ Pendant son temps libre, il faut aussi se reposer et se faire plaisir.

f. Que doivent faire les auditeurs pour donner leur opinion sur la question ? *1 point*
- ☐ Envoyer un mail.
- ☐ Téléphoner.
- ☐ S'inscrire à la prochaine émission.

Production écrite — 10 points

2. Vous écrivez un post sur votre blog : « Comment gagner du temps libre ? » Vous expliquez l'infographie d'un article que vous avez lu et donnez des conseils pour profiter de son temps libre.

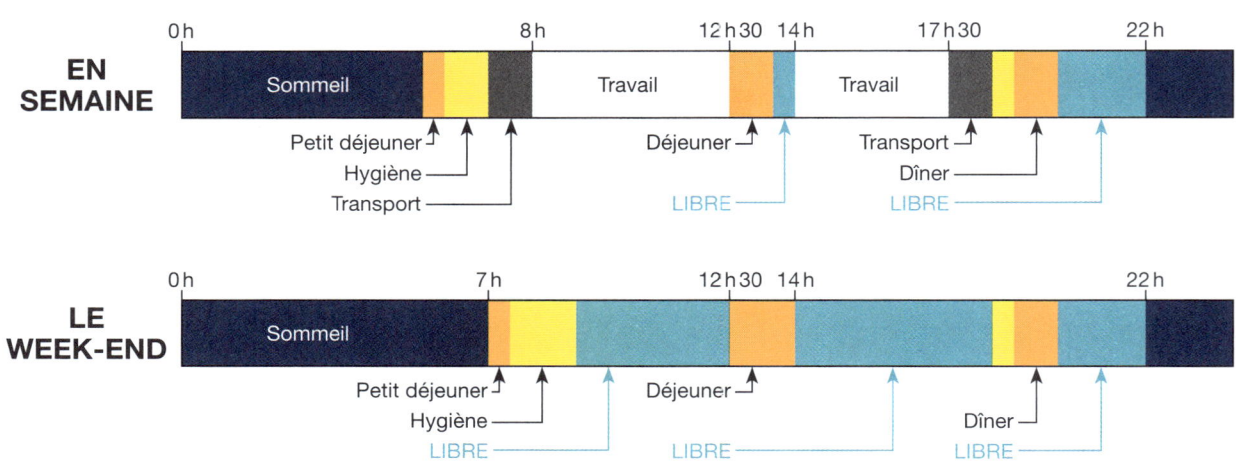

BILAN

Compréhension écrite 8 points

3 Lisez l'article et cochez Vrai ou Faux. *1 point par bonne réponse*

Société

Vacances : se déconnecter complètement ?

Avec les smartphones, il est devenu très difficile pour beaucoup de gens de décrocher du travail. Notre équipe a enquêté sur une plage de Charente-Maritime.

« Vacances, j'oublie tout », comme dit une chanson des années 80 ? Pas vraiment… Près de 7 Français sur 10 n'arrivent pas à complètement décrocher de leur travail pendant les vacances. Principal responsable : le smartphone. 93 % des personnes interrogées affirment consulter leurs mails ou répondre aux appels professionnels pendant les vacances.

À la plage, en famille : impossible pour Dominique, responsable d'une entreprise, de vraiment déconnecter du bureau. « C'est compliqué… J'ai un poste important et j'ai toujours mon portable sur moi. Je regarde régulièrement ma messagerie. En cas d'urgence, je peux répondre rapidement. C'est une obligation professionnelle », nous dit-il allongé sur le sable de la plage de Fouras.

Didier et sa femme, des touristes belges, ont eux fait des progrès. Et cette année, ils sont partis en vacances sans leurs téléphones : « Jusqu'à l'année dernière, je ne partais jamais sans mon smartphone. Je le sortais pour voir l'heure. Et quand j'avais un message ou un mail, j'étais obligé de l'ouvrir… Donc, cette année, je porte une montre ! » dit-il avec bonne humeur. Une excellente idée selon la psychologue du travail, Malika Annouche qui explique : « Quand vous êtes en vacances, on peut très bien se passer de vous au travail. Personne n'est indispensable ! » Et elle ajoute : « Si vous vous déconnectez en vacances et décrochez vraiment du travail, vous reviendrez plus efficace à la rentrée. »

	Vrai	Faux
a. Les vacanciers ne décrochent pas du travail à cause du téléphone portable	☐	☐
b. Dominique se déconnecte facilement de son travail.	☐	☐
c. Il ne regarde jamais sa messagerie.	☐	☐
d. Si Dominique ne se sépare jamais de son portable, c'est pour pouvoir regarder l'heure.	☐	☐
e. Didier et sa femme apportent leur téléphone à la plage.	☐	☐
f. Selon eux, rien ne peux remplacer le portable.	☐	☐
g. Selon la psychologue, personne ne devrait apporter son smartphone en vacances.	☐	☐
h. Selon elle, si on décroche du travail pendant les vacances, on sera plus efficace à son retour.	☐	☐

Production orale 12 points

4 Imaginez un week-end idéal. Comment organiseriez-vous ces deux jours si vous restiez dans votre ville. Que feriez-vous ? Quelles activités ? Quand ? Où ? Avec qui ? Faites des hypothèses et dites ce que vous aimeriez et ce que vous n'aimeriez pas.

UNITÉ 5 — Leçon 17 : Proposer un projet

COMPRENDRE

1 Lisez l'article du magazine *Ville intelligente* et cochez les réponses correctes.

> ENQUÊTE
>
> ## Elle sera verte… ou rien !
>
> *Comment sera la ville du futur ? Les jeunes ont répondu à une enquête.*
>
> Ceux qui imaginent la ville du futur avec des voitures volantes ou des immeubles très hauts se trompent. Les 18-25 ans préfèrent une ville où la voiture est interdite ! Ils veulent des promenades pour les piétons, des pistes cyclables et surtout des espaces verts. Ils utilisent déjà principalement les transports en commun et sont plus sensibilisés à l'environnement que leurs aînés. Ils souhaitent une ville où il fait bon vivre.
>
> Coralie, 18 ans, témoigne : « Nous voulons une ville moins polluée par les déchets et les voitures. Nous voulons vivre dans une atmosphère rafraîchie par les arbres et les plantes. Il faut des aménagements de pistes cyclables et des axes réservés aux piétons. Aujourd'hui, chacun peut agir pour rendre l'espace public plus agréable, en circulant à pied ou à vélo. Ce serait bien d'organiser des ateliers pour aider les gens à entretenir les espaces verts de leur quartier, en fleurissant les pieds d'arbre et en mettant des plantes sur leur balcon. Nous voulons une ville sans voiture où on peut respirer. » Et c'est le souhait de nombreux jeunes. Demain circuler en ville ne se fera pas en voiture ! ■
>
> Ville intelligente

Ex. : De quoi parle cet article ?
- ☐ Des logements du futur.
- ☑ Des espaces publics urbains.
- ☐ Des activités sportives dans la ville.

a. D'après l'article, comment sera la ville de demain ?
- ☐ Il n'y aura pas de voiture.
- ☐ Il n'y aura pas d'immeuble.
- ☐ Il n'y aura pas d'avenue.

b. Que font les 18-25 ans aujourd'hui ?
- ☐ Ils achètent des vélos.
- ☐ Ils demandent des espaces verts.
- ☐ Ils pratiquent le sport à la campagne.

c. Comment circulent les jeunes dans la ville ?
- ☐ En métro et en bus.
- ☐ En voiture.
- ☐ À moto.

d. Selon Coralie, pourquoi les jeunes sont-ils motivés pour réaménager la ville ?
- ☐ Ils veulent habiter dans des logements plus agréables.
- ☐ Ils veulent mieux respirer.
- ☐ Ils veulent vivre comme leurs parents.

e. D'après Coralie, comment peut-on rendre la ville plus agréable ?
- ☐ En recyclant les déchets.
- ☐ En créant de nouveaux axes de circulation.
- ☐ En végétalisant les espaces publics.

f. Que propose Coralie ?
- ☐ Des formations pour les habitants.
- ☐ La création d'un jardin public.
- ☐ L'aménagement d'une piste cyclable.

VOCABULAIRE

La localisation (1), la ville (2)

2 Complétez le témoignage de Consuelo avec les mots ou les expressions suivants :

végétaliser • piétonisation • le long • l'aménagement • longe • bordent • au milieu • sous • la promenade • bâti • autour des

TÉMOIGNAGE

Dans mon quartier, il y a eu beaucoup de travaux pour végétaliser les espaces publics. _____ des trottoirs, on a planté des arbres qui _____ les avenues. On a _____ trois immeubles végétalisés dans le centre-ville. Les services municipaux ont proposé _____ d'une piste cyclable qui _____ les axes principaux. Et les piétons ne sont pas oubliés : on a aménagé une place _____ du quartier pour _____. Nous sommes invités à circuler à pied ou à vélo. On se sent bien _____ les arbres et _____ pieds d'arbre, nous pouvons planter des fleurs ! La _____ de l'espace est très agréable ! Nous ne voulons plus prendre la voiture dans notre ville.

La ville (2), les espaces verts

3 Lisez les phrases et soulignez le mot ou l'expression qui convient.

Ex. : Vous pouvez jardiner près de chez vous en <u>rafraîchissant</u> • végétalisant les pieds d'arbre.

a. Les responsables de l'urbanisme proposent des **réaménagements** • **faisabilités** dans la ville.
b. Protéger **la biodiversité** • **l'avenue**, c'est l'objectif de la ville du 21ᵉ siècle.
c. Les projets pour végétaliser l'espace urbain sont **nostalgiques** • **innovants**.
d. Les arbres bordent **la municipalité** • **les axes de circulation** dans notre ville.
e. La politique de la ville, c'est de développer la **végétalisation** • **promenade** de l'espace public.
f. Il faudrait **entretenir** • **bâtir** les espaces verts pour avoir une ville plus agréable.
g. Pour les piétons, les **trottoirs** • **pieds d'arbre** sont plus larges.
h. Les urbanistes s'engagent à un réaménagement **durable** • **public** des pistes cyclables.
i. Les espaces verts **rafraîchissent** • **végétalisent** l'atmosphère dans les grandes villes.

La ville (2), le logement (1), la loi

4 Reliez les mots ou les expressions à leur définition.

a. délivré
b. un balcon
c. un permis
d. rafraîchir l'atmosphère
e. l'espace public
f. autoriser
g. une cour d'immeuble
h. une avenue
i. une aire de jeux
j. innovant
k. durable

1. Les endroits où tout le monde peut circuler.
2. Donné.
3. L'endroit où les enfants jouent.
4. Avoir moins de pollution dans l'air.
5. Une autorisation pour faire quelque chose.
6. Une rue large dans une ville.
7. Qui apporte de la nouveauté.
8. Un espace en bas des immeubles.
9. Devant les fenêtres des immeubles.
10. Construit ou fabriqué pour longtemps.
11. Donner le droit de faire quelque chose.

Unité 5 — Leçon 17 : Proposer un projet

GRAMMAIRE

Le gérondif

5 Complétez les phrases avec un gérondif.

Ex. : La maire de la ville a promis la piétonisation *en interdisant* (interdire) les voitures dans le centre-ville.

a. Vous pouvez arriver plus vite _____ (longer) le parc.
b. On peut rendre la ville plus agréable _____ (choisir) de végétaliser les espaces.
c. Le conseil municipal a décidé d'agir _____ (faire) des pistes cyclables sur les grands axes.
d. Vous aurez le choix entre le vélo ou la marche _____ (passer) par la promenade plantée d'arbres.
e. Les axes importants de la capitale seront aménagés _____ (réduire) le nombre de voitures en circulation.
f. On choisit d'agir dans son quartier _____ (combattre) la pollution.
g. Je veux apporter mon aide _____ (créer) un petit jardin au pied des arbres de ma rue.
h. Vous pouvez participer à la végétalisation du quartier _____ (mettre) des fleurs sur votre balcon.

6 Reliez le début à la fin de la phrase.

a. On circule mieux dans la ville • • 1. en se promenant autour de l'Arc de triomphe.
b. Tu peux rentrer à pied • • 2. en faisant du vélo.
c. Les services techniques ont élaboré le projet • • 3. en prenant la rue piétonne.
d. Les habitants demandent un permis • • 4. en diminuant les places de stationnement.
e. Vous pouvez créer des espaces verts • • 5. en allant à la mairie.
f. Les piétons admireront les aménagements • • 6. en végétalisant la cour de votre immeuble.
g. La maire espère qu'il y aura moins de voitures • • 7. en consultant les habitants.

7 🎧 40 Écoutez les phrases et cochez quand vous entendez le gérondif.

	Ex.	a.	b.	c.	d.	e.	f.	g.
Gérondif	✓							

8 Finissez les phrases avec un gérondif (réponses libres).

Ex. : Le ministère de la Transition écologique mène une politique efficace *en encourageant les projets innovants*.

a. La municipalité rafraîchira l'atmosphère _____
b. Les ingénieurs réfléchissent à de nouveaux axes de circulation _____
c. La mairie autorise les plantations au pied des arbres _____
d. Les promoteurs immobiliers ont une démarche écologique _____
e. Les services techniques ont réaménagé l'aire de jeux _____
f. Les architectes ont construit des bâtiments _____

Dictée

9  41 Écoutez et écrivez les phrases.

COMMUNIQUER

10 Vous participez à la rédaction d'une page du site « Agir pour la transition ». Vous conseillez les habitants de votre ville pour donner plus de place à la nature en ville. Aidez-vous des rubriques proposées.

11 Vous lisez ce sondage sur le site de la métropole de Lyon. Vous commentez les informations sur votre blog.

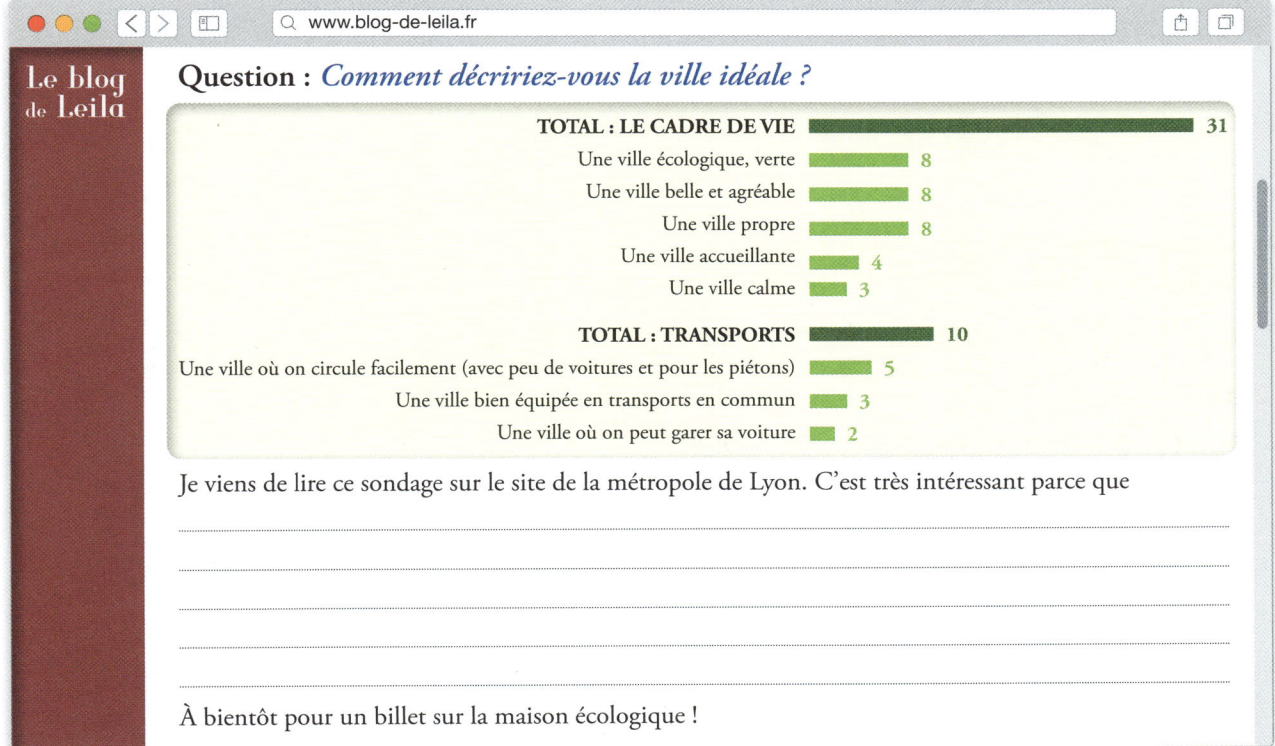

UNITÉ 5 — Leçon 18 : Faire visiter un lieu

COMPRENDRE

1 🎧 42 Écoutez la visite guidée de la ville de Toulouse et cochez les fins de phrase correctes.

Ex.: Toulouse se trouve…
- ☑ dans le sud-ouest de la France.
- ☐ à côté de Paris.
- ☐ au bord de la mer.

a. Toulouse est…
- ☐ la troisième ville de France.
- ☐ la quatrième ville de France.
- ☐ la cinquième ville de France.

b. On appelle Toulouse…
- ☐ la Ville rose.
- ☐ la Ville universitaire.
- ☐ la Ville piétonne.

c. La ville est agréable…
- ☐ parce qu'elle propose des résidences modernes.
- ☐ parce qu'on peut s'y promener à pied.
- ☐ parce qu'il y a de nombreux étudiants.

d. À Toulouse, il y a…
- ☐ de la circulation.
- ☐ un fleuve.
- ☐ de hauts immeubles.

e. Au centre de Toulouse, on peut voir…
- ☐ un style d'architecture récente.
- ☐ des vieux bâtiments rénovés.
- ☐ des longues voies qui traversent la ville.

f. Les bâtiments modernes se trouvent plutôt…
- ☐ le long du fleuve.
- ☐ dans les lieux de culture.
- ☐ autour du centre ancien.

g. À Toulouse près du métro, on trouve…
- ☐ l'hôtel de ville.
- ☐ le phare.
- ☐ la médiathèque.

h. La Cité de l'espace…
- ☐ est dans le centre-ville.
- ☐ est dans un grand parc.
- ☐ sur le front de mer.

i. Les travaux de la Cité de l'espace ont commencé…
- ☐ en 1997.
- ☐ en 1994.
- ☐ en 1991.

j. On peut voir à la Cité de l'espace…
- ☐ une médiathèque moderne.
- ☐ une grande fusée.
- ☐ un phare.

VOCABULAIRE

La ville (3), l'architecture, le logement (2)

2 Barrez l'intrus.

Ex.: le front de mer • une avenue • une voie • ~~un phare~~

a. une résidence • l'eau courante • un appartement • un logement
b. un ensoleillement • une orientation • un moulage • une vue
c. un style • une rénovation • une construction • un aménagement
d. un cimetière • un hôtel de ville • une médiathèque • une voie
e. construire • dominer • édifier • bâtir
f. une place • une voie • une résidence • une courbe

LEÇON 18

3 Écrivez sous chaque photo le mot correspondant.
une place • une médiathèque • un hôtel de ville • un cimetière • un front de mer • un phare

Ex. : une place

a. _____

b. _____

c. _____

d. _____

e. _____

4 Complétez le témoignage avec les mots ou les expressions suivants :
l'urbanisme • styles • front de mer • résidences • ensoleillement • architecture • dominent • édifié • médiathèque • voies • parc

Ce qui m'a plu à New York, c'est l'urbanisme de la ville. Il y a de très longues _____ qui traversent la ville. Les avenues sont larges et les immeubles _____ ! Le _____ urbain est très grand et très agréable, c'est un poumon vert au milieu de la ville. Ici, on trouve plusieurs _____ d'architecture : anciens et très modernes. Il y a des _____ le long du _____ au sud avec un _____ important. On a _____ de nombreux monuments, comme le musée Guggenheim à l'_____ très moderne ou la New York Public Library, une grande _____, qui est un lieu magnifique.

GRAMMAIRE

Les marqueurs temporels

5 Complétez le post avec les marqueurs temporels suivants :

depuis • depuis • en • en • il y a • dans les années • pendant • entre

Vous connaissez le musée d'Orsay ? C'est un des plus beaux musées de Paris, ouvert au public **depuis** 1986. Sa transformation a commencé _____ quarante ans. Avant c'était une gare, qu'on avait construite _____ 1900. Le bâtiment a fait l'objet de travaux importants _____ 1980. Il a été réaménagé complètement _____ 1983 et 1986. Ensuite, _____ deux ans le musée a fermé pour être agrandi. _____ sa réouverture _____ 2011, de nombreux visiteurs peuvent admirer sa nouvelle architecture et les magnifiques œuvres d'art exposées.

Leçon 18 — Faire visiter un lieu

Le plus-que-parfait

6 🎧 43 Écoutez les phrases. Entendez-vous le plus-que-parfait ? Cochez Oui ou Non.

	Ex.	a.	b.	c.	d.	e.	f.
Oui	✓						
Non							

7 Mettez les mots dans l'ordre pour compléter les phrases.

Ex. : Ils sont retournés au cimetière • allés depuis dix ans. • pas • où • n'étaient • ils
→ Ils sont retournés au cimetière où ils n'étaient pas allés depuis dix ans.

a. Nous sommes retournés voir cet appartement qui • beaucoup • avait • nous • plu.
→ ....

b. Ils n'ont pas accepté le projet • aviez • fait • que vous • pour l'hôtel de ville.
→ ....

c. Quand il a commencé des études d'architecture, • toujours • sa vocation. • avait • su • il
→ ....

d. À la place du parc, • de construire • prévu • avaient • ils • un hôtel • sur le front de mer.
→ ....

e. Quand je suis arrivée à la médiathèque à 11 heures, • déjà • étais • tu • partie.
→ ....

f. J'ai visité l'hôtel de ville, • allée • jamais • avant. • n'y • étais • je
→ ....

g. cet urbaniste • avait • Il • rencontré • avant la réalisation des voies piétonnes.
→ ....

h. Avant la construction de la résidence, • déjà • avions • nous • un appartement. • acheté
→ ....

+ 8 Lisez les phrases et conjuguez les verbes au plus-que-parfait.

Ex. : Auparavant, dans les années 1970 à Paris, les architectes *avaient choisi* (choisir) des tours pour bâtir la ville du futur.

a. Avant de faire partie du patrimoine parisien, les colonnes de Buren au Palais-Royal .... (déclencher) beaucoup de critiques.

b. On a bâti le Centre Georges-Pompidou à la place d'un parking qu'on .... (installer) pour le stationnement des habitants du quartier.

c. Avant la rénovation du musée du Louvre, les autorités .... (prévoir) la construction de la Pyramide.

d. Jean Nouvel a réalisé en 2015 la Philharmonie de Paris dans le Parc de la Villette. Il .... (construire) dans les années 1980 l'Institut du monde arabe à Paris.

e. Avant 1930, Le Corbusier .... (déjà concevoir) un plan d'urbanisme à Paris.

f. Le nouveau Palais de justice a un style original que nous .... (ne pas encore voir) à Paris.

LEÇON 18

Dictée

9 🎧 44 Écoutez et écrivez les phrases.

COMMUNIQUER

10 Vous participez à la création du site touristique de la ville de Rouen. Vous racontez l'histoire de cette ville à l'aide de la frise chronologique.

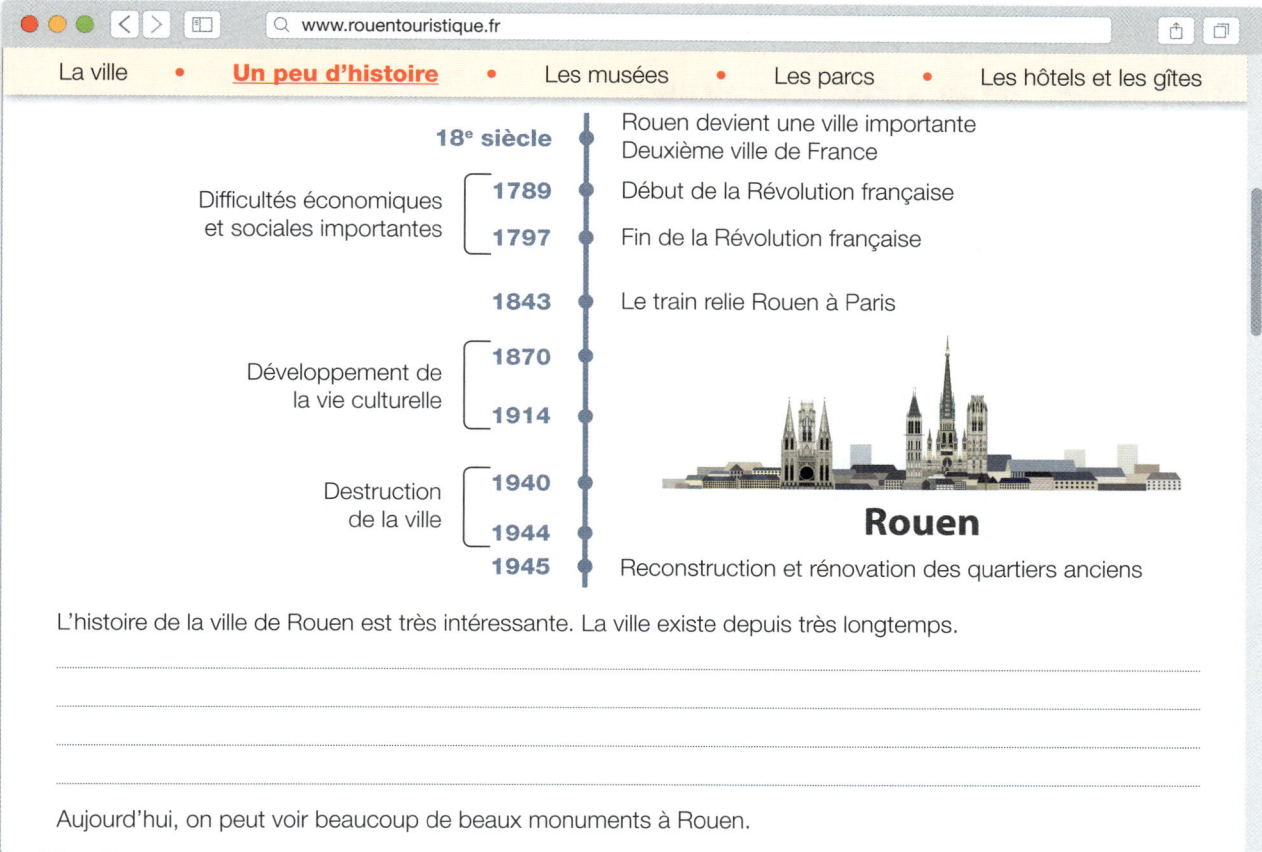

L'histoire de la ville de Rouen est très intéressante. La ville existe depuis très longtemps.

....
....
....
....

Aujourd'hui, on peut voir beaucoup de beaux monuments à Rouen.

11 Vous êtes interviewé(e) par un journaliste du petitjournal.com de votre pays. Vous racontez l'histoire de la construction de la tour Eiffel à Paris à l'aide de vos notes. Enregistrez-vous.

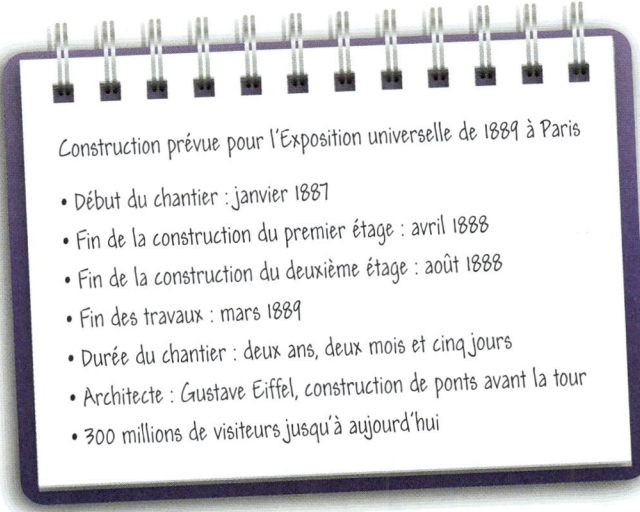

soixante-sept 67

Leçon 19 — Parler de son lieu de vie

COMPRENDRE

1 Lisez le témoignage d'Anthi et cochez Vrai ou Faux. Justifiez votre réponse avec une phrase du récit.

---

www.enfantsimmigrés.com

Qui sommes-nous ? | **Témoignages** | Contacts | Nous rejoindre

Mon arrivée en France

Anthi — 28-01-2022

Mes parents sont grecs. Ils sont arrivés en France en 1960 et je suis née en 1962. Nous habitions un petit logement dans un grand immeuble à Lyon. C'était un quartier assez pauvre, avec beaucoup d'étrangers, des Marocains et des Portugais surtout. Notre appartement avait deux pièces qui donnaient sur un petit balcon, c'était au quatrième étage, mais l'immeuble en avait douze ! Je me souviens de la moisissure sur les fenêtres et des murs qui se fissuraient. Bâti en 1955, l'immeuble n'était pas de bonne qualité. Nous avions un ascenseur qui tombait régulièrement en panne, il fallait souvent monter à pied. Dans l'appartement, il y avait une cuisine très petite, nous l'avions ouverte sur le salon pour avoir plus de place. Nous dormions tous les trois dans la chambre, qui avait le seul placard de l'appartement. Nous avions une télé qui ne marchait pas bien, mon père l'avait réparée mais elle tombait souvent en panne. Heureusement, notre appartement était orienté plein sud, et nous avions beaucoup de soleil, même en hiver. Nous avions des fleurs que ma mère avait plantées et que j'arrosais avec passion. J'aimais beaucoup ce petit coin coloré de l'appartement.

Ex. : Anthi est née en Grèce.   ☐ Vrai ☑ Faux
Justification : *Mes parents sont grecs. Ils sont arrivés en France en 1960 et je suis née en 1962.*

a. Anthi habitait avec ses parents dans un grand appartement.   ☐ Vrai ☐ Faux
Justification : _____

b. L'appartement était au dernier étage de l'immeuble.   ☐ Vrai ☐ Faux
Justification : _____

c. Chez Anthi, il y avait un salon et une chambre.   ☐ Vrai ☐ Faux
Justification : _____

d. L'appartement était très agréable.   ☐ Vrai ☐ Faux
Justification : _____

e. L'appartement était dans un vieil immeuble.   ☐ Vrai ☐ Faux
Justification : _____

f. La famille d'Anthi a fait des travaux.   ☐ Vrai ☐ Faux
Justification : _____

g. Il y avait peu d'ensoleillement dans l'appartement.   ☐ Vrai ☐ Faux
Justification : _____

h. Anthi a installé des fleurs sur le balcon.   ☐ Vrai ☐ Faux
Justification : _____

LEÇON 19

2 Relisez le témoignage d'Anthi et complétez la fiche de l'appartement.

FICHE DE L'APPARTEMENT

Nombre de pièces : _2_
Aménagement de la cuisine : _____
Nombre de placards : _____
Ascenseur : _____

Exposition : _____
Télévision : _Oui_
Nombre de chambres : _____
Balcon : _____

VOCABULAIRE

Le logement (3), l'équipement

3 Entourez ce que vous voyez sur la photo.

(une chaise)   un tapis
un placard   une sonnette
une plante   une fenêtre
un ascenseur   une table
une télé   un balcon
une cuisine ouverte

La ville (4), le logement (3), l'exposition, la matière

4 Lisez les phrases et soulignez le mot ou l'expression qui convient.
Ex. : j'aime beaucoup cette couleur <u>dorée</u> • orientée plein sud.
a. L'appartement est sale et vieux, il y a de la **moisissure** • **peinture** sur les murs.
b. Les tasses sont très jolies, elles sont un peu **vernies** • **argentées**.
c. La peinture est neuve, le **mur** • **toit** n'est pas abîmé.
d. Dans l'escalier, il faudrait rénover les murs : ils **dominent** • **se fissurent**.
e. Il y a beaucoup de soleil, l'appartement est **brillant** • **orienté plein sud**.
f. J'habite près des transports : **le studio** • **la bouche de métro** est à côté de mon appartement.

La ville (4), le logement (3), l'équipement, la matière

5 Lisez les définitions et complétez la grille de mots-croisés.
a. Couvre le sol, en laine.
b. Se trouve dans la salle de bains.
c. Un petit appartement avec une seule pièce.
d. Un produit pour décorer les murs.
e. Il y en a six dans un immeuble haussmannien.
f. Sur la façade d'un immeuble, devant la fenêtre.
g. Au-dessus du bâtiment.
h. A la couleur de l'or.
i. Il y en a quatre autour d'une pièce.
j. Un bâtiment haut avec plusieurs appartements.

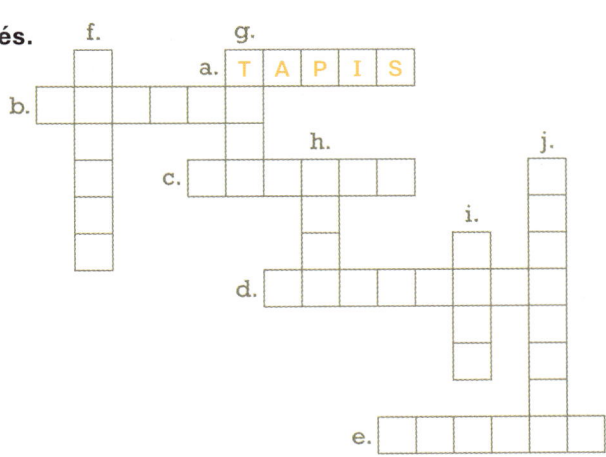

UNITÉ 5 — Leçon 19 : Parler de son lieu de vie

GRAMMAIRE

L'accord du participe passé avec *avoir*

6 Lisez les phrases et soulignez le participe passé correct.

Ex. : L'agent immobilier est en bas de l'immeuble, elle l'a aperçu • **aperçue** de la fenêtre.

a. La bouche de métro est à côté de l'appartement, je l'ai vu • **vue** quand je suis allée au rendez-vous.
b. Ils ont **découvert** • découverts des arbres magnifiques dans le parc autour de la résidence.
c. Les murs sont en bon état, je les ai peint • **peints** l'année dernière.
d. Elle a **rencontré** • rencontrée le propriétaire pour un appartement orienté plein sud.
e. Elles ont **visité** • visitées un studio dans un immeuble ancien.
f. Vous m'avez décrit • **décrits** un balcon exceptionnel, je veux le voir.
g. La cuisine ouverte que nous avons imaginés • **imaginée** sera très agréable.
h. Dans la salle de bains, ils ont installé le lavabo et le placard que nous avons **commandés** • commandé.

7 Complétez la terminaison du participe passé si nécessaire.

Ex. : La moisissure sur les portes se voit beaucoup, tu ne l'as pas remarqué**e** ?

a. Elle a vu un appartement qui l'a beaucoup intéressé____ .
b. C'est toi qui as photographié____ la médiathèque ?
c. Nous connaissons bien cette résidence, la ville l'a reconstruit____ dans les années 1960.
d. Vous êtes allées voir l'agent immobilier, il vous a bien accueilli____ ?
e. Tu as installé le placard ? Non, c'est Pablo qui l'a installé____ .
f. Je croyais que tu avais réparé____ la sonnette !
g. C'est exactement l'appartement que nous avions souhaité____ !
h. Sa chambre est petite mais il l'a très bien aménagé____ .

+8 Conjuguez les verbes au passé composé. Accordez le participe passé si nécessaire.

Ex. : C'est un bel appartement, je l'ai visité (le visiter) hier.

a. C'est la résidence que tu _____ (habiter) pendant deux ans ?
b. Je suis sûr qu'il y a une cuisine ouverte, je _____ (la voir) quand j'ai visité l'appartement.
c. Il a loué un logement avec les deux personnes que vous _____ (rencontrer) chez lui.
d. Sur le balcon, il y a les plantes que ma fille _____ (choisir).
e. C'est le salon que nous _____ (agrandir) en ouvrant la cuisine.
f. Il va planter dans son jardin les fleurs qu'il _____ (acheter) à Amsterdam.
g. Les placards de la cuisine ne ferment plus, tu _____ (les changer) ?
h. Je vais déménager dans une maison qu'un architecte suédois _____ (dessiner) il y a deux ans.
i. J'adore le tapis à fleurs que tu _____ (poser) dans l'entrée.

Dictée

  Écoutez et écrivez les phrases.

LEÇON 19

COMMUNIQUER

10 Vous venez de visiter un appartement qui vous plaît. Vous écrivez un message à votre amie Sonia pour le décrire. Aidez-vous de vos notes, du plan de l'appartement et de la photo.

De : Moi
à : Sonia
Objet : Visite d'appartement

Salut Sonia,
Je viens de visiter un appartement ....
....
....
....
....

À bientôt !

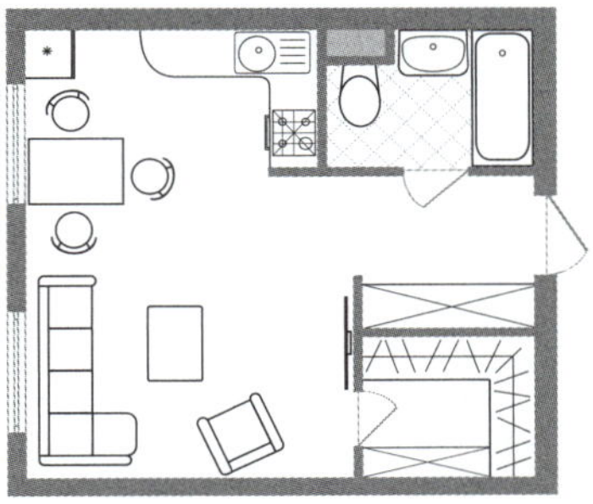

- Étage : 5
- Ascenseur : non
- 18 m²
- Immeuble vieux
- Plein sud
- Murs fissurés et moisissures
- Travaux de peinture prévus

PHONÉTIQUE

Les voyelles [y] et [u] et les semi-consonnes [ɥ] et [w]

11 🎧 46 Écoutez. Entendez-vous le son [y] ou [u] ? Cochez la bonne réponse.

	Ex.	a.	b.	c.	d.	e.	f.
[y]							
[u]	✓						

12 🎧 47 Écoutez. Entendez-vous le son [ɥ] ou [w] ? Cochez la bonne réponse.

	Ex.	a.	b.	c.	d.	e.	f.
[ɥ]							
[w]	✓						

soixante et onze

UNITÉ 5 BILAN

Compréhension orale 10 points

1 🎧 48 Écoutez le dialogue et choisissez les réponses correctes.

a. De quoi parlent Ilyan et Flora ? *1 point*
   ☐ De leur immeuble.
   ☐ De leur voisine.
   ☐ De leur ville.

b. Qu'a fait la voisine d'Ilyan ? *2 points*
   ☐ Elle a autorisé Ilyan à jardiner devant l'immeuble.
   ☐ Elle a demandé un permis de végétaliser.
   ☐ Elle a planté des fleurs dans le jardin de Flora.

c. D'après Flora, comment peut-on rendre la ville plus belle ? *2 points*
   ☐ Il faudrait aménager des parcs dans la ville.
   ☐ Il faudrait laisser plus de place aux piétons.
   ☐ Il faudrait planter et jardiner dans les espaces publics.

d. Comment a-t-on transformé la place de l'hôtel de ville ? *1 point*
   ☐ En construisant des pistes cyclables.
   ☐ En créant un espace vert.
   ☐ En installant des places de stationnement pour les voitures.

e. D'après Ilyan, qu'est-ce qui a changé ? *2 points*
   ☐ Il y a plus de pistes cyclables qu'avant.
   ☐ La qualité de l'air est meilleure.
   ☐ Les gens se promènent plus à pied.

f. Que propose Ilyan ? *2 points*
   ☐ De végétaliser la place de la mairie.
   ☐ De modifier les axes de circulation.
   ☐ De rendre les trottoirs plus larges.

Production orale 10 points

2 Vous venez de vous installer dans un nouvel appartement. Vous téléphonez à votre ami Selim pour lui décrire votre nouveau lieu de vie et lui dire en quoi il est agréable. Aidez-vous de l'annonce de location. Enregistrez-vous.

À LOUER

Place de l'hôtel de ville
2 pièces / 1 chambre / 27 m²

Appartement au 4ᵉ étage, exposé plein sud, avec balcon. Bon état.
Vue sur les toits de la ville.

Près des transports, métro.

BILAN

Compréhension écrite 10 points

3 Lisez l'article et cochez Vrai ou Faux. Justifiez votre réponse avec une phrase de l'article.

www.cultureaparis.fr

Visiter la capitale | **Les musées** | Les monuments | Les rues et les squares | Sortir le soir

Le musée du Quai Branly, un style architectural unique

Le musée du Quai Branly, c'est d'abord un musée ouvert sur le monde. Les bâtiments abritent les collections des arts d'Afrique, d'Asie, d'Océanie et des Amériques. L'architecte les a imaginés pour donner une place importante aux arts et cultures du monde entier. Le musée se trouve le long de la Seine, dans un site exceptionnel juste à côté de la tour Eiffel. On y entre en passant par un grand jardin qui ressemble à une forêt. Il s'étend comme un grand pont au milieu des arbres. Le mur du bâtiment principal est entièrement recouvert de plantes. Le chantier a duré de 2001 à 2006. C'est Jean Nouvel qui a conçu le musée du Quai Branly. Ce célèbre architecte français avait déjà construit d'autres bâtiments importants à Paris.

Entrons dans le grand bâtiment ! À l'entrée, on est accueilli par une magnifique sculpture en bois qui vient du Mali. Elle a été réalisée il y a plus de mille ans. Continuons la visite ! Dans ce musée, il n'y a ni porte, ni salle, ni escalier, tout est ouvert, et le visiteur s'y promène en toute liberté. Pour circuler, on prend une longue voie piétonne faite de courbes qui nous emmène d'un continent à un autre. C'est un voyage dans l'espace et dans le temps. L'architecture choisie est un symbole d'ouverture à toutes les cultures du monde.

a. Le musée du Quai Branly présente des arts français. ☐ Vrai ☐ Faux
   Justification : _____ *1 point*

b. Autour du musée, il y a des grands arbres. ☐ Vrai ☐ Faux
   Justification : _____ *1 point*

c. Le mur principal est complètement végétalisé. ☐ Vrai ☐ Faux
   Justification : _____ *1 point*

d. Pendant cinq ans, il y a eu des travaux pour construire le musée. ☐ Vrai ☐ Faux
   Justification : _____ *1 point*

e. L'architecte qui l'a construit est peu connu. ☐ Vrai ☐ Faux
   Justification : _____ *2 points*

f. Dans le musée, on peut prendre l'escalier ou l'ascenseur. ☐ Vrai ☐ Faux
   Justification : _____ *2 points*

g. Les visiteurs circulent d'une pièce à l'autre. ☐ Vrai ☐ Faux
   Justification : _____ *2 points*

Production écrite 10 points

4 Vous venez de visiter Nantes. Vous laissez un commentaire sur le site villeideale.fr.
Vous expliquez pourquoi la ville est agréable à l'aide de vos notes.

```
Nantes, élue capitale verte européenne en 2013.
Aménagements depuis 20 ans :
 - aménagement d'espaces verts (45 % de la ville est végétalisée)
 - développement des transports publics
 - création de pistes cyclables et de voies piétonnes.(places et
   monuments accessibles à pied)
```

soixante-treize 73

Leçon 21 — Parler d'une œuvre d'art

COMPRENDRE

1 Lisez la page du musée Matisse et cochez Vrai ou Faux. Justifiez votre réponse avec une phrase du texte.

Le MUSÉE MATISSE, une superbe collection à voir et à revoir

Le musée Matisse se trouve à Nice. Il est installé dans une magnifique maison ancienne qui s'appelle la Villa des Arènes. Elle a été achetée en 1950 par la ville de Nice qui souhaitait préserver le site et l'architecture. En 1963, on a aménagé au rez-de-chaussée le musée d'Archéologie et à l'étage supérieur, le musée Matisse, grâce aux œuvres données par la famille Matisse. En 1989, le musée d'Archéologie a été déplacé sur un site voisin et le musée Matisse a été rénové et agrandi. Il a ouvert ses portes sous sa forme actuelle en juin 1993.

La collection du musée Matisse est unique au monde parce qu'elle présente des œuvres, du mobilier, des tissus et des objets divers qui proviennent directement de l'atelier de l'artiste Henri Matisse. Elle constitue donc un témoignage exceptionnel. Le musée propose un parcours entièrement dédié à l'artiste et à sa création. La collection compte 31 peintures, 454 dessins et 57 sculptures, couvrant toutes les périodes de production de l'artiste.

Peinte au printemps 1944, la *Lectrice à la table jaune* fait partie des nombreux tableaux de la période dite « de Vence ». Matisse y reprend le thème de la lecture, très présent dans son œuvre. Dans ce tableau, composé principalement de jaune et de bleu, une femme a les bras appuyés sur une table et pose son regard paisible sur un livre ouvert. Un bouquet de fleurs, des fruits et un verre à vin du Rhin complètent la composition harmonieuse. Ces objets sont également conservés dans la collection du musée.

Ex. : Le musée Matisse est situé dans la Villa des Arènes. ☑ Vrai ☐ Faux
Justification : Il est installé dans une magnifique maison ancienne qui s'appelle la Villa des Arènes.

a. La ville de Nice a acheté le futur bâtiment du musée. ☐ Vrai ☐ Faux
Justification : _____

b. Le musée Matisse a été ouvert au public en 1989. ☐ Vrai ☐ Faux
Justification : _____

c. Le musée Matisse a sa forme actuelle depuis la fin de sa rénovation en 1989. ☐ Vrai ☐ Faux
Justification : _____

d. Les œuvres de la collection du musée Matisse viennent du monde entier. ☐ Vrai ☐ Faux
Justification : _____

e. Les œuvres exposées sont principalement des peintures et des dessins. ☐ Vrai ☐ Faux
Justification : _____

f. Le tableau *Lectrice à la table jaune* est composé de trois couleurs principales. ☐ Vrai ☐ Faux
Justification : _____

g. La composition du tableau est sans intérêt. ☐ Vrai ☐ Faux
Justification : _____

LEÇON **21**

VOCABULAIRE

La muséologie, l'architecture, la musique (1)

2 Lisez les phrases et entourez le mot ou l'expression qui convient.

Ex. : Ce musée présente un (espace) • mur où le mobilier est bien mis en valeur.

a. Dans **la galerie** • **l'œuvre** du château de Versailles, on découvre des peintures superbes.

b. Les sculptures sont vues sous différents **mobiliers** • **angles** dans le jardin du musée Bourdelle.

c. Le nouveau musée de Rennes sera réalisé entièrement en **perspective** • **béton**.

d. Au musée du Quai Branly à Paris, le mur principal est **recouvert** • **exposé** de plantes.

e. Le Centre culturel des Bleuets à Créteil est construit avec des murs en **valeur** • **aluminium**.

f. Une statue réalisée par Auguste Moreau représente un enfant avec un **parcours** • **tambour**.

g. Sur ce tableau, le personnage est **posé** • **revêtu** d'une grande robe rouge.

h. Le musée du château de Horn en Allemagne a été rénové avec un **sol** • **angle** en bois.

i. La jeune fille représentée sur cette toile tient une **exposition** • **harpe**.

Les arts plastiques

3 Reliez les mots ou les expressions à leur définition.

a. une composition • • 1. Une peinture artistique.
b. un buste • • 2. Une sculpture qui représente une personne entièrement.
c. un portrait • • 3. Pas original, pas nouveau.
d. un tableau • • 4. Une sculpture de la tête et des épaules d'une personne.
e. une statue • • 5. Plusieurs éléments qui sont réunis.
f. une statuette • • 6. Dans une matière pour faire des sculptures.
g. en terre cuite • • 7. Une petite statue.
h. classique • • 8. La représentation de la tête de quelqu'un par le dessin, la peinture ou la photographie.
i. une toile • • 9. Une personne représentée dans une œuvre d'art.
j. un personnage • • 10. Un support pour la peinture.

La caractérisation (1)

4 Complétez les phrases avec l'adjectif qui convient. Faites l'accord si nécessaire. Attention, il y a deux intrus !

magnifique • chaleureux • fascinant • extraordinaire • harmonieux • sans intérêt • paisible • effrayant • artificiel • novateur

Ex. : Ce tableau est très beau, il est vraiment magnifique !

a. Son attitude n'est pas naturelle, elle est _____ .

b. Je trouve que cette statue fait très peur, elle est _____ .

c. Tu es très attiré par cette sculpture, n'est-ce pas ? C'est vrai qu'elle est _____ .

d. Il y a une impression de calme dans cette peinture, les personnages sont _____ .

e. Il n'a pas aimé l'exposition, il a trouvé les œuvres _____ .

f. Cette statuette est _____ ! Elle est magnifique et très originale.

g. Ce tableau est très agréable à regarder, sa composition est _____ .

soixante-quinze 75

UNITÉ 6

Leçon 21 — Parler d'une œuvre d'art

GRAMMAIRE

◖ La forme passive

5 **Transformez les phrases actives en phrases passives.**

Ex. : Renzo Piano a conçu le Centre Beaubourg à Paris.
→ Le Centre Beaubourg à Paris a été conçu par Renzo Piano.

a. Le musée présente des objets du monde entier.
→ ....

b. Ils construiront un centre culturel à la place du parking.
→ ....

c. On a exposé les œuvres d'art dans la rue pendant toute la semaine.
→ ....

d. Des tapis recouvrent le sol en béton.
→ ....

e. On a découvert ce chef-d'œuvre après la mort de l'artiste.
→ ....

f. Pablo Picasso a peint le tableau *Les Demoiselles d'Avignon* en 1907.
→ ....

g. L'artiste a écrit les textes pour présenter les œuvres.
→ ....

h. On connaît tous *La Joconde* de Léonard de Vinci.
→ ....

◖ La place des adjectifs

6 **Lisez les phrases et placez l'adjectif avant ou après le nom.**

Ex. : Le personnage porte des .... lunettes ____noires____ . (noires)

a. Le musée va proposer une .... exposition .... (nouvelle)

b. La galerie met en valeur cette .... œuvre .... (fascinante)

c. J'aime beaucoup le portrait de la .... dame .... (vieille)

d. Ce musée a une .... histoire .... (longue)

e. L'artiste a besoin d'un .... lieu .... pour peindre. (tranquille)

f. La sculptrice est une .... femme .... (novatrice)

g. C'est le .... jour .... pour voir l'exposition. (dernier)

▶ Dictée

7  **Écoutez et écrivez les phrases.**

LEÇON **21**

COMMUNIQUER

8 Vous avez visité le musée Bonnard au Cannet. Vous décrivez sur votre blog l'architecture du bâtiment et parlez des œuvres exposées. Aidez-vous de vos notes.

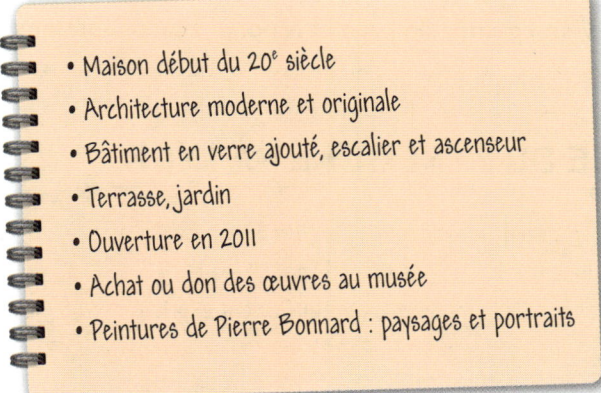

- Maison début du 20ᵉ siècle
- Architecture moderne et originale
- Bâtiment en verre ajouté, escalier et ascenseur
- Terrasse, jardin
- Ouverture en 2011
- Achat ou don des œuvres au musée
- Peintures de Pierre Bonnard : paysages et portraits

www.les blogsdelart.com

BLOG d'un visiteur

Hier, j'ai visité le musée Bonnard. Le musée se trouve ....

À bientôt pour un billet sur le musée Rodin !

9 Commentez cette œuvre d'art. Vous dites pourquoi vous l'aimez ou pourquoi vous ne l'aimez pas. Enregistrez-vous.

Le Docteur Paul Gachet (1828-1909),
Vincent Van Gogh (musée d'Orsay, Paris).

Unité 6 – Leçon 22 : Nuancer un avis

COMPRENDRE

1 Lisez la page du site de visite guidée de Lyon et répondez aux questions.

VISITE GUIDÉE DU STREET ART À LYON

L'art du graffiti a connu un grand développement en 1968. À cette époque, des artistes étudiaient à l'école des Beaux-Arts, située dans le quartier de la Croix-Rousse. Ces amateurs de graffitis y ont exprimé leur talent sur les murs. Aujourd'hui, la Croix-Rousse est le lieu le plus important du street art à Lyon.

Le street art est un art qui ne dure pas. En général, les graffitis et les pochoirs sont effacés rapidement quand les propriétaires des murs ne sont pas d'accord. Parfois, ils peuvent rester plusieurs mois avant de disparaître. Toutefois, quand ils sont commandés par les propriétaires, les graffitis et les pochoirs s'inscrivent durablement dans le paysage urbain. La visite guidée que nous vous proposons permet de voir la ville autrement. Elle invite à découvrir au fil des rues et des murs des expressions fascinantes, extraordinaires et novatrices.

Art urbain né dans la rue et accessible à tous, le street art est l'expression d'une multitude de cultures : expression politique ou esthétique, parfois poétique. Il met en valeur la ville et ses rues avec une grande créativité. C'est donc une visite guidée ni classique ni historique que nous vous proposons. C'est la visite d'un Lyon d'aujourd'hui passionnément ouvert sur le monde, ses problèmes et ses espoirs. Vous découvrirez les œuvres d'artistes célèbres qui ont été actifs dans les métropoles françaises et européennes et aussi des artistes naissants qui apportent de la nouveauté à cet art de la rue.

Ex. : De quoi parle ce texte ?
→ Il propose une visite guidée sur le thème du street art à Lyon.

a. Comment a commencé le street art à Lyon ?
→ _____

b. Pourquoi dit-on sur le site que le street art ne dure pas ?
→ _____

c. Dans quel cas, les œuvres sont conservées ?
→ _____

d. Quels sont les types d'expression des œuvres de street art de Lyon ?
→ _____

e. Quelle est l'originalité de cette visite guidée ?
→ _____

f. Quels types d'artistes les visiteurs vont-ils découvrir ?
→ _____

LEÇON 22

VOCABULAIRE

Les arts de la rue

2 Légendez chaque photo avec le mot ou l'expression correspondant. Attention, il y a trois intrus !

~~le cirque~~ • un collage • une galerie d'art • des graffitis • un spectacle de rue • le hip-hop • des marionnettes • une mosaïque • des pochoirs

Ex. : le cirque   a. _____   b. _____

c. _____   d. _____   e. _____

Les arts de la rue, la caractérisation (2)

3 Barrez l'intrus.

Ex. : une mosaïque • un graffiti • ~~un cirque~~ • une peinture

a. un pochoir • une statue • une marionnette • une sculpture
b. facile • proche • inaccessible • connu
c. le hip-hop • le street art • un graffiti • une galerie d'art
d. normal • insolite • courant • visible
e. le collage • le théâtre • la danse • le cirque
f. accessible • visible • interdit • permis
g. un collage • un graffiti • un pochoir • une marionnette

4 Complétez l'article avec les mots ou les expressions suivants :

~~arts de la rue~~ • spectacle • mosaïques • marionnettes • accessible • graffitis • street art • cirque • hip-hop

Des artistes sont devenus célèbres grâce aux **arts de la rue**. Des graffeurs ont expérimenté l'art du dessin sur des murs dans les villes, ils ont peint des _____ magnifiques, d'autres artistes ont réalisé des _____ superbes ! Les danseurs et les musiciens s'expriment aussi dans le _____. Le _____ est une danse née dans la rue qui est maintenant présentée dans les plus grands lieux de culture du monde. Les _____ sont des spectacles de très bonne qualité pour un public de tout âge, pas seulement les enfants. On peut également passer une très bonne soirée au _____ en regardant un _____ populaire _____ à tous.

Leçon 22 — Nuancer un avis

GRAMMAIRE

Les pronoms *y* et *en*

5 Lisez les phrases et entourez le pronom qui convient.

Ex. : Des artistes de rue réalisent des pochoirs dans la ville. Ils **(en)** • y font sur les murs et sur les trottoirs.

a. Est-ce que tu as vu des graffitis le long de la voie du bus ? Non, je n'**en** • **y** ai pas vu.
b. Le festival d'Aurillac propose des spectacles de rue, vous connaissez ? Non, nous n'**en** • **y** sommes jamais allés.
c. Ce sont des formes d'art accessibles à tous, on devrait **en** • **y** parler plus.
d. Les musées nationaux proposent des œuvres assez classiques. On **en** • **y** expose rarement du street art.
e. Des spectacles populaires comme le cirque, c'est important d'**en** • **y** organiser.
f. Tu es allé voir l'exposition ? Non, je n'**en** • **y** ai pas pensé.
g. 100Taur réalise des graffitis à Toulouse. Il **en** • **y** a peint rue des Anges.
h. Je suis allée à Toulouse cet été. J'**en** • **y** ai découvert le Cours Julien, le lieu privilégié des graffeurs.

6 🎧 50 Écoutez les phrases et soulignez l'expression que les pronoms *y* et *en* remplacent.

Ex. : la galerie d'art • <u>dans des galeries d'art</u> • les œuvres d'art

a. dans des pochoirs • des pochoirs • à la galerie d'art
b. des spectacles de cirque • au cirque • pendant les spectacles
c. le hip-hop • au hip-hop • dans le festival
d. à cette exposition • dans cette exposition • cette exposition
e. avec des graffitis • au pochoir • des graffitis
f. au Festival des arts de la rue • le Festival des arts de la rue • dans le Festival des arts de la rue
g. ma visite au musée • de ma visite au musée • à la visite au musée
h. dans les capitales d'Europe • les capitales d'Europe • des capitales d'Europe

La concession

7 Reliez le début à la fin de la phrase.

a. Les artistes de street art ne sont pas toujours reconnus
b. Le hip-hop est une danse née dans la rue
c. Il pense que les murs décorés ne sont pas vraiment de l'art
d. Les œuvres créées restent quelquefois sur les murs
e. Les spectacles de rue sont généralement très appréciés
f. Il faudrait proposer toutes les formes d'expression artistique
g. Des villes proposent des visites guidées des murs décorés

1. néanmoins, le street art n'est pas encouragé partout.
2. bien que les villes nettoient les façades.
3. toutefois, certains deviennent célèbres.
4. cependant, il est maintenant proposé dans des salles de spectacle.
5. même s'ils ne sont pas toujours de bonne qualité.
6. toutefois, les graffitis ne sont pas aimés par tout le monde.
7. ma gré le succès de certains collages et graffitis.

LEÇON 22

8 Complétez les phrases avec l'expression de la concession qui convient : *malgré*, *bien que*, *cependant* ou *même si*. Plusieurs réponses sont possibles.

Ex. : Même si les spectacles ne sont pas toujours de qualité, on devrait encourager les arts de la rue.

a. Les villes ne veulent pas toujours conserver les graffitis _____ certains soient très réussis.

b. Le street art n'intéresse pas les collectionneurs _____ la qualité et la diversité des œuvres.

c. _____ quelques artistes sont célèbres, le street art n'est pas encore considéré comme une véritable forme d'art.

d. Les manifestations artistiques se développent, _____ elles ont des difficultés à trouver des financements.

e. Les artistes de rue ne sont pas reconnus _____ certains fassent des œuvres géniales.

f. Le street art devrait être encouragé _____ la difficulté à trouver des espaces dédiés dans la ville.

Dictée

9 🎧 51 Écoutez et écrivez les phrases.

COMMUNIQUER

10 Vous lisez cette phrase sur les arts de la rue. Vous postez un commentaire pour donner votre avis. Aidez-vous de vos notes.

> Les arts de la rue participent profondément à la vie culturelle, économique et sociale de beaucoup de villes. Il est indispensable qu'ils puissent avoir un soutien de l'État et des municipalités.

- Street art accessible à tous
- Permet à des artistes de montrer leur talent
- Graffitis parfois très laids
- Spectacles de rue nécessaires, gratuits
- Spectacles de rue trop nombreux, pas encadrés
- Forme d'art à encourager
- Développer les festivals, des espaces réservés

Commentaires

Publier un commentaire

11 Présentez un spectacle de rue qui vous a plu. Enregistrez-vous.

Unité 6 — Leçon 23 : Échanger sur le rôle de l'art

COMPRENDRE

1. 🎧 52 Écoutez l'émission de radio et cochez les réponses correctes.

Ex. : Quel est le sujet de cette émission de radio ?
- ☐ Comment apprécier la peinture et la sculpture.
- ☑ Pourquoi l'art nous fait du bien.
- ☐ Pourquoi a-t-on des émotions négatives.

a. Qui est accueilli dans cette émission de radio ?
- ☐ Un journaliste.
- ☐ Un artiste.
- ☐ Un psychanalyste.

b. Quelle est l'opinion de Thierry Marioux ?
- ☐ L'art peut nous aider à lutter contre nos problèmes.
- ☐ Grâce à l'art, nous pouvons mieux nous connaître.
- ☐ L'art est un moyen de développer notre imagination.

c. Quel autre point positif est cité par Thierry Marioux ?
- ☐ L'art permet d'affirmer sa personnalité.
- ☐ L'art nous permet de réfléchir.
- ☐ L'art nous apprend à apprécier la beauté.

d. Que dit Thierry Marioux sur l'art ?
- ☐ L'art est nécessaire pour se sentir bien.
- ☐ L'art permet de rencontrer des gens.
- ☐ L'art est difficile à apprécier.

e. Quelle est la meilleure façon de profiter de l'art ?
- ☐ En allant voir plusieurs fois une exposition.
- ☐ En faisant confiance à ce qu'on ressent.
- ☐ En se renseignant sur les caractéristiques des œuvres d'art.

f. Quelle question peut-on se poser face à une œuvre d'art ?
- ☐ Quel artiste l'a créée ?
- ☐ À quelle autre œuvre me fait-elle penser ?
- ☐ Quelles émotions provoque-t-elle en moi ?

g. Quelles sont les sensations provoquées par l'art ?
- ☐ La joie et la liberté.
- ☐ La satisfaction et l'apaisement.
- ☐ L'étrangeté et le doute.

h. Selon Thierry Marioux, quelle est la conséquence d'une émotion artistique ?
- ☐ L'ouverture aux autres.
- ☐ L'envie de devenir soi-même un artiste.
- ☐ Le goût pour toutes les formes d'art.

LEÇON 23

VOCABULAIRE

La santé (3), la musique (2)

2 Soulignez le mot ou l'expression qui convient.

Ex. : La musique m'aide à lutter contre l'anxiété • le compositeur.

a. C'est un **archet** • **morceau** de musique absolument magnifique.
b. La musique permet de diminuer les **accords** • **douleurs** chroniques en créant du bien-être.
c. Pour jouer du violon, il faut **un archet** • **une musicothérapie** de bonne qualité.
d. Quand on est malade, on doit contrôler sa **douleur chronique** • **tension artérielle**.
e. À la fin du 20ᵉ siècle, on a redécouvert les bienfaits **de l'art-thérapie** • **du morceau**.
f. Je me sens apaisée quand j'écoute la musique de cette **compositrice** • **musicothérapie**.

3 Lisez la définition et entourez le mot correspondant dans la grille.

Ex. : *On la ressent quand on a mal.*

a. Les soins par la musique.
b. Un auteur de musique.
c. Nécessaire pour jouer du violon.
d. Grande inquiétude.
e. Une œuvre musicale.
f. Des notes de musique qui vont bien ensemble.

T	E	W	A	E	C	O	M	P	O	S	I	T	E	U	R	I	D
V	I	K	R	T	I	Y	W	B	E	S	R	E	T	H	M	E	O
N	A	R	C	H	E	T	D	L	S	S	E	M	E	N	T	S	U
C	C	U	E	A	N	X	I	E	T	E	T	V	B	O	M	B	L
I	C	Y	T	V	B	G	M	V	S	A	E	X	Z	E	T	T	E
P	O	N	V	N	A	M	O	R	C	E	A	U	H	F	Y	E	U
K	R	X	M	C	N	E	P	R	B	R	A	N	R	N	V	A	R
F	D	Q	M	U	S	I	C	O	T	H	E	R	A	P	I	E	M

+4 Complétez le dialogue à l'aide des indications.

Ex. : *écouter de la musique • bon pour la santé*
Rachel : Bonjour Ion. Je viens de lire un article sur les effets positifs de la musique. Sais-tu qu'écouter de la musique est bon pour la santé ?
Ion : Non, je ne savais pas. Comment ça se passe ?

a. *effets sur le corps • diminuer la tension artérielle • réduire l'anxiété*
Rachel : _____
Ion : Ah bon, écouter de la musique permet de diminuer le stress ?

b. *musique classique • bien-être • relaxer • mieux dormir • oublier ses problèmes*
Rachel : _____
Ion : Est-ce que toutes les musiques ont les mêmes effets ?

c. *musique douce • détente • musique dynamique • énergie*
Rachel : _____

UNITÉ 6
Leçon 23 — Échanger sur le rôle de l'art

GRAMMAIRE

◀ Les connecteurs

5 Reliez le début à la fin de la phrase.

a. La musicothérapie permet de faire baisser l'anxiété.
b. La musicothérapie n'est pas encore très développée.
c. C'est apaisant non seulement de jouer de la musique,
d. La musicothérapie aide les malades à mieux supporter leurs souffrances,
e. La musicothérapie est proposée sans préparation.
f. D'une part la musicothérapie permet l'expression personnelle,

1. ainsi, elle permet de mieux vivre avec une maladie.
2. En effet, elle provoque des émotions positives.
3. d'autre part, elle aide à réduire la douleur.
4. Néanmoins, ses bienfaits sont de plus en plus reconnus.
5. Par ailleurs, aucune connaissance en musique n'est nécessaire.
6. mais aussi d'en écouter.

6 Soulignez le mot ou l'expression qui convient.

Ex. : L'art-thérapie utilise l'art pour soigner. **En effet** · Par ailleurs · Néanmoins la création a des effets positifs sur les malades.

a. Dans l'art-thérapie, le but est non seulement de réduire les douleurs, **car** · **mais aussi** · **en effet** d'éveiller des sensations positives.
b. La danse permet d'exprimer des émotions avec son corps. **Car** · **Néanmoins** · **Ainsi** on peut exprimer la colère, l'angoisse ou la joie.
c. Les interventions sont variées : théâtre, peinture, collage, musique, **car** · **par ailleurs** · **ainsi**, l'art-thérapie peut être proposée à beaucoup de personnes.
d. La musicothérapie permet de réduire **à la fois** · **en effet** · **d'autre part** l'anxiété et les douleurs.
e. Observer des œuvres d'art est une source de bien-être **d'autre part** · **car** · **à la fois** cela crée des émotions positives.

➕ 7 Numérotez les phrases dans l'ordre pour trouver le texte.

[1] a. L'art-thérapie a pour but d'utiliser la création artistique pour améliorer la vie des malades.
[ ] b. Par ailleurs, l'art-thérapie permet de réduire le stress et l'anxiété.
[ ] c. En effet, grâce à l'art, on peut ressentir des émotions positives et exprimer des émotions personnelles.
[ ] d. En effet, des études ont montré que la musicothérapie par exemple est souvent utilisée pour se détendre.
[ ] e. Ainsi, l'art apprend à mieux se connaître. Il apprend aussi à s'accepter,
[ ] f. mais aussi d'autres expressions artistiques : la danse, le théâtre, la peinture, etc.
[ ] g. car il permet de développer la confiance en soi.
[ ] h. Dans l'art-thérapie, on utilise non seulement la musique,
[ ] i. Néanmoins, l'art-thérapie ne permet pas aux malades de guérir de leur maladie.

LEÇON 23

Dictée

8 🎧 53 Écoutez et écrivez les phrases.

COMMUNIQUER

9 Répondez à Linda45 sur le forum de santé et donnez votre opinion sur l'art-thérapie.

> www.sante.org
>
> Santé Famille Bien-être Forum 
>
> SANTÉ : Réponse à tout !
>
> **Moi**
> 06/03/2022
> En réponse à **Linda45**
> Connaissez-vous l'art-thérapie ? J'en ai entendu parler, mais je ne sais pas exactement à quoi ça sert ? Quelqu'un peut m'expliquer ?
>
> L'art-thérapie, c'est utiliser les arts pour aider les malades à se sentir mieux.

10 Quelle œuvre recommanderiez-vous à une personne de votre entourage à des fins thérapeutiques ? Enregistrez-vous.

PHONÉTIQUE

L'enchaînement vocalique

11 🎧 54 Écoutez. Indiquez le nombre de syllabes que vous entendez.

	Ex.	a.	b.	c.	d.	e.	f.	g.	h.
Nombre de syllabes	3								

UNITÉ 6 — BILAN

Compréhension orale 10 points

1 🎧 55 Écoutez la visite guidée et cochez les réponses correctes.

a. De quoi parle la visite guidée ? *1 point*
  ☐ D'un peintre.
  ☐ D'une œuvre d'art.
  ☐ D'un musée.

b. Pourquoi l'architecture du Centre Pompidou est originale ? *2 points*
  ☐ Parce que le bâtiment est très haut.
  ☐ Parce que la structure du bâtiment est à l'extérieur.
  ☐ Parce qu'il y a des espaces d'exposition à tous les étages.

c. Comment reconnaît-on le Centre Pompidou ? *2 points*
  ☐ Il se trouve dans un vieux quartier.
  ☐ Sa façade est colorée.
  ☐ Il est construit sur une grande place.

d. Qu'est-ce qui est surprenant quand on arrive devant le bâtiment ? *2 points*
  ☐ Son caractère novateur.
  ☐ Ses murs en béton.
  ☐ Les sculptures sur le toit.

e. Qu'est-ce qui est exposé au Centre Pompidou ? *1 point*
  ☐ Des œuvres d'art de toutes les époques.
  ☐ Des sculptures de style classique.
  ☐ Des œuvres d'art moderne.

f. Pourquoi s'arrête-t-on avant d'entrer dans le bâtiment ? *1 point*
  ☐ Pour se promener dans le jardin.
  ☐ Pour visiter la galerie principale.
  ☐ Pour voir l'atelier d'un artiste célèbre.

g. De qui parle-t-on à la fin du document ? *1 point*
  ☐ D'un compositeur qui s'est installé à Paris.
  ☐ D'un sculpteur d'origine roumaine.
  ☐ D'un photographe de la campagne.

Production orale 10 points

2 Regardez cette œuvre de street art. Vous la décrivez et vous donnez votre avis. Quelles émotions ressentez-vous ?

BILAN

Compréhension écrite 10 points

3 Lisez la chronique et cochez Vrai ou Faux. Justifiez votre réponse avec une phrase de la chronique.

La chronique de Zoé Bichole
Animatrice du blog

23/02/2022

L'art est une émotion

J'ai toujours été intéressée par l'art, mais je n'ai pas toujours apprécié toutes les formes d'art. Quand j'avais vingt ans, c'est surtout la peinture qui attirait mon regard et mon attention, mais pas tous les tableaux… J'aimais ceux des grands peintres. La précision du trait, l'harmonie des couleurs, l'équilibre d'une composition ou une perspective réussie étaient pour moi indispensables pour apprécier les œuvres. J'aimais les peintures classiques et j'allais les voir dans les musées ou les expositions. À cette époque-là, l'art abstrait ne me plaisait pas. Bien qu'on l'appelle « art », est-ce que les auteurs étaient des artistes ? En effet, faire des « taches » de couleur sur une toile qui ne représente rien et dire que c'est de l'art me semblait trop facile. Pour moi, l'art moderne c'était de la décoration. Un jour, une amie m'a proposé d'aller dans une galerie où son artiste préféré exposait. Même si je n'étais pas très enthousiaste, je l'ai accompagnée pour lui faire plaisir. J'ai regardé les œuvres que je trouvais sans grand intérêt. Mais en passant dans le couloir de la galerie, je me suis arrêtée devant un tableau, et… j'ai admiré. Pourquoi ? Je ne sais pas. Cette toile ne représentait rien. Je ne pouvais rien y comprendre ni rien y reconnaître. J'ai ressenti une émotion devant cette toile et j'ai voulu l'acheter. C'était non seulement une œuvre que je voulais avoir, mais aussi une émotion que je voulais garder pour toujours. Un artiste c'est quelqu'un qui sait nous émouvoir et nous faire réfléchir. Cette expérience a changé complètement mon regard sur l'art et les artistes en m'ouvrant l'esprit à des sensations différentes. En peinture, sculpture, mosaïque, photographie ou d'autres formes d'expression artistique, l'artiste a quelque chose à nous dire en partageant avec nous sa vision du monde.

a. Le texte présente un témoignage sur l'art. ☐ Vrai ☐ Faux
   Justification : _____ *1 point*

b. Quand elle était jeune, Zoé Bichole aimait beaucoup la peinture moderne. ☐ Vrai ☐ Faux
   Justification : _____ *1 point*

c. Pour elle, on ne pouvait apprécier une toile que si elle représentait quelque chose. ☐ Vrai ☐ Faux
   Justification : _____ *1 point*

d. Zoé Bichole a changé d'avis en discutant avec une amie. ☐ Vrai ☐ Faux
   Justification : _____ *1 point*

e. Zoé Bichole a été surprise d'avoir une émotion positive devant une toile abstraite. ☐ Vrai ☐ Faux
   Justification : _____ *2 points*

f. La toile que Zoé Bichole a voulu acheter était assez classique. ☐ Vrai ☐ Faux
   Justification : _____ *2 points*

g. Depuis sa visite, la chroniqueuse ne regarde plus les œuvres d'art comme avant. ☐ Vrai ☐ Faux
   Justification : _____ *2 points*

Production écrite 10 points

4 Vous donnez votre avis sur cette citation et vous expliquez quel est le rôle de l'art pour vous.

« L'art est une émotion, pas seulement une sensation. »

UNITÉ 7 — Leçon 25
Parler des métiers de l'information

COMPRENDRE

1 Lisez la fiche métier et cochez Vrai ou Faux. Justifiez votre réponse avec une phrase de la fiche.

FICHE MÉTIER — JOURNALISTE

Description du métier

Le journaliste recueille des informations, les vérifie et les rend accessibles au public en suivant la déontologie de la profession : toujours vérifier ses sources, proposer des informations authentiques, intéresser le lecteur par un style simple et vif et faire preuve d'objectivité.

On est un journaliste professionnel quand on travaille dans un ou plusieurs médias et que c'est son occupation principale. Un journaliste peut travailler pour plusieurs supports : la presse écrite (journaux et magazines) où 57 % des journalistes travaillent, l'audiovisuel (télévision et sociétés de production de vidéo) qui emploie 17 % des journalistes, la radio (environ 9 %). Il peut aussi être spécialisé dans un domaine (politique, culture, sport...).

Le métier regroupe plusieurs activités : le journaliste va proposer des sujets, trouver les personnes à interviewer, préparer ses interviews, collecter les données, les vérifier, rédiger l'information et respecter les consignes éditoriales de son média.

Qualités nécessaires pour devenir journaliste

La curiosité et la maîtrise de la langue sont des qualités indispensables pour devenir journaliste. Le métier obligeant à multiplier les rencontres, le journaliste doit savoir s'adapter à chaque personne et garder toujours un esprit critique sur ce qu'on lui dit. Afin de respecter la déontologie stricte de la profession, le journaliste doit être rigoureux quand il recueille les informations, non seulement en vérifiant ses sources, mais aussi quand il décrit les faits. L'actualité ne s'arrête jamais alors, pour que le journaliste soit efficace, il doit travailler rapidement sur les sujets et être disponible. Il doit aussi avoir un bon carnet d'adresse pour obtenir des informations précises et multiplier ses sources.

Ex. : La fiche explique la différence entre un journaliste et un influenceur. ☐ Vrai ☑ Faux
Justification : *Fiche métier Journaliste. Description du métier. Qualités nécessaires pour devenir journaliste.*

a. Un journaliste doit suivre les règles de la profession. ☐ Vrai ☐ Faux
Justification : _____

b. Un professionnel du journalisme exerce principalement le métier de journaliste. ☐ Vrai ☐ Faux
Justification : _____

c. Il y a autant de journalistes dans la presse écrite qu'à la télévision. ☐ Vrai ☐ Faux
Justification : _____

d. Le journaliste doit savoir bien écrire. ☐ Vrai ☐ Faux
Justification : _____

e. Le journaliste doit croire toutes les informations qu'on lui donne. ☐ Vrai ☐ Faux
Justification : _____

f. Exercer le métier de journaliste permet d'avoir du temps libre. ☐ Vrai ☐ Faux
Justification : _____

VOCABULAIRE

Les médias (1) : les métiers

2 🎧 56 **Écoutez les noms de métier et cochez la case correspondante.**

Ex. : ☐ parle de lui/elle dans ses articles.
☑ écrit ses articles avec objectivité.
☐ donne son point de vue sur le sujet.

a. ☐ écrit dans un journal.
☐ filme des événements.
☐ relit les articles.

b. ☐ réalise des reportages.
☐ fait des vidéos.
☐ propose des dessins pour les articles.

c. ☐ fait des enquêtes sur le terrain.
☐ relit les articles.
☐ propose des sujets d'articles.

d. ☐ exprime ses opinions.
☐ reste neutre.
☐ vérifie ses sources.

e. ☐ filme des événements.
☐ signe des éditoriaux où il/elle donne son opinion.
☐ illustre des articles.

Les médias (1) : les tâches

3 Complétez les phrases avec le verbe qui convient. Conjuguez-le si nécessaire.

~~publier~~ • mettre en perspective • aller sur le terrain • vérifier • analyser • publier • mettre en contexte • écrire • recueillir

Ex. : Le journal **publie** l'éditorial du rédacteur en chef sur son site le mercredi.

a. Un reporter _____ pour être proche du lieu des événements.
b. Quand un journaliste réalise un reportage, il _____ des informations.
c. Quand un article est écrit et vérifié, il est _____ dans le journal.
d. _____ une information, c'est une nécessité pour s'assurer qu'elle est vraie.
e. Un journaliste professionnel _____ les événements, c'est-à-dire explique où, quand et comment ces événements se sont produits.
f. Le journaliste recueille des informations et _____ les faits pour donner des informations objectives.
g. Un journaliste professionnel _____ des articles pour un ou plusieurs journaux.
h. Le journaliste a un devoir d'objectivité, il _____ les informations.

Les médias (1) : l'information, les valeurs

4 Lisez les définitions et entourez le mot qui convient.

Ex. : Un moyen de diffusion des programmes. → une enquête • (une chaîne) • un reportage

a. Ne pas croire à l'authenticité d'une information. → la méfiance • la neutralité • l'objectivité
b. Un titre indiquant le domaine d'un article ou d'une émission. → un éditorial • une rubrique • une expertise
c. Un article qui raconte ce qu'un journaliste a vu et entendu. → une chaîne • une rubrique • un reportage
d. La qualité d'un article qui montre la réalité. → la méfiance • l'authenticité • la subjectivité
e. La qualité d'un journaliste qui montre les faits sans jugement. → l'objectivité • la subjectivité • l'authenticité
f. Une vérification d'un sujet précis par un spécialiste. → un reportage • une source • une expertise
g. Une recherche à partir de questions et de témoignages. → une enquête • un éditorial • une rubrique
h. La qualité d'un journaliste qui dit la vérité. → la neutralité • la subjectivité • la véracité

Leçon 25 — Parler des métiers de l'information

GRAMMAIRE

Le but

5 Conjuguez le verbe au subjonctif pour exprimer un but.

Ex. : Une source doit être vérifiée afin que l'information **soit** (être) vraie.

a. Un journaliste professionnel met l'information en perspective pour que son article _____ (rester) objectif.
b. Nous avons changé la date du reportage pour que le cameraman _____ (venir) avec nous.
c. Un journaliste analyse un sujet d'actualité pour que les lecteurs _____ (pouvoir) être mieux informés.
d. Ce journal a réalisé un reportage afin que le public _____ (connaître) la vérité sur cette affaire.
e. Une déontologie existe dans le journalisme pour que le public _____ (avoir) confiance dans la presse.
f. Il faut une bonne idée de reportage pour que des journalistes _____ (aller) sur le terrain.
g. Les influenceurs devraient toujours vérifier leurs sources afin que personne ne _____ (mettre) en doute la véracité des informations.
h. Le comité de rédaction a créé une rubrique pour qu'un spécialiste _____ (faire) la critique des spectacles.

6 Lisez les phrases et soulignez la forme du verbe qui convient.

Ex. : Il faut proposer des débats pour que les différentes opinions **s'expriment** · s'exprimer.

a. Les influenceurs cherchent toujours à **attirer** · **attirent** le plus grand nombre de followers.
b. Nous avons lu un article sur ce journaliste afin de mieux le **connaisse** · **connaître**.
c. Le rédacteur en chef a écrit un éditorial pour que le public **comprend** · **comprenne** la situation.
d. Ces chiffres sont faux, le journaliste n'a pas cherché à **vérifié** · **vérifier** ses sources.
e. La dessinatrice a réalisé un travail extraordinaire pour que l'article **est** · **soit** bien illustré.
f. On doit terminer la relecture ce soir afin que le journal **sort** · **sorte** demain matin.
g. Nous devons informer les lecteurs pour qu'ils **savent** · **sachent** la vérité.
h. Ces reporters ont continué à informer afin de **témoigner** · **témoignent** des difficultés du terrain.

+7 Reliez le début à la fin de la phrase.

a. Les journalistes travaillent
b. L'éditorial d'un journal existe
c. Il a donné ses sources
d. Le journaliste ne doit pas donner son avis
e. Les images vidéo ont été vérifiées
f. Les entreprises utilisent la célébrité des influenceurs
g. Les reporters vont sur le terrain
h. Les journalistes professionnels s'engagent

1. pour que la rédaction exprime son point de vue.
2. pour que le reportage soit authentique.
3. pour que nous soyons informés.
4. à respecter la déontologie de leur profession.
5. afin que l'article puisse rester neutre.
6. pour faire de la publicité.
7. afin de garantir la véracité de l'information.
8. afin de recueillir des témoignages.

LEÇON 25

Le participe présent

8 Remplacez la forme soulignée par un verbe au participe présent.

Ex. : J'ai acheté des journaux qui proposent des points de vue différents sur cette question.
→ J'ai acheté des journaux proposant des points de vue différents sur cette question.

a. Nous avons vu un reportage qui explique le réchauffement climatique.
→ _____

b. La rédaction emploie des journalistes qui ont une longue expérience professionnelle.
→ _____

c. Dans la rubrique « Économie », le journaliste interviewe des ouvriers qui commencent une grève.
→ _____

d. La chaîne de télévision qui informe en continu n'offre pas toujours des actualités intéressantes.
→ _____

e. Ces étudiants qui choisissent des études de journalisme s'intéressent aux événements dans le monde.
→ _____

f. La rédaction recrute une secrétaire de rédaction qui doit relire et corriger les articles.
→ _____

g. Pour ce reportage, on a besoin d'un journaliste qui sait utiliser une caméra.
→ _____

h. Ce reporter qui parle le finnois a été engagé par un journal d'Helsinki.
→ _____

Dictée

9  **57** Écoutez et écrivez les phrases.

COMMUNIQUER

10 Vous participez à un forum de discussion sur le métier de journaliste. Vous lisez le message de nora113 et vous lui répondez.

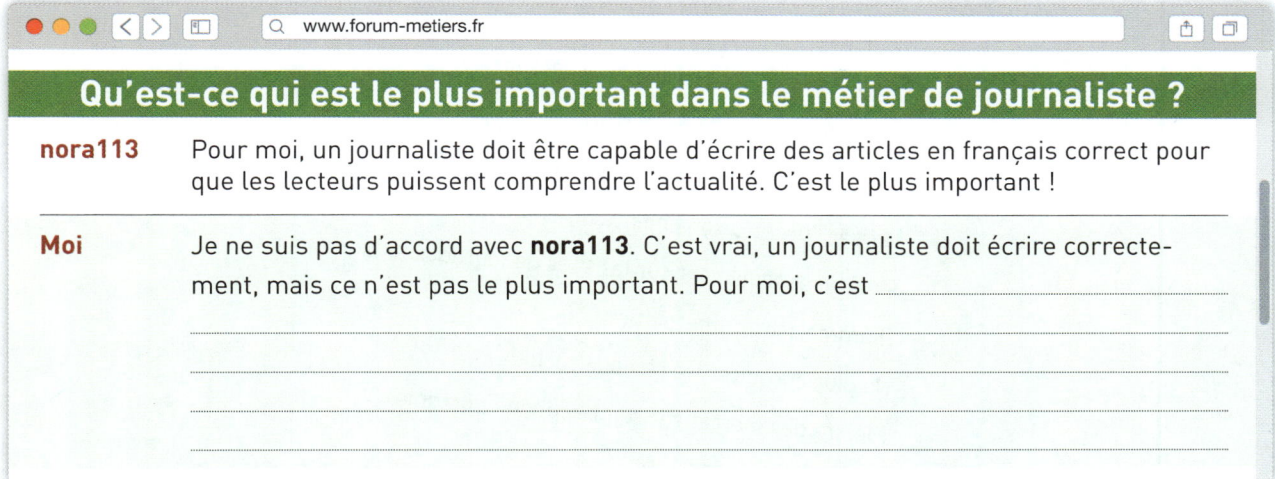

11 Quelle est la différence entre un journaliste et un influenceur dans la façon de transmettre les informations ? Expliquez. Enregistrez-vous.

UNITÉ 7 — Leçon 26 : Transmettre des informations

COMPRENDRE

1 🎧 58 **Écoutez l'émission de radio et répondez aux questions.**

Ex. : Quel est le thème de l'émission de radio ?
→ Le thème de l'émission est la surcharge d'information.

a. Au début de l'émission, qu'est-ce que le journaliste demande ?
→ ....

b. D'après la médiatrice, que pensent les auditeurs des informations qu'ils reçoivent ?
→ ....

c. D'après la médiatrice, comment les auditeurs souhaiteraient-ils s'informer ?
→ ....

d. D'après le spécialiste, quel est le problème ?
→ ....

e. D'après lui, quelle est la principale conséquence sur la santé ?
→ ....

f. Quels sont les problèmes de santé identifiés par le spécialiste ?
→ ....

g. Qu'est-ce que la cyberdépendance ?
→ ....

h. Que conseille le spécialiste pour stopper la cyberdépendance ? Résumez en une phrase.
→ ....

2 🎧 58 **Réécoutez l'émission de radio. Cochez les solutions proposées par le spécialiste pour stopper la cyberdépendance.**

- ☑ Désactiver les notifications.
- ☐ Limiter son abonnement à deux réseaux sociaux.
- ☐ Éteindre son téléphone portable.
- ☐ Ne plus regarder les chaînes d'info en continu.
- ☐ Limiter l'accès à son compte à ses proches.
- ☐ S'informer seulement sur les sites de journaux en ligne.
- ☐ Hiérarchiser les informations.
- ☐ Ne plus consulter les réseaux sociaux.
- ☐ Mettre des alertes sur son téléphone portable.
- ☐ Mettre à jour son profil.

VOCABULAIRE

Les médias (2)

3 Lisez les phrases et soulignez le mot ou l'expression qui convient.

Ex. : Quand on regarde les <u>chaînes d'information en continu</u> • twittos, on risque de subir une surcharge d'information.

a. Tous les soirs, mon voisin regarde les vidéos de son **youtubeur** • **intranet** préféré.
b. Le médecin m'a conseillé de désactiver les **blogueuses** • **notifications** sur mon téléphone.
c. Dans la **presse papier** • **messagerie instantanée**, on peut lire des éditoriaux intéressants.
d. Les entreprises utilisent **l'intranet** • **le scoop** pour communiquer avec leurs employés en continu.
e. Grâce à Internet, je peux me tenir **en avance** • **au courant** des nouvelles du monde.
f. Ce **scoop** • **blogueur** propose une réflexion sur un sujet d'actualité tous les jeudis.
g. On commence à lutter contre la surcharge d'information au travail causée par **la messagerie instantanée** • **des youtubeurs**.
h. Au journal télévisé, on parle souvent de **twittos** • **scoops** qui sont révélés sur les réseaux sociaux.

La santé (4)

4 Reliez les troubles à leur cause.

a. Quand on a trop d'informations.
b. Quand on n'arrive pas à dormir.
c. Quand on ne se souvient plus des choses et des gens.
d. Quand on croit tout ce qu'on lit.
e. Quand on ne peut plus vivre sans regarder Internet.
f. Quand on n'arrive plus à réfléchir.
g. Quand on ne peut plus suivre le rythme du travail.
h. Quand on ne peut plus s'arrêter de consommer quelque chose.

1. une perte de mémoire
2. un trouble de la concentration
3. une surcharge d'information
4. un épuisement professionnel
5. une addiction
6. une dégradation du sommeil
7. une altération du jugement
8. une cyberdépendance

Les médias (2), la santé (4)

5 Complétez le témoignage d'Ylian avec les mots ou les expressions suivants :

~~youtubeur~~ • dégradation • cyberdépendance • la messagerie instantanée • addiction • pertes • troubles • épuisement professionnel • chaînes d'information en continu

> **TÉMOIGNAGE**
>
> Je suis allé chez le médecin parce que je me sentais très fatigué. Il m'a demandé de lui parler de mes loisirs. Je lui ai raconté que j'étais **youtubeur** et que je regardais les _____. Il m'a dit que je souffrais de _____. Il m'a expliqué que cela entraînait une _____ du sommeil et qu'il fallait faire attention. Il m'a demandé si j'avais des _____ de mémoire ou des _____ de la concentration. Je lui ai raconté que je n'arrivais plus à gérer _____ au bureau. Il m'a dit que j'étais atteint d'_____ et il m'a conseillé de me reposer. Alors je pars en vacances demain matin pour un mois sans connexion Internet pour décrocher de mon _____ .

Leçon 26 — Transmettre des informations

GRAMMAIRE

Le discours indirect au présent et au passé

6 Conjuguez les verbes à la forme qui convient au discours indirect au présent ou au passé.

Ex. : « Revenez me voir bientôt. » → Il nous conseille de **revenir** le voir bientôt.

a. « Dans l'entreprise, nous recevons beaucoup trop d'e-mails. »
→ Ils ont dit que dans l'entreprise, ils _____ beaucoup trop d'e-mails.

b. « Le soir, il vaut mieux lire que regarder les chaînes d'information. »
→ Le spécialiste dit que le soir il _____ mieux lire que regarder les chaînes d'information.

c. « Les problèmes de santé augmenteront avec le développement des applications. »
→ La psychologue a expliqué que les problèmes de santé _____ avec le développement des applications.

d. « Comment feront les médecins pour traiter les personnes souffrant d'addiction ? »
→ Il s'est demandé comment _____ les médecins pour traiter les personnes souffrant d'addiction.

e. « Les chaînes d'information en continu se sont développées très rapidement. »
→ La journaliste a dit que les chaînes d'information en continu _____ très rapidement.

f. « Vous avez souvent des troubles de la concentration ? »
→ Elle me demande si j' _____ souvent des troubles de la concentration.

g. « C'est intelligent de traiter de l'infobésité dans un reportage sur l'addiction. »
→ Il a dit que c' _____ intelligent de traiter de l'infobésité dans un reportage sur l'addiction.

h. « Je connais très bien les effets de la surcharge d'information sur la santé. »
→ Le médecin a précisé qu'il _____ très bien les effets de la surcharge d'information sur la santé.

7 Transformez les phrases au discours indirect au passé.

Ex. : « Il existe un risque de surcharge d'information. »
→ Mon médecin m'a dit **qu'il existait un risque de surcharge d'information**.

a. L'addiction à l'information est un vrai danger pour la santé.
→ Le journaliste a conclu _____

b. Que pensez-vous de l'utilisation d'intranet ?
→ Le directeur nous a demandé _____

c. Tu as reçu beaucoup d'e-mails au bureau aujourd'hui ?
→ Claire m'a demandé _____

d. Beaucoup de jeunes ne s'intéressent pas à l'addiction aux écrans.
→ Mon fils m'a dit _____

e. L'utilisation des téléphones sera interdite dans l'établissement.
→ Le directeur de l'école nous a informés _____

LEÇON 26

8 🎧 59 Écoutez et écrivez la phrase au discours indirect au passé.

Ex. : La spécialiste a dit que les réseaux sociaux pouvaient conduire à une addiction.

a. Le médecin a expliqué _____
b. Il m'a conseillé _____
c. J'ai demandé à Anna _____
d. Mon amie m'a précisé _____
e. Le journaliste a expliqué _____
f. La responsable du service lui a conseillé _____
g. Mon frère a dit _____
h. Le professeur a déclaré _____

Dictée

9 🎧 60 Écoutez et écrivez les phrases.

COMMUNIQUER

10 Souffrez-vous d'infobésité ou préférez-vous sélectionner l'information que vous lisez ou regardez ? Répondez à l'enquête sur le site de l'étude « L'information et vous ». Racontez vos pratiques.

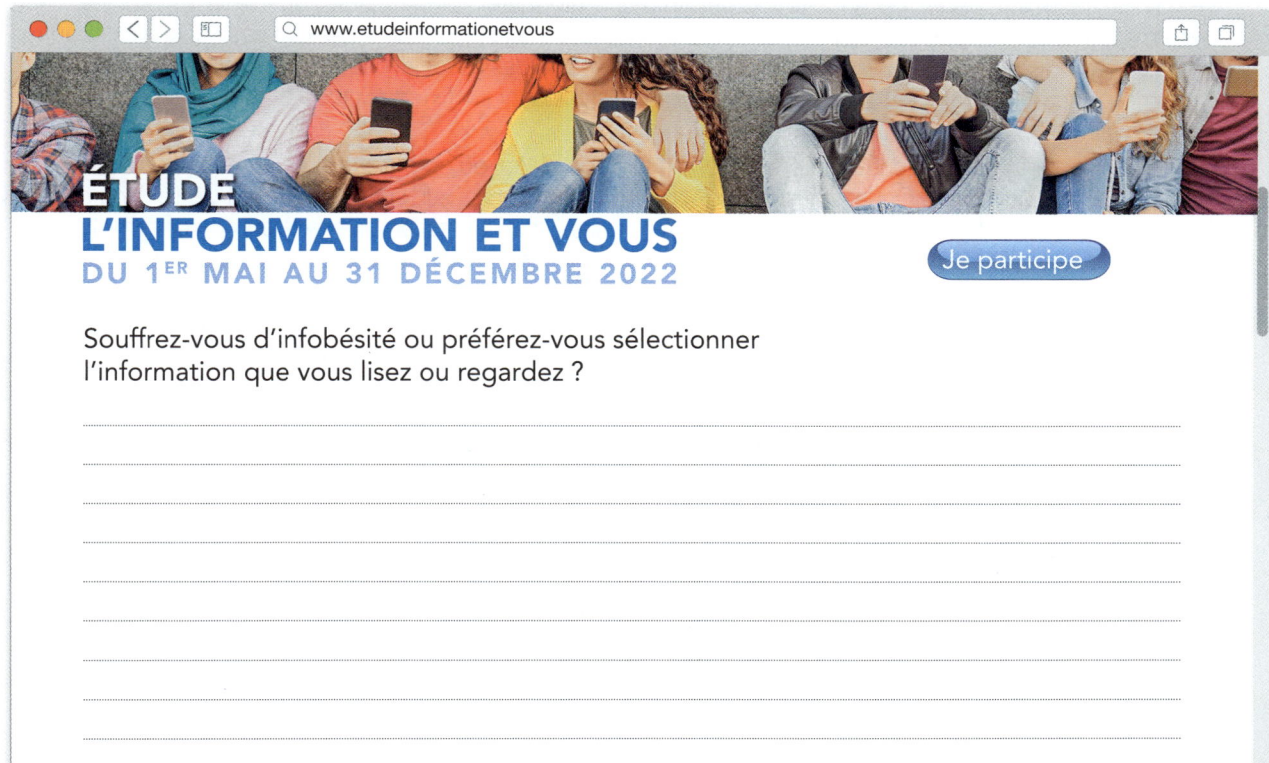

11 🎧 61 Écoutez le témoignage à la radio. Vous le racontez à un(e) ami(e) et vous donnez votre opinion. Enregistrez-vous.

Leçon 27 — S'interroger sur l'information

COMPRENDRE

1 Lisez l'article et répondez aux questions.

Comment peut-on être sûr de la véracité d'une information ? Comment détecter une *fake news* ?

Voici quelques recommandations.

On peut d'abord vérifier si l'article est signé par un auteur. Parfois, son nom n'est pas mentionné ou l'auteur écrit sous un autre nom. Il est important de vérifier qui il est : est-il spécialiste du sujet ? A-t-il publié des livres ou d'autres articles ? Des sites proposent d'accéder à ces informations sous leurs articles. Il est nécessaire aussi de s'interroger sur l'objectif de l'auteur. Il peut raconter des faits avec neutralité ou exprimer son opinion : c'est très différent.

Blog, site, journal en ligne, réseau social, la qualité d'une information dépend aussi du média qui propose cette information. Par exemple, des sites appartiennent à des journaux connus ou à des chaînes nationales, d'autres sites sont produits par des partis politiques, des entreprises ou des associations. Leurs objectifs sont différents : informer, vendre, convaincre, manipuler ou faire peur. Ils diffusent parfois des fausses nouvelles pour atteindre leurs objectifs.

Ensuite, il est essentiel d'identifier la source d'une information qu'on trouve sur les réseaux sociaux. Par exemple si un twittos donne une information ou parle d'un chiffre qu'il a lu sur un site, il faut vérifier l'information en allant sur ce site et en identifiant les objectifs de ce site. Il est intéressant aussi de comparer comment une information est diffusée par plusieurs médias. Enfin, il est nécessaire de savoir quand les faits se sont produits. Par exemple, une photo ancienne, retouchée ou prise sur un autre lieu peut avoir été choisie pour illustrer un article ou un post qui diffuse de fausses informations. Les titres sous les photos et la date de publication d'un article peuvent apporter des renseignements sur la véracité de l'information.

Ex. : Quel est l'objectif de cet article ? → Donner des conseils pour vérifier si les informations sont vraies ou fausses.

a. D'après l'article, pourquoi est-ce important de savoir qui est l'auteur d'un article ?
→ ....

b. Comment peut-on apprendre beaucoup sur la qualité d'une information ?
→ ....

c. D'après l'article, quels sont les objectifs des sites d'information ?
→ ....

d. D'après l'article, quel est le moyen de vérifier l'authenticité d'une information ?
→ ....

e. Qu'est-ce qui peut être aussi intéressant de faire quand on lit une information ?
→ ....

f. Pourquoi faut-il se méfier des images qui sont diffusées ?
→ ....

LEÇON 27

VOCABULAIRE

La technologie

2 Lisez les définitions et entourez le mot ou l'expression qui convient.

Ex. : Pour une catégorie précise de personnes : (ciblé) • manipulé • retouché

a. Le contraire de réel : virtuel • ciblé • diffusé
b. Modifier des photos : automatiser • générer • retoucher
c. Rendre automatique quelque chose : détecter • automatiser • diffuser
d. Les techniques pour recréer l'intelligence humaine : le profil • l'intelligence artificielle • l'avatar
e. Découvrir ce qui est caché : diffuser • retoucher • détecter
f. Un personnage virtuel : un profil • un algorithme • un avatar

La rumeur

3 Reliez les mots ou les expressions à leur définition.

a. glisser • → • 4. Donner une information rapidement.
b. insinuer • • 1. Répéter une information.
c. faire écho • • 2. Une information qui n'est pas dite mais comprise.
d. un sous-entendu • • 3. Dire qu'une information n'est pas vraie.
e. démentir • • 5. Faire comprendre quelque chose sans le dire.
f. laisser deviner • • 6. Faire comprendre sans dire, généralement avec une mauvaise intention.

La technologie, la rumeur, la caractérisation (3)

4 Complétez le forum avec les mots ou les expressions suivants :

~~diffusent en continu~~ • méfiants • manipuler • retouchées • l'intelligence artificielle • détecter

Les jeunes passent beaucoup de temps à regarder la télévision, à jouer en ligne, à chatter, à bloguer, à écouter de la musique. Ils ont accès à des sites qui **diffusent en continu** des informations. Il faut leur apprendre à être _____ si une information ne donne pas ses sources. Il est nécessaire de leur répéter de ne pas croire tout ce que les photos montrent. Les images _____ sont nombreuses et très bien réalisées. On peut aussi _____ l'information dans de courts extraits vidéo. Grâce à _____, il est possible aussi de modifier le discours d'un homme politique par exemple. Nos yeux ne sont généralement pas capables de _____ ces manipulations.

GRAMMAIRE

Le conditionnel présent (3)

5 Lisez les phrases et conjuguez les verbes au conditionnel présent.

Ex. : D'après le magazine en ligne, la direction **devrait** (devoir) automatiser le travail de rédaction.

a. Selon la journaliste de l'AFP, l'intelligence artificielle _____ (établir) le profil de 80 % de la population.
b. Des sondages _____ (indiquer) que les Français souffrent d'infobésité.
c. Ma cousine dit que vous _____ (diffuser) des fausses nouvelles sur les réseaux sociaux.
d. D'après lui, tu _____ (insinuer) que je ne suis pas assez méfiant quand je télécharge des vidéos.
e. La DRH insinue que des algorithmes _____ (générer) des profils de candidats idéaux.

Unité 7 – Leçon 27 : S'interroger sur l'information

6 Lisez l'article et soulignez les phrases où l'information n'est pas certaine.

> <u>D'après nos informations, la chaîne d'information continue OUITV développerait un nouveau type de journalisme.</u> Des vidéos seraient conçues grâce à l'intelligence artificielle. La rédaction du journal TV proposerait ces vidéos dans ses reportages régulièrement. Les techniciens de la chaîne ne sont pas d'accord. Ils pourraient se mettre en grève la semaine prochaine pour protester. Le rédacteur en chef a affirmé que ces nouvelles vidéos n'entraîneraient aucune perte d'emploi. Il pourrait organiser une réunion ce soir ou demain matin avec les employés. L'organisation des journalistes indépendants a apporté son soutien aux techniciens de la chaîne. Nous suivrons de près l'évolution de la situation dans notre journal.

7 🎧 62 Écoutez et cochez l'utilisation du conditionnel présent dans la phrase.

	Ex.	a.	b.	c.	d.	e.	f.	g.	h.
Faire une hypothèse	✔								
Conseiller									
Exprimer un désir ou un souhait									
Donner une information non vérifiée									
Rapporter au discours indirect									

8 Conjuguez les verbes à la forme qui convient.

── **RUMEURS** ──

On nous a signalé qu'une lettre du ministère de l'Éducation nationale, annonçant la réduction des vacances d'été, **circulait** (circuler) depuis hier sur les réseaux sociaux. Selon nos informations, qui ne sont pas encore vérifiées, la lettre _____ (présenter) le logo de la République française et _____ (être) signée du ministre. Elle _____ (indiquer) que les vacances d'été sont supprimées cette année pour que les élèves travaillent plus. Des professeurs et des parents d'élèves _____ (déjà réagir) sur les réseaux sociaux. Le ministre _____ (pouvoir) démentir cette information dans la journée d'après notre correspondant au ministère. Nous _____ (attendre) donc la confirmation de l'intervention du ministre qui _____ (devoir) arriver rapidement.

+ 9 Finissez les phrases avec une information incertaine. Utilisez le conditionnel présent (réponses libres).
Ex. : D'après une étude, 15 % de la population **n'utiliserait pas Internet**.
 a. D'après les dernières nouvelles, le candidat à l'élection _____
 b. Une enquête sous-entend que quelques journalistes de la rédaction _____
 c. Selon le site, les jeux vidéos _____
 d. Une information sur le Net indique que les casques de réalité virtuelle _____
 e. Selon ses observations, beaucoup de sites _____
 f. Mon ami Raoul sous-entend que la voiture intelligente _____

Dictée

10 🎧 63 Écoutez et écrivez les phrases.

LEÇON 27

COMMUNIQUER

11 Lisez cet article. Que pensez-vous de l'utilisation de l'intelligence artificielle pour présenter l'actualité ? Laissez un commentaire sur le site du journal.

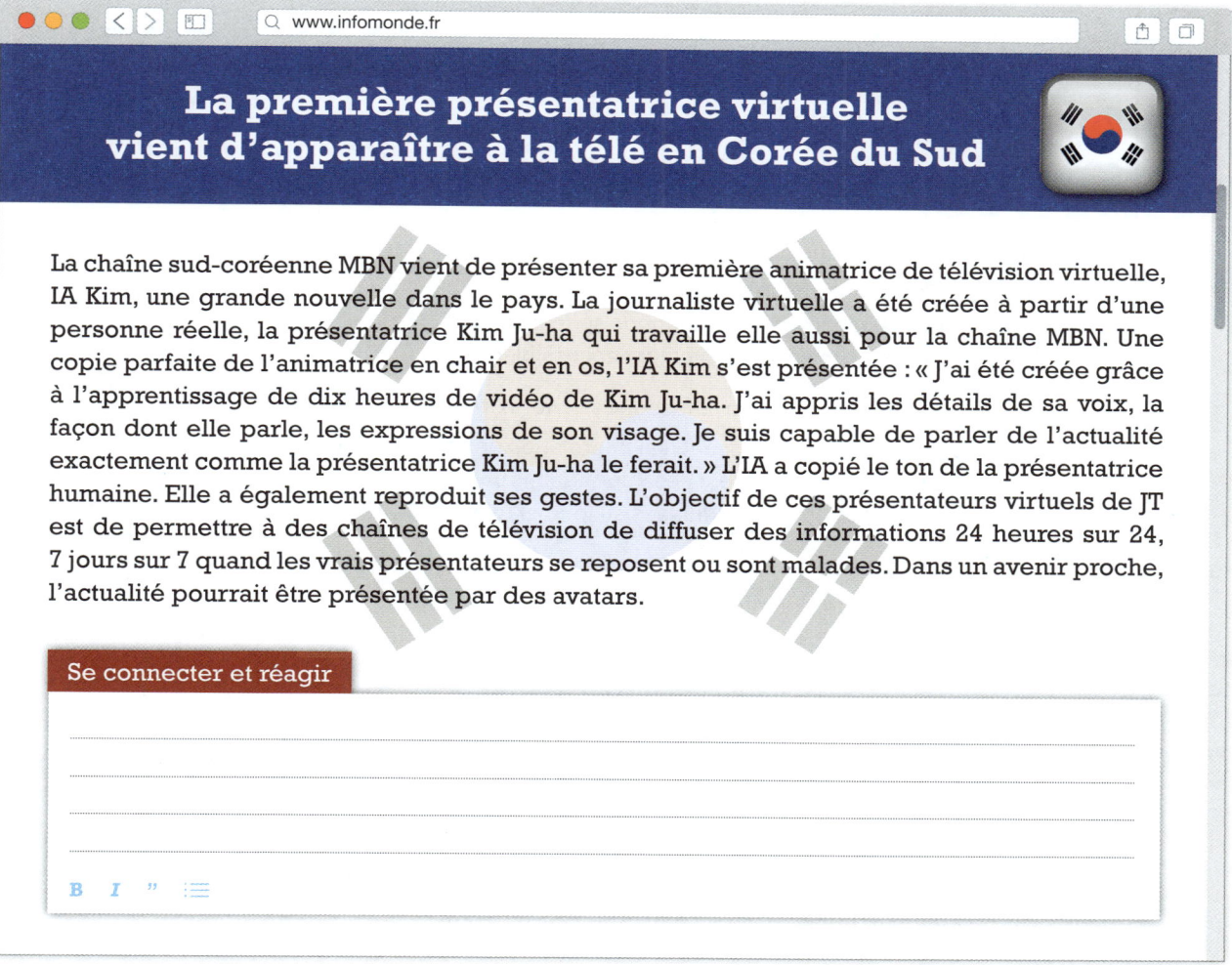

La première présentatrice virtuelle vient d'apparaître à la télé en Corée du Sud

La chaîne sud-coréenne MBN vient de présenter sa première animatrice de télévision virtuelle, IA Kim, une grande nouvelle dans le pays. La journaliste virtuelle a été créée à partir d'une personne réelle, la présentatrice Kim Ju-ha qui travaille elle aussi pour la chaîne MBN. Une copie parfaite de l'animatrice en chair et en os, l'IA Kim s'est présentée : « J'ai été créée grâce à l'apprentissage de dix heures de vidéo de Kim Ju-ha. J'ai appris les détails de sa voix, la façon dont elle parle, les expressions de son visage. Je suis capable de parler de l'actualité exactement comme la présentatrice Kim Ju-ha le ferait. » L'IA a copié le ton de la présentatrice humaine. Elle a également reproduit ses gestes. L'objectif de ces présentateurs virtuels de JT est de permettre à des chaînes de télévision de diffuser des informations 24 heures sur 24, 7 jours sur 7 quand les vrais présentateurs se reposent ou sont malades. Dans un avenir proche, l'actualité pourrait être présentée par des avatars.

Se connecter et réagir

12 Avez-vous confiance dans les nouvelles technologies de l'information ou êtes-vous méfiant(e) ? Répondez et expliquez pourquoi. Enregistrez-vous.

PHONÉTIQUE

Les consonnes [s], [z], [ʃ] et [ʒ]

13 🎧 64 Écoutez. Entendez-vous le son [s], [z], [ʃ] ou [ʒ] ? Cochez la bonne réponse.

	Ex.	a.	b.	c.	d.	e.	f.	g.	h.
[s]									
[z]									
[ʃ]									
[ʒ]	✓								

BILAN

Compréhension orale — 10 points

1 🎧 65 Écoutez l'émission de radio et cochez les réponses correctes.

a. De quoi parle cette émission de radio ? *1 point*
- ☐ Des fausses informations sur les réseaux sociaux.
- ☐ Du rôle des médias classiques dans l'information.
- ☐ De l'évolution dans notre manière de nous informer.

b. Quelle est la difficulté aujourd'hui quand on cherche à s'informer ? *1 point*
- ☐ Les moyens de s'informer se sont multipliés.
- ☐ Il est difficile de repérer les informations sérieuses.
- ☐ Les sites des médias sont difficilement accessibles.

c. Comment les médias classiques diffusent-ils l'information ? *2 points*
- ☐ Les médias classiques proposent de l'information en continu sur leurs sites.
- ☐ Les médias classiques diffusent des informations sur les réseaux sociaux.
- ☐ Toutes les informations sont diffusées au journal télévisé.

d. Quel est le principal moyen de s'informer ? *2 points*
- ☐ Les youtubeurs et les blogueurs sont les plus consultés.
- ☐ La radio et la télévision restent les meilleurs médias pour s'informer.
- ☐ Facebook est devenu le premier média pour diffuser de l'information.

e. Quelle est la conséquence sur la qualité de l'information ? *2 points*
- ☐ Les médias proposent des articles moins intéressants.
- ☐ Les thèmes de la vie quotidienne ont plus de succès que les autres.
- ☐ Les informations qu'on peut partager rapidement sont les plus diffusées.

f. D'après Frédéric Filloux, quel est le problème principal de l'information ? *2 points*
- ☐ Les sources d'information sont moins vérifiées qu'avant.
- ☐ Les médias préfèrent diffuser des contenus créant de l'émotion.
- ☐ Les réseaux sociaux diffusent beaucoup de fausses informations.

Production orale — 10 points

2 Vous lisez cet article écrit par un spécialiste de l'information. Vous téléphonez à un(e) ami(e) pour lui raconter ce que vous avez lu et lui donner votre opinion.

> L'intelligence artificielle est de plus en plus utilisée pour produire de l'information. Bientôt, toute l'information sera fabriquée par des algorithmes. Grâce à cette pratique, on pourra avoir une information personnalisée et ciblée. Mais il y a de nombreux dangers : qui sera responsable du contenu de l'information ? Les journalistes défendront-ils les articles écrits par un programme informatique ? Je conseille aux journalistes de garder une vue humaine sur ces contenus produits par des algorithmes !

Compréhension écrite 10 points

3 Lisez l'article et cochez Vrai ou Faux. Justifiez votre réponse avec une phrase de l'article.

Communication

Comment est fabriquée l'information ?

Quand un fait se produit, le journaliste est averti par des sources. Dans le cas d'événements inattendus, les sources peuvent être des acteurs de l'événement, des témoins, des relations de travail qui vont contacter le journaliste par téléphone ou par les réseaux sociaux. Si ce sont des événements prévus à l'avance, les services de communication des institutions, des entreprises, des associations organisent des conférences de presse et donnent leurs avis dans des interviews diffusées sur les réseaux sociaux ou sur des sites officiels par exemple. Le journaliste discute ensuite avec les personnes par téléphone ou en allant sur le lieu de l'événement. Il vérifie les déclarations officielles et les témoignages pour obtenir différents points de vue portant sur le même fait. Il peut aussi parler avec des experts, consulter des rapports, des études, des enquêtes d'opinion ou des sondages afin que le fait soit mis en perspective. Après la collecte de ce « matériel », le journaliste écrit son article pour présenter et raconter le fait ou l'événement. Le lecteur de l'article n'est pas spécialiste dans tous les domaines, les informations transmises par le journaliste doivent lui permettre de comprendre le fait ou l'événement. Le rédacteur en chef donne son accord pour la publication de l'information après l'avoir vérifiée.

Une information est donc une construction qui comporte deux éléments : le fait et le commentaire. Un même événement peut être traité de différentes manières par plusieurs médias. La partie principale de l'information, le fait, est la même. Ce sont les qualités rédactionnelles du journaliste et le point de vue choisi par la rédaction qui font la différence. Les différentes opinions de la presse sont essentielles pour le débat. Un fait rapporté par plusieurs médias peut être la preuve de son authenticité. Si les journalistes accompagnent leur enquête de données chiffrées de spécialistes ou de photographies d'une agence reconnue, ils renforcent la véracité de l'information. Des commentaires différents suivant la ligne éditoriale du journal permettent aux gens qui s'informent de se faire un avis personnel sur le sujet.

a. Le texte explique comment on produit des informations. ☐ Vrai ☐ Faux
Justification : _____ *1 point*

b. Le journaliste est informé des faits grâce à ses sources. ☐ Vrai ☐ Faux
Justification : _____ *1 point*

c. C'est important pour le journaliste d'obtenir plusieurs opinions différentes. ☐ Vrai ☐ Faux
Justification : _____ *1 point*

d. Le journaliste va sur le lieu de l'événement pour le mettre en perspective. ☐ Vrai ☐ Faux
Justification : _____ *1 point*

e. Dans l'information, le plus important c'est le commentaire. ☐ Vrai ☐ Faux
Justification : _____ *2 points*

f. Les faits sont toujours présentés de la même façon dans les médias. ☐ Vrai ☐ Faux
Justification : _____ *2 points*

g. La diversité des points de vue de la presse est une bonne chose pour que les lecteurs se fassent leur opinion. ☐ Vrai ☐ Faux
Justification : _____ *2 points*

Production écrite 10 points

4 Sur votre blog, vous écrivez un post sur l'excès d'information dans la vie personnelle et professionnelle. Vous présentez le sujet et expliquez en quoi c'est dangereux pour la santé.

UNITÉ 8 — Leçon 29 : Parler des changements climatiques

COMPRENDRE

1 Lisez l'article et cochez Vrai ou Faux. Justifiez votre réponse avec une phrase de l'article.

Le changement climatique en question

Le réchauffement climatique est incontestable. Il augmente depuis les années 1980, et les années les plus chaudes se situent au 21e siècle. Mais comment explique-t-on ce changement climatique ?

Le réchauffement climatique est le constat d'une augmentation de la température terrestre moyenne sur de longues périodes. L'homme a modifié l'équilibre naturel de la Terre en envoyant de grandes quantités de gaz à effet de serre dans l'atmosphère depuis les premières révolutions industrielles jusqu'à nos jours. Nous sommes tous responsables : nous aurions dû écouter les experts qui nous alertaient déjà dans les années 1970. La déforestation aggrave le phénomène, car les forêts jouent un rôle important pour l'amélioration de la qualité de l'air.

L'augmentation de gaz à effet de serre est donc la principale cause du réchauffement climatique. La température moyenne à la surface de la planète est en constante augmentation. Nous pouvons le percevoir dans nos vies, avec des étés plus chauds et des périodes de canicule régulières. Il y a également plus de catastrophes naturelles dans le monde : des tornades, des incendies de forêt dus à la sécheresse, des inondations à cause des fortes pluies. On parle donc plutôt de changement climatique. L'augmentation des températures et les changements du climat ont un impact sur les écosystèmes. Ils modifient les cycles de reproduction des plantes et les conditions de vie des animaux. On assiste déjà à la disparition de très nombreuses espèces. C'est donc l'équilibre des écosystèmes naturels qui se trouve modifié et menacé. L'homme n'est pas épargné par ces bouleversements. Le changement climatique a des conséquences sur l'économie mondiale. L'insuffisance d'approvisionnement alimentaire et le manque d'eau font naître de nouveaux conflits. Si nous avions réagi plus tôt, nous serions à présent en sécurité. Mais il n'est pas trop tard encore pour entamer une nouvelle ère de reconstruction !

Ex. : Le texte propose des solutions pour lutter contre le changement climatique. ☐ Vrai ☑ Faux
Justification : … comment explique-t-on ce changement climatique ?

a. L'article explique le rôle des hommes dans le changement du climat. ☐ Vrai ☐ Faux
Justification : _____

b. La déforestation a un impact négatif sur le réchauffement climatique. ☐ Vrai ☐ Faux
Justification : _____

c. Les gaz à effet de serre réchauffent la planète. ☐ Vrai ☐ Faux
Justification : _____

d. D'après l'article, on ne peut pas encore sentir les effets du changement climatique. ☐ Vrai ☐ Faux
Justification : _____

e. La biodiversité est menacée par le changement climatique. ☐ Vrai ☐ Faux
Justification : _____

f. Le réchauffement climatique a peu de conséquences économiques. ☐ Vrai ☐ Faux
Justification : _____

g. Selon l'article, il est trop tard pour agir. ☐ Vrai ☐ Faux
Justification : _____

LEÇON **29**

2 Relisez l'article et relevez les quatre phénomènes climatiques.

....
....

VOCABULAIRE

◀ **L'écologie (1) : les problèmes écologiques**

3 Reliez les problèmes écologiques à leur conséquence.

- • 1. Les sols deviennent secs et il n'y a plus de plantes.
- a. Le manque d'eau
- b. L'appauvrissement de la couche d'ozone • → • 2. Les animaux, les plantes et les hommes n'ont pas assez d'eau pour vivre.
- c. La déforestation • • 3. Le soleil est plus dangereux.
- d. L'insuffisance de l'approvisionnement alimentaire • • 4. Il est plus difficile de respirer.
- e. La dégradation de la qualité de l'air • • 5. Il y a moins de nourriture pour la population dans le monde.
- f. La désertification • • 6. Il n'y a plus d'arbres et la biodiversité disparaît.

4 🎧 66 Écoutez la définition et soulignez le mot ou l'expression correspondant.

Ex. : 1. <u>les gaz à effet de serre</u> • 2. la désertification • 3. un écosystème

a. 1. un écosystème • 2. la déforestation • 3. les gaz à effet de serre
b. 1. la dégradation de la qualité de l'air • 2. la biodiversité 3. la désertification
c. 1. l'insuffisance de l'approvisionnement alimentaire • 2. le manque d'eau • 3. la déforestation
d. 1. le manque d'eau • 2. les gaz à effet de serre • 3. la biodiversité
e. 1. l'appauvrissement de la couche d'ozone • 2. la biodiversité • 3. le manque d'eau

◀ **L'écologie (1) : les problèmes écologiques, les catastrophes naturelles**

5 Complétez l'article avec les mots ou les expressions suivants :

~~déforestation~~ • inondations • manque d'eau • dégradation de la qualité de l'air • désertification • incendies • biodiversité • écosystèmes

> **Les changements climatiques, quelles conséquences ?** Les changements climatiques ont des conséquences sur les espaces naturels. Dans les forêts, où la **déforestation** entraîne la perte de la .... : les animaux et les plantes disparaissent. Dans certaines régions, la terre devient sèche, on assiste à la .... des espaces naturels. Cela conduit à un .... pour les hommes, les espèces végétales et animales. Dans les villes, la .... a pour conséquences des maladies respiratoires. La destruction des .... a aussi de graves conséquences : des .... ravagent des forêts et de fortes pluies créent des .... Il est temps d'agir si nous voulons un monde habitable pour nos enfants !

cent trois 103

Leçon 29 — Parler des changements climatiques

GRAMMAIRE

L'hypothèse (3)

6 Conjuguez les verbes pour exprimer une hypothèse sur le passé avec une conséquence dans le passé.

Ex. : Si on **avait arrêté** (arrêter) la déforestation, la biodiversité **ne se serait pas dégradée** (ne pas se dégrader) aussi vite.

a. Si nous _____ (prendre) des décisions fortes, le réchauffement climatique _____ (ralentir).

b. Si les incendies _____ (ne pas détruire) la forêt, les habitants _____ (ne pas quitter) leur village.

c. Si vous _____ (écouter) l'émission sur le climat, vous _____ (venir) à la manifestation.

d. Si la sécheresse _____ (ne pas durer) aussi longtemps, le manque d'eau _____ (ne pas être) aussi grave dans la région.

e. Si les pays _____ (se mettre d'accord) il y a vingt ans, nous _____ (éviter) l'augmentation des températures dans le monde.

f. Les épisodes de canicule _____ (être) moins nombreux ces dix dernières années si la couche d'ozone _____ (ne pas diminuer).

g. Si vous _____ (voyager) aux États-Unis, vous _____ (voir) les dégâts de la dernière tornade.

h. Si je _____ (s'engager) plus tôt pour le climat, j' _____ (pouvoir) agir plus efficacement.

7 Reliez le début à la fin de la phrase.

a. Si nous avions écouté les experts dans les années 70,

b. S'il n'y avait pas eu cette tornade,

c. S'il n'y avait pas eu une déforestation si importante,

d. Si les hommes avaient pris soin de la biodiversité,

e. S'il y avait eu moins de voitures en ville,

f. Si les industries les plus polluantes avaient adopté des mesures écologiques,

g. Si les dirigeants avaient mieux communiqué sur le changement climatique,

h. Si nous avions su que le changement climatique aurait des conséquences si importantes,

1. les écosystèmes de la forêt auraient été préservés.

2. la pollution des sols et de l'eau serait moins importante.

3. nous aurions pu limiter le réchauffement climatique.

4. nous nous serions engagés plus tôt en faveur des énergies renouvelables.

5. nous n'aurions pas quitté notre maison.

6. on aurait eu moins de maladies respiratoires cet été.

7. des espèces animales n'auraient pas disparu.

8. la population aurait changé plus rapidement ses habitudes de vie.

a → 3

LEÇON **29**

◀ Le conditionnel passé

8 🎧 67 Écoutez les phrases. Expriment-elles un regret, un reproche ou ni l'un ni l'autre ? Cochez la bonne réponse.

	Ex.	a.	b.	c.	d.	e.	f.	g.
Regret	✓							
Reproche								
Ni l'un ni l'autre								

▶ Dictée

9 🎧 68 Écoutez et écrivez les phrases.

COMMUNIQUER

10 Vous commentez cette infographie sur votre blog.

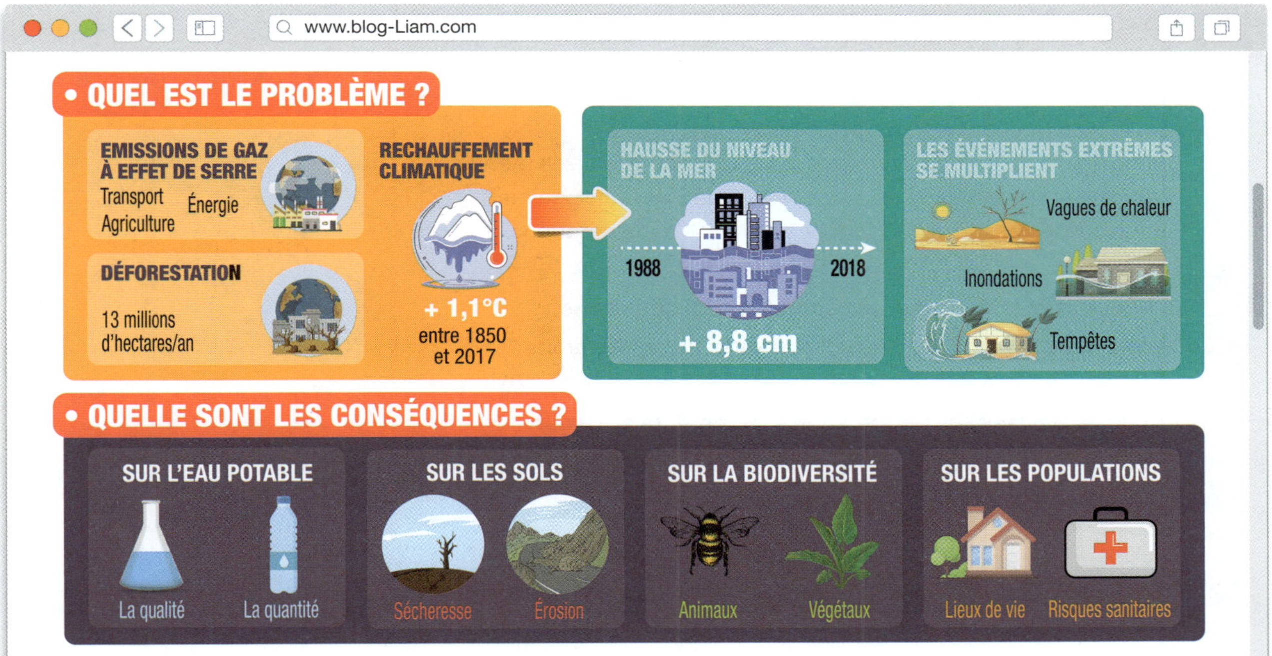

11 Vous participez à un débat sur le changement climatique. Commentez cette phrase. Enregistrez-vous.

Le climat change, est-ce que nous ne devrions pas faire pareil ?

UNITÉ 8 — Leçon 30 : Prendre position sur les droits des animaux

COMPRENDRE

1 🎧 69 **Écoutez le dialogue et cochez les réponses correctes.**

Ex. : De quoi parlent Leya et Amidou ?
- ☐ Ils parlent des droits des animaux en Amérique.
- ☑ Ils parlent des lois pour la défense des animaux.
- ☐ Ils parlent des progrès en faveur des chiens et des chats.

a. De quoi doute Amidou ?
- ☐ Il n'est pas sûr que les animaux soient des êtres sensibles.
- ☐ Il ne pense pas que les lois pour protéger les animaux suffisent en France.
- ☐ Il n'est pas certain qu'on puisse faire adopter des lois pour les animaux de compagnie.

b. D'après Leya, quelle est la situation actuelle en France ?
- ☐ Les animaux sont souvent traités comme des objets.
- ☐ Les souffrances des animaux commencent à être reconnues.
- ☐ Certains animaux de compagnie ne sont pas protégés.

c. Qu'affirme Leya au sujet des élevages ?
- ☐ Une nouvelle loi va être adoptée pour réglementer les conditions de vie.
- ☐ Quelques associations viennent d'être créées pour les contrôler.
- ☐ Des textes les réglementent en respectant la physiologie des animaux.

d. D'après Leya, pourquoi est-ce qu'on a progressé ?
- ☐ Parce que la cause des animaux est plus défendue dans le monde.
- ☐ Parce que tout le monde est conscient de la souffrance animale.
- ☐ Parce que les associations font beaucoup de manifestations.

2 🎧 69 **Réécoutez le dialogue et répondez aux questions.**

Ex. : De quoi parle Leya pour justifier que les animaux ont des droits ?
→ Leya parle de la Déclaration universelle des droits de l'animal.

a. Pourquoi Leya dit-elle que la situation est différente aujourd'hui ?
→ _____

b. D'après Leya, que va-t-il se passer en 2028 ?
→ _____

c. Pourquoi Leya est-elle optimiste ?
→ _____

d. D'après Amidou, quel est le plus grand danger ?
→ _____

VOCABULAIRE

◀ Les animaux, la science

3 Barrez l'intrus.

Ex. : le droit • la loi • réglementer • ~~souffrir~~

a. un loup • un insecte • un delphinarium • un nuisible
b. l'équilibre biologique • la biodiversité • l'écologie • la physiologie
c. un abattoir • un élevage • un cirque • une espèce
d. une loi • un ours • une espèce • un animal

LEÇON **30**

◀ **Le droit, les animaux, la science**

4 🎧 70 Écoutez la définition et associez-la au mot qui convient.
   a. l'équilibre biologique → __1__
   b. un abattoir → _____
   c. encadrer → _____
   d. un élevage → _____
   e. un nuisible → _____
   f. un delphinarium → _____
   g. la physiologie → _____
   h. adopter une loi → _____
   i. un insecte → _____

◀ **Le droit, les animaux**

5 Complétez l'article avec les mots ou les expressions suivants :
~~protégés~~ • animaux de compagnie • espèces • ours • encadré • loi • animal • cirques • réglementer

> ### ENFIN !
> Les animaux sont mieux **protégés** qu'avant. Une nouvelle _____ vient d'être adoptée pour _____ les comportements des gens avec leurs _____. Il sera interdit de vendre des _____ vivantes dans des magasins spécialisés. Le don des animaux de compagnie sera mieux _____ : il sera interdit de donner ou vendre un _____ à des enfants sans l'accord de leurs parents. La loi prévoit également la fin des animaux sauvages dans les _____. Enfin, la protection des _____ sera renforcée suite à la disparation de trois animaux tués l'année dernière dans les Pyrénées.

GRAMMAIRE

◀ **Les adjectifs et les pronoms indéfinis**

6 Complétez les phrases avec l'adjectif indéfini : *tout*, *quelque*, *chaque*, *aucun*, *certain* ou *plusieurs*. Accordez-le si nécessaire.
   Ex. : Il ne devrait pas y avoir d'exception, tous les animaux ont le droit d'être bien traités.
   a. Il y a beaucoup d'animaux de compagnie, _____ chiens et chats sont adoptés chaque année.
   b. Je ne sais pas exactement combien, mais _____ animaux sauvages ont disparu l'année dernière.
   c. Il y en a peu : seules _____ espèces sont protégées par la loi.
   d. _____ personne ne devrait abandonner son animal !
   e. _____ loi est une avancée pour la défense des animaux.
   f. Il faudrait être plus sévère, on devrait interdire _____ les exploitations des animaux !
   g. La biodiversité disparaît peu à peu : il ne reste plus que _____ ours.
   h. On parle beaucoup de la souffrance animale, j'ai lu _____ interviews de spécialistes.

7 🎧 71 Écoutez les phrases. Entendez-vous un adjectif ou un pronom indéfini ? Cochez la bonne réponse.

	Ex.	a.	b.	c.	d.	e.	f.
Adjectif indéfini	✔						
Pronom indéfini							

cent sept 107

UNITÉ 8 — Leçon 30 : Prendre position sur les droits des animaux

8 Lisez les phrases et entourez le pronom indéfini qui convient.

Ex. : Il y a de moins en moins d'éléphants en Asie, mais on en trouve encore chacun • ~~quelques-uns~~.

a. Les insectes disparaissent peu à peu, pourtant **certains** • **aucun** sont indispensables au renouvellement des sols.
b. Dans les élevages d'animaux, **quelques-uns** • **tous** devraient être bien traités.
c. Il est interdit de maltraiter son animal de compagnie, mais **plusieurs** • **tous** ont été abandonnés cet été.
d. Des lois sont nécessaires pour encadrer les conditions de vie des animaux, **toutes** • **quelques-unes** sont plus urgentes que d'autres.
e. **Chacun** • **Aucun** devrait être attentif au bien-être des animaux.
f. Il faut respecter les animaux même dans les abattoirs : **aucun** • **certains** ne devrait souffrir.
g. Des espèces animales sont menacées, **plusieurs** • **chacune** disparaissent chaque année.
h. Je crois que les associations sont utiles, **aucune** • **toutes** devraient être encouragées.

Le subjonctif (3) pour exprimer le doute

9 Lisez les phrases et soulignez la forme correcte du verbe.

Ex. : Il ne croit pas que les animaux <u>soient</u> • sont • étaient mieux traités qu'avant.

a. Je pense que la loi sur les animaux de cirque **sera** • **soit** • **ait été** efficace.
b. Vous doutez que nous **soyons** • **étions** • **serions** capables d'améliorer vraiment la condition animale.
c. Pensez-vous que la nouvelle loi **permet** • **permette** • **permettre** de mieux protéger les animaux ?
d. Il est certain que nous **ayons** • **avons** • **aurions** fait des progrès ces dernières années.
e. Je ne crois pas que vous **comprendrez** • **compreniez** • **comprenez** bien la situation des animaux.
f. Grâce à la loi sur les animaux de compagnie, il est sûr que les chats et les chiens **pourront** • **puissent** • **pourrait** être mieux traités.
g. Nous ne pensons pas que tu **sais** • **saches** • **sauras** vraiment de quoi tu parles.
h. Je ne suis pas convaincue qu'il **choisisse** • **choisit** • **choisir** de se battre pour améliorer les conditions de vie des animaux.
i. Il doute que l'homme **voie** • **voit** • **vois** le bien-être animal comme une cause importante pour l'avenir de la planète.

10 Conjuguez les verbes à la forme correcte.

Ex. : Je pense que les animaux **sont** (être) en danger.

a. Les militants véganes doutent que les élevages _____ (pouvoir) respecter le bien-être animal.
b. Tu n'es pas sûr que les lois défendant la cause des animaux _____ (être) efficaces ?
c. L'élève est certaine que nous _____ (améliorer) les conditions de vie des animaux.
d. Croyez-vous qu'il _____ (falloir) être plus strict en multipliant les contrôles dans les abattoirs ?
e. Les représentants de l'association ne pensent pas que la situation des animaux _____ (aller) mieux ces prochaines années.
f. Je ne crois pas que la loi actuelle _____ (prendre) en compte suffisamment la souffrance animale.
g. Chacun est maintenant sûr que les animaux _____ (avoir) droit au respect.
h. Vous doutez que les animaux _____ (ressentir) de la souffrance ?

Dictée

11 🎧 72 Écoutez et écrivez les phrases.

COMMUNIQUER

12 Vous commentez cette image et son slogan sur votre blog.

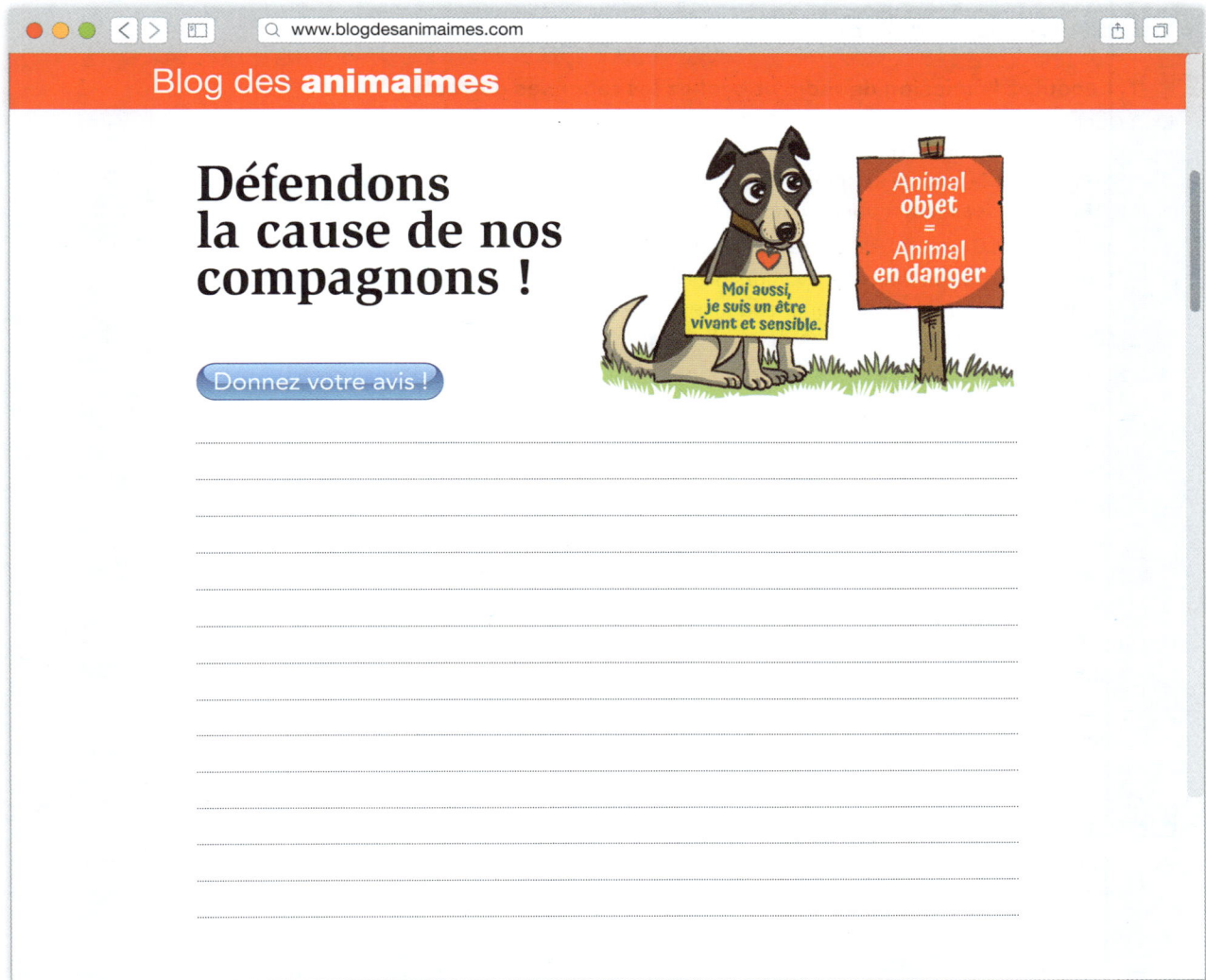

13 Pensez-vous que les lois de défense des animaux améliorent vraiment leurs conditions de vie ? Donnez votre opinion. Enregistrez-vous.

PHONÉTIQUE

La semi-consonne [j]

14 🎧 73 Écoutez et cochez si vous entendez le son [j].

	Ex.	a.	b.	c.	d.	e.	f.	g.	h.
[j]	✔								

UNITÉ 8 — Leçon 31 — Agir pour l'avenir

COMPRENDRE

1 🎧 74 **Écoutez l'émission de radio et cochez les réponses correctes.**

Ex. : Quel est l'objectif de cette émission de radio ?
- ☐ Comparer la nature et les hommes.
- ☑ Parler des façons de se comporter en communauté.
- ☐ Proposer des informations sur les conditions climatiques.

a. D'après Aldo Mariasa, quelle est la définition de l'entraide ?
- ☐ C'est ce qui permet aux êtres vivants de mieux vivre ensemble.
- ☐ C'est ce qui permet de former une famille.
- ☐ C'est ce qui permet de surmonter les moments difficiles.

b. Selon le chercheur, quelles sont les conditions pour que l'entraide se développe ?
- ☐ L'entraide se développe si les conditions de vie deviennent difficiles.
- ☐ L'entraide se développe si les conditions climatiques sont favorables.
- ☐ L'entraide se développe si les humains ont suffisamment de ressources.

c. Pour Aldo Mariasa, qu'est-ce qu'il est intéressant d'étudier ?
- ☐ Les manières de se comporter les uns avec les autres aujourd'hui.
- ☐ L'évolution du monde animal dans le temps.
- ☐ La diversité des formes d'entraide et d'empathie dans la nature.

d. Qu'est-ce que les chercheurs ont découvert ?
- ☐ Qu'il y a peu de façons différentes de vivre ensemble dans la nature.
- ☐ Que seuls les êtres vivants qui s'entraident arrivent à survivre.
- ☐ Qu'il est très difficile de prévoir l'évolution des êtres vivants.

2 🎧 74 **Réécoutez l'émission de radio et répondez aux questions.**

Ex. : Comment était la société humaine il y a des milliers d'années selon Aldo Mariasa ?
→ C'était une communauté solidaire. / C'était une société où il y avait de l'entraide.

a. Quel est le point commun entre les animaux et les humains ?
→ _____

b. D'après Aldo Mariasa, quand apparaît la compétition dans la nature ?
→ _____

c. À votre avis, Aldo Mariasa pense-t-il que la solidarité est une condition naturelle de survie de l'espèce ?
→ _____

VOCABULAIRE

L'écologie (2), la solidarité

3 **Soulignez le mot ou l'expression correspondant à la définition.**

Ex. : Un ingrédient mauvais pour la santé. → <u>l'huile de palme</u> • l'humidité atmosphérique • la communauté

a. La quantité de vapeur d'eau dans l'air. → l'huile de palme • les conditions climatiques • l'humidité atmosphérique

b. La capacité de ressentir les émotions de quelqu'un. → l'empathie • l'entraide • la serviabilité

c. La gentillesse et la générosité. → la serviabilité • la communauté • l'écologie

d. La température et le temps qu'il fait. → l'humidité atmosphérique • les conditions climatiques • la serviabilité

cent dix

LEÇON **31**

Registre familier

4 🎧 75 Écoutez les phrases avec des expressions familières. Associez-les avec l'expression correspondante.

- [1] a. C'est facile !
- [ ] b. très
- [ ] c. travailler
- [ ] d. C'est bien.
- [ ] e. une amie
- [ ] f. C'est parfait !
- [ ] g. une voiture

L'écologie (2), la solidarité, le registre familier

5 Complétez avec les mots ou les expressions suivants :

humidité atmosphérique • bosser • entraide • serviabilité • huile de palme • conditions climatiques • empathie • fastoche • communauté

Ex. : Une **humidité atmosphérique** est nécessaire pour assurer la croissance des plantes.

a. T'as raison, c'est _____ !
b. Ici, il y a une véritable _____ entre les gens : les jeunes rendent des services aux plus âgés.
c. Tu crois vraiment que les salariés ne veulent plus _____ comme avant ?
d. Le jeune homme a ressenti de l'_____ pour son ami qui était triste.
e. Les plantes peuvent vivre en _____ comme les espèces animales.
f. La _____ est une qualité essentielle qui montre qu'on fait attention aux autres.
g. Avec les canicules et les inondations, les _____ sont plus mauvaises qu'il y a trente ans.
h. Je n'achète jamais d'_____, je fais attention à ce que je mange.

GRAMMAIRE

Les doubles pronoms

6 Lisez les phrases et remplacez les mots soulignés par deux pronoms.

Ex. : Tu peux demander <u>à Rémi</u> <u>l'adresse de son épicerie bio</u> ?
→ **Tu peux la lui demander ?**

a. S'il te plaît, achète <u>des fruits et des légumes</u> <u>pour mon compagnon</u>.
→ _____

b. Tu as transmis <u>mon invitation</u> <u>à tes parents</u> ?
→ _____

c. Ne donne pas <u>cette pâte à tartiner</u> <u>à ta fille</u>.
→ _____

d. Elle fait <u>des plats végétariens</u> <u>pour Émilie et moi</u>.
→ _____

e. Prends <u>des champignons</u> <u>pour moi</u>.
→ _____

f. Elle annoncera <u>aux auditeurs</u> <u>les conditions climatiques du lendemain</u>.
→ _____

g. Nous retrouverons <u>ton ami et toi</u> <u>à la maison</u>.
→ _____

h. N'achète pas <u>les légumes</u> <u>au supermarché</u>, ils ne sont pas bio.
→ _____

Unité 8 — Leçon 31 : Agir pour l'avenir

7 Répondez aux questions en utilisant deux pronoms.

Ex. : Tu vas acheter des fruits pour ton frère ? → Oui, je vais lui en acheter.

a. Vous donnez des légumes bio à vos enfants ? → Oui, nous _____ .
b. Tu prendras des poires pour Annie ? → Oui, je _____ .
c. Vous voyez souvent vos amis aux conférences sur le changement climatique ?
  → Oui, nous _____ .
d. Tu peux me donner de la viande bio ? → Non, je _____ .
e. Vous expliquerez aux enfants qu'il faut faire attention à l'environnement ?
  → Oui, je _____ .
f. Vous avez demandé à votre ami la recette des crêpes ? → Oui, je _____ .
g. Tu fais des plats végétariens pour tes amis ? → Non, je _____ .
h. Vous enverrez les affiches sur l'écologie à l'association ? → Non, nous _____ .
i. Tu recommanderais cette recette à ton ami cuisinier ? → Oui, je _____ .
j. Vous avez envoyé l'adresse du site végane à vos collèges de travail ?
  → Non, nous _____ .

8 🎧 76 Écoutez et cochez la phrase correspondante.

Ex. : ☐ Tu as acheté les ingrédients pour les crêpes à l'épicière.
  ☐ Tu as acheté de la pâte à tartiner à l'épicerie.
  ☑ Tu as acheté des produits bio à l'épicière.

a. ☐ Vous avez demandé à votre ami l'adresse du restau végan ?
  ☐ Vous avez demandé à vos amis si la pâte à tartiner est sans huile de palme ?
  ☐ Vous avez demandé à votre mère son vélo ?

b. ☐ Tu emmènes souvent tes potes aux conférences sur les conditions climatiques.
  ☐ Tu emmènes souvent ton amie au restaurant végétarien.
  ☐ Tu emmènes souvent mon copain et moi au supermarché.

c. ☐ Prends des steaks végétariens pour tes parents !
  ☐ Prends les yaourts pour ta mère !
  ☐ Prends des légumes bio pour ton père !

d. ☐ Vous donnez à vos amis les invitations pour le débat sur la solidarité.
  ☐ Vous donnez à Adrien un livre de recettes végétariennes.
  ☐ Vous donnez des légumes de saison à vos enfants.

e. ☐ Les professeurs ont proposé aux étudiants une conférence sur la biodiversité.
  ☐ Les professeurs nous ont proposé des cours supplémentaires.
  ☐ Les professeurs ont proposé aux étudiants leurs articles sur le changement climatique.

f. ☐ N'apporte pas de vin à ton ami !
  ☐ N'apporte pas de vin à tes amis !
  ☐ N'apporte pas ce vin à tes amis !

g. ☐ Tu achètes des fraises bio pour mon frère et moi ?
  ☐ Tu achètes un vélo pour nous ?
  ☐ Tu achètes les biscuits apéro pour ton ami et toi ?

LEÇON 31

Les élisions dans les phrases au registre familier

9 🎧 77 Écoutez les phrases. Soulignez l'élision quand vous l'entendez.

Ex. : <u>Tu as</u> vu l'émission sur l'entraide hier à la télé ?

a. Il n'a pas acheté de pâte à tartiner pour le goûter !
b. Nous n'avons plus de miel à la maison.
c. Hier, il y avait des légumes bio à la cantine.
d. Il aime la cuisine végane ?
e. Vous n'avez pas lu l'article sur la solidarité entre les arbres ?
f. Tu adores les steaks végétariens, on dirait !
g. Je n'ai jamais pris de viande dans ce restaurant.
h. Est-ce qu'il y a de l'huile de palme dans les chips ?

Dictée

10 🎧 78 Écoutez et écrivez les phrases.

COMMUNIQUER

11 Commentez cette photo partagée sur Instagram. Que pensez-vous du slogan ? Donnez votre opinion.

AGIR POUR LES GÉNÉRATIONS FUTURES

12 Vous décidez de vous engager pour l'avenir de la planète. Expliquez ce que vous faites à votre ami(e). Enregistrez-vous.

BILAN

Compréhension orale 10 points

1 🎧 79 Écoutez le reportage et cochez les réponses correctes.

a. De quoi parle cette émission de radio ? *1 point*
- ☐ Du rôle des plantes et des animaux dans la vie des humains.
- ☐ Des espaces naturels et des animaux protégés.
- ☐ Des actions d'une association de défense de la biodiversité.

b. Qui est Clément Roche ? *1 point*
- ☐ C'est un chasseur dans la Drôme.
- ☐ Il travaille dans une association.
- ☐ Il fait des dons pour la défense de l'environnement.

c. Quels sont les objectifs de Clément Roche ? *2 points*
- ☐ Observer les animaux et les plantes dans les espaces naturels.
- ☐ Rendre à la nature des espaces qui ont été aménagés par l'homme.
- ☐ Donner aux habitants des informations sur les espaces naturels.

d. Quelle action a été faite par Clément Roche l'année dernière ? *2 points*
- ☐ Il a aidé à protéger des animaux sauvages.
- ☐ Il a planté des espèces pour les étudier.
- ☐ Il a laissé un arbre mort là où il était tombé.

e. D'après Clément Roche, qu'est-ce que le « ré-ensauvagement » ? *2 points*
- ☐ C'est arrêter les interventions humaines pour que la nature se développe.
- ☐ C'est nourrir les animaux pour qu'ils survivent.
- ☐ C'est ramasser les champignons pour qu'il n'y en ait pas trop.

f. Pour Clément Roche, quel est le rôle de l'homme ? *2 points*
- ☐ Protéger les animaux et les espèces végétales en danger.
- ☐ Aménager les territoires naturels pour que les animaux s'y sentent bien.
- ☐ Mieux partager les lieux et les ressources avec les êtres vivants.

 Production orale 10 points

2 Vous venez de vous engager dans une association pour la défense des animaux. Vous expliquez votre engagement.

Production écrite 10 points

3 Vous lisez sur Internet le titre d'un article, vous le commentez sur les réseaux sociaux.

> **Regret, désespoir, peur, colère : le réchauffement climatique lié aux activités humaines est connu depuis 40 ans !**

Compréhension écrite 10 points

4 Lisez l'article et cochez Vrai ou Faux. Justifiez votre réponse avec une phrase de l'article.

Sauvons la planète !

▸ Protéger l'environnement, c'est préserver l'avenir de l'humanité !

On disait autrefois que pour pouvoir survivre, les humains avaient besoin de s'adapter à leur environnement. Aujourd'hui, la situation est contraire, c'est notre environnement qui a dû s'adapter à nous. Et c'est vrai, le milieu naturel a de plus en plus de mal à trouver sa place. Pourtant, l'environnement est essentiel à la survie de l'homme. S'il disparaissait, quel avenir pourrait espérer l'humanité ?

▸ Protéger l'environnement, c'est protéger notre vie !

Pour pouvoir vivre, l'homme a besoin de boire, de manger et de respirer. Et cela, seul notre environnement peut nous le procurer. Mais au lieu de le préserver, on le mène vers sa destruction. L'air que nous respirons est de plus en plus pollué, l'eau que nous buvons est de plus en plus sale. Les émissions de gaz à effet de serre augmentent. Chaque jour, l'espèce humaine consomme le poison qu'elle fabrique. Pouvons-nous continuer à ne pas prendre en compte l'état de cet environnement dans nos vies ?

▸ Protéger l'environnement, c'est conserver son climat !

La destruction de notre environnement a un effet direct sur le climat. Le changement climatique est important et a pour conséquence la montée des eaux, la sécheresse, des tempêtes et plusieurs catastrophes naturelles dans le monde. La température à la surface de la terre n'arrête pas d'augmenter, bientôt la nature ne pourra plus s'y adapter. Comment survivre alors si le climat n'est plus favorable à la vie ?

▸ Protéger l'environnement, c'est sauvegarder sa beauté et sa biodiversité !

La biodiversité regroupe toutes les espèces végétales et animales qui constituent la nature. Déjà, nous la voyons décroître. Les êtres vivants constituent un système écologique où tout est interdépendant. C'est grâce à cet écosystème que l'homme peut manger à sa faim, et que, en cas de maladie, il peut se soigner. Il n'y a pas de plus grande source de vie que la nature. Alors si nous la détruisons, croyez-vous que l'humanité y survive ?

---

a. Le texte explique pourquoi l'environnement est important. ☐ Vrai ☐ Faux
Justification : _____ *1 point*

b. Les humains continuent à s'adapter à la nature. ☐ Vrai ☐ Faux
Justification : _____ *2 points*

c. L'article questionne le futur des humains. ☐ Vrai ☐ Faux
Justification : _____ *1 point*

d. L'environnement naturel apporte à l'homme tout ce dont il a besoin. ☐ Vrai ☐ Faux
Justification : _____ *2 points*

e. D'après l'article, nous ne connaissons pas encore toutes les conséquences du changement climatique. ☐ Vrai ☐ Faux
Justification : _____ *2 points*

f. L'article explique que l'humanité saura trouver des solutions pour survivre. ☐ Vrai ☐ Faux
Justification : _____ *2 points*

Leçon 33 — Raconter une expérience

COMPRENDRE

1 🎧 80 **Écoutez l'émission de radio et cochez les réponses correctes.**

Ex. : Que propose cette émission de radio ?
- ☐ Un débat.
- ☑ Un témoignage.
- ☐ Un reportage.

a. Pourquoi Salma a-t-elle choisi de voyager ?
- ☐ Elle a toujours voulu faire un long voyage.
- ☐ Elle en avait assez de son travail.
- ☐ Elle ne voulait pas voyager trop jeune.

b. À quel âge Salma a-t-elle commencé à travailler ?
- ☐ 18 ans.
- ☐ 22 ans.
- ☐ 23 ans.

c. Qu'est-ce qui a décidé Salma à partir ?
- ☐ Elle avait envie de prendre une année de césure.
- ☐ Elle avait assez d'argent de côté.
- ☐ Elle n'avait pas réussi à être embauchée dans une entreprise.

d. Pourquoi Salma a-t-elle décidé de partir seule ?
- ☐ Parce que ses amis n'étaient pas disponibles.
- ☐ Parce qu'elle ne s'entendait pas avec ses amis.
- ☐ Parce qu'elle voulait profiter du calme et de la tranquillité.

e. Comment s'est passé le voyage de Salma ?
- ☐ Elle a été obligée de rentrer parce qu'elle n'avait plus d'argent.
- ☐ Elle a suivi le programme qu'elle avait conçu.
- ☐ Elle a pris le temps de s'arrêter pour profiter de différents endroits.

2 🎧 80 **Réécoutez l'émission de radio et répondez aux questions.**

Ex. : Où et pendant combien de temps Salma a-t-elle décidé de voyager ?
→ Salma a décidé de voyager en Amérique du Sud pendant six mois.

a. Pourquoi Salma a-t-elle choisi cette destination de voyage ?
→ ....

b. Comment ont réagi les personnes de sa famille avant le départ de Salma ?
→ ....

c. À quel moment Salma s'est-elle sentie libre ?
→ ....

d. Quelle expérience insolite raconte Salma ?
→ ....

116 cent seize

LEÇON 33

VOCABULAIRE

Les animaux sauvages, la mer (1)

3 Légendez chaque photo avec le nom de l'animal ou le mot de la mer correspondant.

Ex. : un puma

a. _____

b. _____

c. _____

d. _____

e. _____

L'aventure, la psychologie

4 Lisez le témoignage de Yaël et soulignez le mot ou l'expression qui convient.

L'année dernière, je me suis lancé **une crainte • un défi**. J'ai décidé de tester **mes limites • mon rêve** en partant faire le tour du monde à vélo. C'était **une détermination • un rêve** que j'avais depuis longtemps. Il a fallu tout organiser. J'avais **la crainte • l'exploit** de ne pas pouvoir voyager dans de bonnes conditions. Beaucoup de choses m' **inquiétaient • affrontaient**, mais ma **solitude • détermination** était forte, alors je suis parti. Finalement, cela a été une aventure extraordinaire ! J'avoue que la **solitude • force mentale** me faisait peur, mais j'ai eu la **crainte • force mentale** de terminer mon tour du monde. À mon retour, mes amis m'ont félicité pour **cette limite • cet exploit**.

La randonnée (1), l'aventure, la mer (1), la psychologie

5 Choisissez le verbe qui convient. Conjuguez-le si nécessaire.
~~manœuvrer~~ • affronter • tout plaquer • naviguer • inquiéter • contourner • mettre le cap

Ex. : Les bateaux sont arrivés au port, ils ont *manœuvré* pour se ranger le long du quai.

a. Pour arriver à Fort-de-France en Martinique à la fin du mois, nous devions _____ la nuit.
b. À la dernière minute, l'équipage a décidé de _____ sur la Corse.
c. Il y a un an, j'_____ pour partir seule en voyage au Pérou.
d. Mon père m'a dit qu'il s'_____ pour ma cousine qui était partie faire le tour du monde.
e. J'ai voulu faire cette randonnée pour voir si j'étais capable d'_____ les difficultés.
f. Avant d'arriver au port, le voilier doit _____ une petite île grecque.

Leçon 33 — Raconter une expérience

GRAMMAIRE

Les temps du récit au passé

6 Lisez le témoignage d'Anaïs. Entourez la forme du verbe qui convient.

> **TÉMOIGNAGE**
>
> Après mes études, **j'ai décidé** · je décidais · j'avais décidé de faire une randonnée au Népal. Avant de partir je **me suis renseignée** · me renseignais · m'étais renseignée sur la difficulté du voyage. Il **a fallu** · fallait · avait fallu être capable de marcher en altitude et il y avait un fort dénivelé. **Je suis partie** · Je partais · J'étais partie pour trois semaines. Le quatrième jour, **j'ai rencontré** · je rencontrais · j'avais rencontré Wendy, une jeune Anglaise, sur un chemin qui **est monté** · montait · était monté vers Pisang à 3 200 mètres. Nous avons continué ensemble et nous **avons eu** · avions · avions eu des difficultés pour faire l'ascension. À un moment, Wendy **a voulu** · voulait · avait voulu faire un détour parce que le chemin **a été** · était · avait été trop difficile. Je **n'ai pas été** · n'étais pas · n'avais pas été d'accord : je **me suis inquiétée** · m'inquiétais · m'étais inquiétée parce que nous **n'avons eu** · n'avions · n'avions eu presque plus d'eau. Finalement, nous **avons décidé** · décidions · avions décidé de continuer et d'affronter le sentier difficile. Quand nous **sommes arrivées** · arrivions · étions arrivées en haut, la vue **a été** · était · avait été magnifique ! Nous **avons été** · étions · avions été fatiguées mais heureuses d'avoir accompli cet exploit !

7 Lisez le récit de Bao et conjuguez les verbes au passé composé, à l'imparfait ou au plus-que-parfait.

> *J'ai fait le tour du monde*
>
> En 2018, j'**ai fait** (faire) un tour du monde en bateau. Avant de partir, je _____ (chercher) des équipiers pendant plusieurs mois. Je _____ (rencontrer) Noémie et Antonio qui _____ (avoir) très envie de faire ce voyage. Deux jours avant de quitter le port, Noémie _____ (tomber) amoureuse et _____ (décider) de rester. Antonio et moi, nous _____ (partir) de Marseille, et nous _____ (mettre) le cap sur les îles grecques. Nous _____ (devoir) passer par l'Espagne et faire une étape à Barcelone. Nous _____ (être) très heureux de partir. Il _____ (faire) très beau quand nous _____ (sortir) du port. Après que nous _____ (arriver) à Barcelone, la mer _____ (devenir) dangereuse et nous _____ (devoir) attendre. Nous _____ (visiter) la ville. Antonio _____ (rencontrer) une Italienne qui _____ (travailler) à Barcelone. Il _____ (ne pas vouloir) continuer le voyage. Alors, je _____ (revenir) en France tout seul.

LEÇON **33**

◀ L'antériorité, la simultanéité et la postériorité

8 Mettez les mots dans l'ordre pour faire une phrase.
  Ex. : le chemin. • trouvé • l'ascension • Après • a été • que • j'ai • rapide.
  → Après que j'ai trouvé le chemin, l'ascension a été rapide.

a. terminé • rentrer. • la course. • a • l'équipage • Avant • de
  → ....

b. la pluie • les randonneurs • que • commencé • a • à tomber, • se sont • Dès • arrêtés.
  → ....

c. Il • avant • des conseils • que • m'a • parte. • donné • je
  → ....

d. que • faisais • marié • pendant • je • le tour • Mon frère • du monde. • s'est
  → ....

e. est • déménagé. • parti • que • après • son entreprise • Il • a • à l'aventure
  → ....

f. de • de voyager • trop âgé. • décidé • avant • J'ai • devenir
  → ....

g. à souffrir • Tu • rencontrée • elle • au moment où • commençait • l'as • de la solitude.
  → ....

h. avons • elle a • à Milan, • l'Italie. • nous • Après • décidé • que • de visiter • emménagé
  → ....

9 🎧 81 Écoutez et choisissez la fin de la phrase qui convient.

☐ 1 a. il s'est mis à pleuvoir.
☐ b. le bateau a pu repartir.
☐ c. j'ai pu appeler un taxi.
☐ d. elle a pu signer son contrat.
☐ e. tu pourras partir.
☐ f. je me suis sentie libérée.
☐ g. nous leur avons envoyé de l'argent.

▶ Dictée

10 🎧 82 Écoutez et écrivez les phrases.

COMMUNIQUER

11 Racontez le voyage d'un aventurier/une aventurière sur votre blog. Décrivez son aventure, ses défis et ses exploits. Dites pourquoi vous le/la choisissez.

12 Racontez votre voyage le plus marquant. Enregistrez-vous.

Unité 9 — Leçon 34 : Parler du tourisme

COMPRENDRE

1 Lisez l'article du magazine et cochez Vrai ou Faux. Justifiez votre réponse avec des phrases de l'article.

---

www.randonner-malin.com

6 (excellentes) raisons de randonner !

1 Quand on fait de la randonnée, on peut profiter des paysages, des animaux et des plantes d'une manière exceptionnelle. L'odeur de la forêt, le rafraîchissement d'une brise de montagne, la sensation des chemins sous les pieds, la beauté des nuages, la contemplation d'un animal qui mange… tout cela nous donne envie de randonner et d'aller voir ce qui se cache hors de nos sentiers habituels.

2 Quel bonheur de se dire que la seule manière d'aller à un endroit est de faire l'effort de marcher jusqu'à celui-ci. Il prend tout de suite beaucoup plus de valeur qu'un site qui est également accessible en voiture. On a l'impression de mériter cet endroit.

3 Le plaisir de randonner s'exprime parfois quand on teste ses limites. Même si c'est difficile, c'est extrêmement agréable d'affronter des difficultés et de réussir un défi. Et le challenge est vraiment personnel : arriver en haut d'une montée, marcher 10 km, ou traverser l'Himalaya à pied.

4 Manger, boire, dormir, se déplacer… et se débarrasser pour un moment de toutes les choses matérielles auxquelles le monde moderne nous a habitués. Randonner permet d'avoir du temps et d'être au calme, de quitter son addiction au téléphone par exemple. On n'a plus besoin de s'occuper de trop de choses en même temps.

5 Il n'y a rien de plus chaleureux qu'une discussion devant un feu dans un refuge ou dehors sous les étoiles. Et on peut rencontrer des gens extraordinaires avec lesquels on partage cette passion. Randonner, c'est également un moment de plaisir à partager avec les personnes que nous aimons. Raconter nos souvenirs de randonnée nous donne le sourire et l'envie d'y retourner !

6 Marcher est excellent pour la santé. Comme après toute activité qui mobilise notre corps, on se sent mieux physiquement et moralement. La randonnée permet à chacun d'être plus détendu et plus relâché, malgré parfois quelques petites douleurs après une longue ascension !

Ex. : Le texte explique pourquoi la randonnée est une activité agréable. ☑ Vrai ☐ Faux
Justification : 6 (excellentes) raisons de randonner !

a. D'après l'article, il est important de pouvoir sortir des sentiers dont on a l'habitude. ☐ Vrai ☐ Faux
Justification : _____

b. C'est mieux de marcher vers des lieux où on ne peut pas aller en voiture. ☐ Vrai ☐ Faux
Justification : _____

c. Réussir une randonnée un peu difficile permet d'avoir des émotions positives. ☐ Vrai ☐ Faux
Justification : _____

d. Seuls les exploits reconnus par tous peuvent donner des sensations de bien-être. ☐ Vrai ☐ Faux
Justification : _____

e. Quand on fait de la randonnée, on peut se concentrer sur des choses essentielles et oublier ses contraintes. ☐ Vrai ☐ Faux
Justification : _____

f. Il vaut mieux randonner avec des amis qu'avec des gens inconnus. ☐ Vrai ☐ Faux
Justification : _____

LEÇON 34

2 Associez un titre à chaque paragraphe de l'article du magazine.

Ex. : Pour profiter de la nature → paragraphe 1

a. Pour se dépasser physiquement et mentalement → paragraphe ....
b. Pour rencontrer des personnes partageant la même passion → paragraphe ....
c. Pour aller dans des lieux seulement accessibles à pied → paragraphe ....
d. Pour se sentir bien physiquement et moralement → paragraphe ....
e. Pour se concentrer sur des choses simples → paragraphe ....

VOCABULAIRE

La randonnée (2)

3 Regardez les photos et soulignez le mot ou le groupe de mots qui convient.

Ex. : C'est un <u>randonneur</u> • astronaute • navigateur.
a. Il regarde **une chaîne de montagne** • **une évasion** • **un refuge**.
b. Il tient à la main **un sentier** • **un bâton** • **une tente**.

c. Elles sont **dans une tente** • **en plein air** • **dans un refuge**.
d. Elles **montent une tente** • **marchent sur un sentier** • **font une ascension**.

e. Ils **font une ascension** • **montent une tente** • **marchent sur un chemin**.
f. Ils vont vers **un village** • **un refuge** • **une chaîne de montagne**.

L'espace

4 Complétez l'article avec les mots ou expressions suivants :

astronaute • station orbitale • amerrir • apesanteur • en orbite • vol • altitude • décollé • espace

Le voyage de Thomas Pesquet

Thomas Pesquet est l'<u>astronaute</u> français qui a passé le plus de temps dans l'................ . La fusée Falcon 9 de la mission Alpha a .... le 23 avril 2021 de la Guyane pour atteindre la .... SSI. Pendant les six mois de sa mission, il est resté .... à plus de 400 km d'................ . Il a vécu et travaillé en .... Au retour, il a fait un .... de huit heures pour .... dans l'océan Atlantique.

cent vingt et un 121

UNITÉ 9 — Leçon 34 : Parler du tourisme

GRAMMAIRE

Le futur antérieur

5 **Indiquez la chronologie des actions. Numérotez 1, 2 ou 3.**

Ex. : Quand nous aurons fini notre voyage (1), nous pourrons commencer à travailler (2).

a. Dès que vous serez rentré à la maison (____), vous aurez envie de repartir faire une randonnée (____).

b. Les astronautes devront rester huit jours dans la station orbitale (____), avant de partir, ils auront été bien entraînés (____).

c. Tu auras commencé ta descente (____) en Isère quand je reviendrai au refuge (____).

d. Dans un an, j'aurai fini mes études (____) et je serai diplômé (____), je partirai faire le tour du monde à vélo (____).

e. Les randonnées dans la nature seront certainement appréciées cet été (____) par les familles qui seront restées en ville toute l'année (____).

f. À la fin du printemps, vous pourrez monter en altitude (____) pour voir les animaux qui auront passé l'hiver sous terre (____).

g. Les voyages dans l'espace seront une forme d'évasion pour les aventuriers (____) quand les tests seront terminés (____).

6 **Conjuguez les verbes au futur simple ou au futur antérieur.**

Ex. : Je **déciderai** (décider) d'y participer quand nous **aurons obtenu** (obtenir) plus d'informations sur la randonnée.

a. Il _____ (falloir) faire encore quelques efforts quand nous _____ (quitter) le sommet.

b. Quand nous _____ (partir) au Népal, nous _____ (s'entraîner beaucoup) physiquement.

c. Tu _____ (savoir) mieux quoi faire quand tu _____ (réfléchir) aux différentes propositions.

d. Quand nous _____ (revenir) de la randonnée dans la Vallée des Merveilles, nous _____ (avoir) des histoires à raconter.

e. Vous _____ (pouvoir) commencer à dîner dès que les autres randonneurs _____ (arriver) au refuge.

Les pronoms relatifs composés

7 **Reliez le début à la fin de la phrase.**

a. C'est la station orbitale • • 1. sur lequel j'ai eu beaucoup de mal à marcher.
b. J'ai rencontré au refuge deux amies • • 2. avec lesquelles j'ai terminé la randonnée.
c. Tu as emporté la tente • • 3. dans laquelle l'astronaute a séjourné.
d. Ils sont partis avec un guide • • 4. auquel les astronautes auront participé.
e. Nous avons pris un sentier • • 5. dans laquelle nous avions dormi ?
f. Voici le refuge • • 6. de laquelle il avait décollé.
g. Ce sera le plus long vol dans l'espace • • 7. duquel tous les chemins de randonnée partent.
h. L'avion a atterri sur la base aérienne • • 8. grâce auquel ils ont pu éviter l'accident.

LEÇON **34**

8 Faites une seule phrase avec un pronom relatif composé.

Ex. : J'ai fait une randonnée dans les Pyrénées. Grâce à cette randonnée, j'ai rencontré un ami merveilleux.
→ J'ai fait une randonnée dans les Pyrénées grâce à laquelle j'ai rencontré un ami merveilleux.

a. Nous sommes revenus de notre voyage spatial. Pour ce voyage, nous nous étions beaucoup entraînés.
→ ....

b. Vous avez passé des vacances actives. Pendant ces vacances, vous avez fait beaucoup de randonnées.
→ ....

c. Mes équipiers sont des amis d'enfance. J'ai déjà beaucoup voyagé avec mes amis d'enfance.
→ ....

d. Voici le refuge. On a une vue exceptionnelle de ce refuge.
→ ....

Dictée

9 🎧 83 Écoutez et écrivez les phrases.

COMMUNIQUER

10 Vous prévoyez de faire la Grande Traversée des Alpes. Vous décrivez cette randonnée sur votre blog. Aidez-vous de vos notes et de l'itinéraire.

Itinéraire :
De Nice au lac Leman :
environ 600 km de marche,
30 000 m de dénivelé
36 étapes, refuges,
3 semaines à un mois

Matériel nécessaire :
• Vêtements adaptés à la saison et aux conditions (froid, chaud, humide…)
• Chaussures de randonnée confortables
• Bâtons de randonnée
• Tente

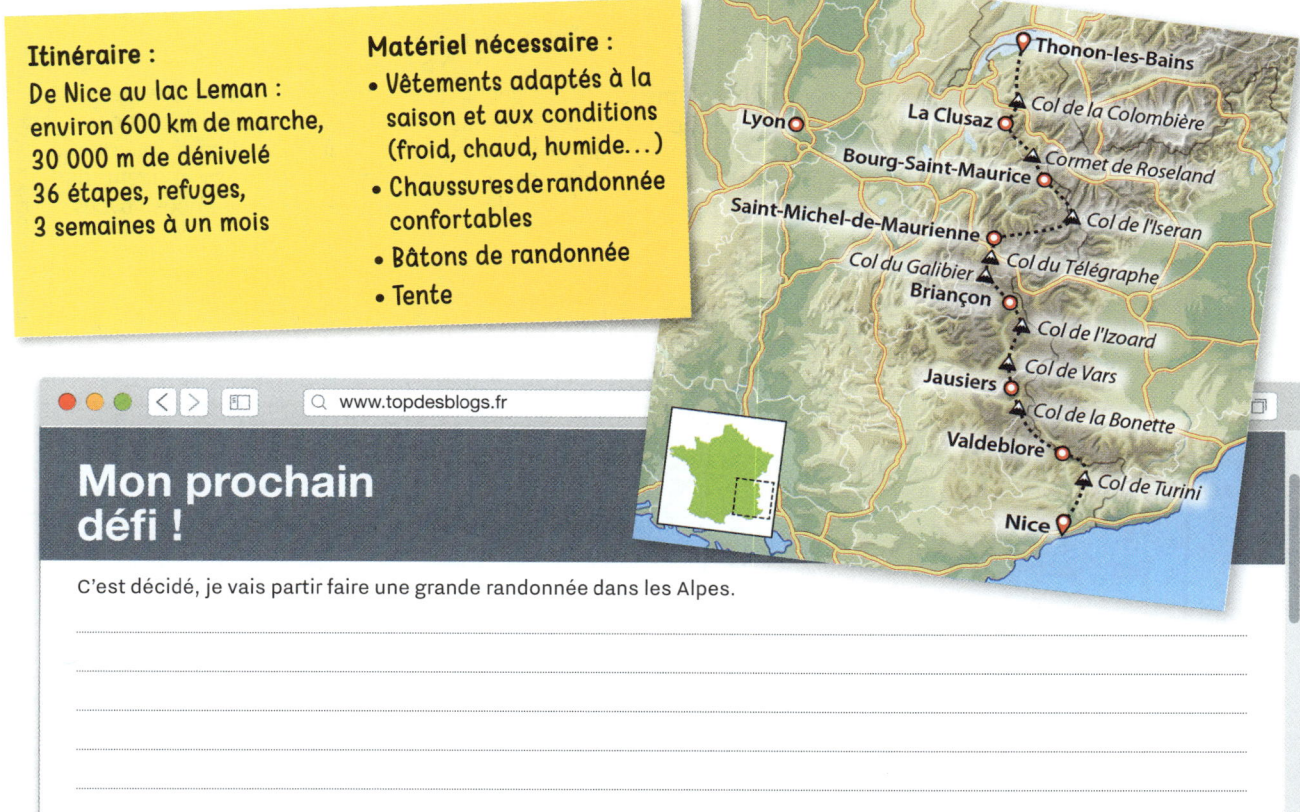

Mon prochain défi !

C'est décidé, je vais partir faire une grande randonnée dans les Alpes.

11 Vous êtes sélectionné(e) pour un séjour dans la Station spatiale internationale prévu dans deux ans. Racontez votre préparation physique et mentale pour ce voyage à un(e) ami(e). Enregistrez-vous.

Leçon 35 — Réfléchir au voyage

COMPRENDRE

1 Lisez l'article et répondez aux questions en reformulant les informations de l'article.

DÉTENTE

Repenser le voyage SANS BOUGER

VOYAGER EN RESTANT CHEZ SOI
Transformons notre salon en d'autres lieux : une bibliothèque, une salle de classe, un centre culturel, une salle de cinéma, de théâtre, de concert, un lieu de performances… Et apprenons à voyager chez nous, à travers la lecture, les films, les documentaires, des visites virtuelles de musées mais aussi des chansons, des musiques, des podcasts… Du canapé ou de notre chaise, partons en voyage, à la découverte de destinations, de modes de vie et de cultures inconnus.

VOYAGER IMMOBILE, AILLEURS
Le voyage immobile se pratique aussi hors de chez soi. Choisissons un endroit idéal qui nous inspire : un hôtel, un camping, un refuge, un bateau, la maison d'un copain… Ailleurs, laissons derrière nous les préoccupations du quotidien et installons-nous dans ce nouvel endroit. Il s'agit de se poser et d'entreprendre un ou des voyage(s) immobile(s) en fonction de ses envies, de se laisser du temps et de consacrer ce voyage à la contemplation, puis de voir ensuite où il nous mène. Rien n'empêche de se fixer des objectifs : méditer, écrire, réfléchir, faire du sport, du yoga, s'éloigner de mauvaises habitudes ou de relations difficiles, ou pas. Les destinations tout comme les itinéraires sont infinis dans les voyages immobiles.

VOYAGER EN SATISFAISANT SES SENS
Revenons à la maison et réinventons la nôtre en fonction de nos goûts, de nos destinations préférées, de nos envies et de nos découvertes. Et voyageons chez nous à travers nos sens. Commençons par le goût et l'odorat en cuisinant des plats qui nous font voyager, retrouver l'odeur d'un petit restaurant russe, d'un marché aux épices marocain, d'un dîner américain. En plus de la gastronomie, pensons aussi à notre décor et agençons notre lieu de vie pour qu'il soit le plus propice aux explorations intérieures, à partir de ce que nous voyons, touchons et écoutons autour de nous…

INVENTER DES VOYAGES
Les voyages immobiles stimulent la créativité. Nous serons heureux que nos rêves prennent forme. Quel que soit notre choix, chez nous ou ailleurs, inventons des voyages, comme Charles Baudelaire, pour qui « les plus beaux voyages sont ceux que l'on imagine », loin du réel.

Ex. : Quel est l'objectif de cet article ?
→ L'objectif de cet article est de proposer des idées pour voyager autrement.

a. D'après l'article, comment commence le voyage immobile ?
→

b. D'après l'article, est-ce qu'il est nécessaire de ne rien faire ?
→

c. Que conseille l'article pour pratiquer le voyage immobile ailleurs qu'à la maison ?
→

d. D'après l'article, quelles sont les trois façons de voyager sans partir de chez soi ?
→

e. Finalement, d'après l'article, quel est le point commun entre ces différentes façons de voyager autrement ?
→

VOCABULAIRE

Le voyage

2 Soulignez le verbe qui a un sens proche.

Ex. : contempler : admirer • s'arrêter • trouver

a. **découvrir :** circuler • trouver • amerrir

b. **explorer :** avancer • s'en aller • examiner

c. **se déplacer :** rester • circuler • décoller

d. **s'éloigner :** s'en aller • revenir • admirer

e. **se poser :** partir • circuler • s'installer

f. **vagabonder :** atterrir • examiner • se promener

g. **s'installer :** se promener • emménager • arriver

La localisation (2)

3 Complétez les phrases avec *nulle part, n'importe où, ailleurs, partout* ou *quelque part*. Plusieurs réponses sont possibles.

Ex. : Le poète ne va nulle part aujourd'hui, il reste chez lui.

a. Mon amie n'a pas retrouvé son billet de train, pourtant elle l'a cherché _____ !

b. Je n'aime pas cet endroit, on peut aller _____ ?

c. Le voyageur lui demande s'il peut l'emmener _____.

d. L'équipage a beaucoup voyagé, il est allé _____ dans le monde.

e. Nous voulons bien partir faire une randonnée, mais nous ne voulons pas aller _____ !

f. – Tu veux partir en voyage ? – Non, je ne veux voyager _____.

g. Elles adorent leur village et elles ne voudraient pas habiter _____.

h. Le navire est très bien équipé, il peut naviguer _____.

4 Lisez les phrases et complétez comme dans l'exemple. Plusieurs réponses sont possibles.

Ex. : Du haut de son monastère, le moine a décidé de rester ici, puis il a quitté le lieu sacré pour partir ailleurs.

a. Je regrette de devoir quitter cet endroit pour aller quelque part, j'aurais préféré n'aller _____.

b. L'aventurier peut voyager n'importe où dans le monde, il se sent bien _____.

c. Quand on reste chez soi, le principe du voyage immobile, c'est de ne voyager _____ physiquement et de pouvoir aller _____ en pensée.

La mer (2), le sacré

5 Reliez les mots à leur définition.

a. Source de la pensée et des idées.   • 1. un moine
b. Mouvement de la mer.   • 2. l'esprit
c. Bord de mer.   • 3. un phare
d. Lieu où vivent les moines.   • 4. la houle
e. Tour pour guider les bateaux.   • 5. un monastère
f. Homme religieux vivant en communauté.   • 6. un sanctuaire
g. Bateau.   • 7. un rivage
h. Lieu religieux.   • 8. un navire

Unité 9 — Leçon 35 : Réfléchir au voyage

Le voyage, les sentiments

6 Complétez le témoignage de Candice avec les mots ou expressions suivants :

découvrir • laisser derrière moi • immobile • triste • vagabonder • regrette • me poser • plaisir • contempler • heureuse

J'aime les voyages intérieurs qui permettent de me *découvrir* toujours un peu plus. Quand je me déplace pendant mes vacances, je m'arrête souvent pour _____ un lieu ou un paysage qui me plaît. Je peux _____ plusieurs heures au même endroit, _____, et je laisse mes pensées _____. C'est une grande source de _____, je me sens _____ et détendue. Plus rien n'a d'importance, j'ai l'impression de _____ mes problèmes du quotidien… Quand je rentre chez moi et que je reprends mes activités, je _____ souvent ces merveilleux moments. Je suis _____ de ne pas pouvoir recommencer rapidement.

GRAMMAIRE

Le subjonctif (4)

7 Reliez le début et la fin de la phrase.

a. Je suis heureuse
b. Les voyageurs sont tristes
c. Il regrette
d. Vous êtes contents
e. Nous sommes déçus
f. Tu es surpris
g. Ils sont heureux
h. Elle est satisfaite

1. de ne pas avoir pu se reposer pendant ses vacances.
2. d'avoir pu voyager quand j'étais jeune.
3. que les sites naturels où nous nous promenons ne soient pas mieux protégés.
4. que le monastère où ils ont passé leurs vacances soit détruit.
5. d'avoir revu les endroits qu'elle adore.
6. que leurs amis soient venus les chercher.
7. d'avoir programmé votre randonnée dans les Alpes.
8. que ta sœur ait choisi ce voyage ?

8 Lisez les phrases et conjuguez les verbes au subjonctif.

Ex. : Nous sommes contents que vous *veniez* (venir) avec nous en vacances.

a. Es-tu heureux qu'il _____ (aller) séjourner dans un monastère ?
b. Je suis étonnée que les gens _____ (vouloir) voyager si vite.
c. Le voyageur est triste que le tourisme _____ (détruire) les sites naturels.
d. Je regrette que ton navire _____ (ne pas être) disponible.
e. Mon père est surpris que nous _____ (pouvoir) passer autant de temps à contempler la mer.
f. Vous êtes contents que nous _____ (rester) à la maison ?
g. La randonneuse est heureuse qu'il _____ (faire) beau aujourd'hui.
h. L'aventurière est satisfaite que son équipier _____ (savoir) aussi bien naviguer.

LEÇON 35

9 Complétez les phrases avec le verbe au subjonctif, à l'indicatif ou à l'infinitif.

Ex. : Il participe à ce voyage en bateau. Il est heureux *de participer à ce voyage en bateau*.

a. Vous emportez des vêtements chauds. Il faut _____ .

b. Le navire part à l'heure. Je ne suis pas sûre _____ .

c. Les moines peuvent rester dans ce monastère. Croyez-vous _____ ?

d. Elle ne sait pas naviguer. Elle regrette _____ .

e. Nous nous posons pour contempler ce paysage. J'aimerais _____ .

f. Vous n'êtes pas capables d'explorer ces chemins. Je suis triste _____ .

g. Tout le monde connaît le plaisir de contempler un paysage. Il pense _____ .

h. Vous faites l'ascension du Kilimandjaro. Elle est contente _____ .

Dictée

10 84 Écoutez et écrivez les phrases.

COMMUNIQUER

11 Racontez le voyage immobile de Bastien sur votre blog.

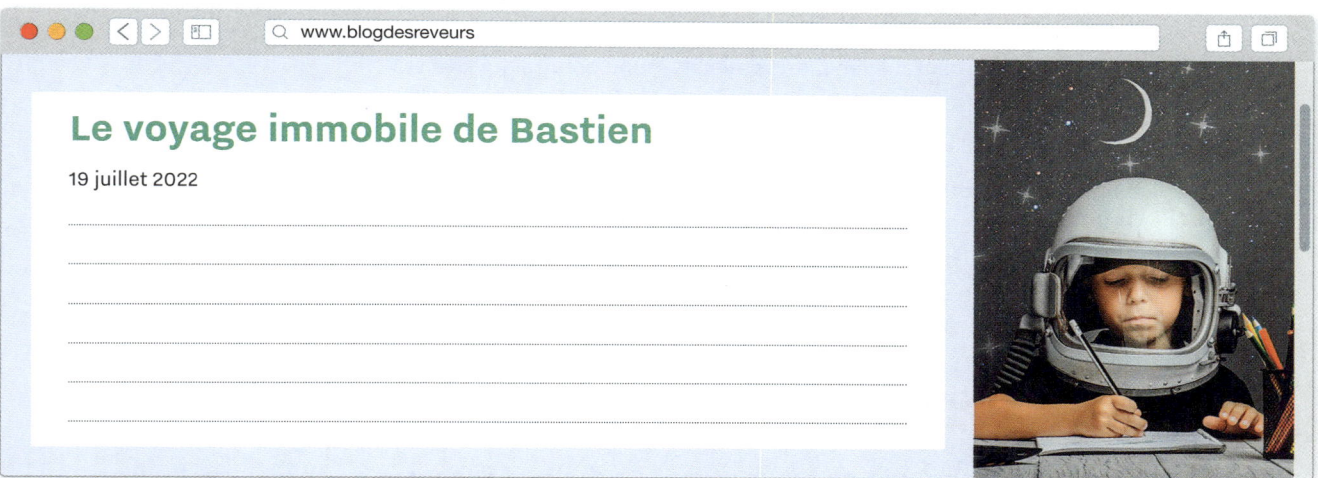

Le voyage immobile de Bastien
19 juillet 2022

12 Vous avez passé trois semaines dans un phare au bord de la mer. Vous racontez votre expérience. Enregistrez-vous.

PHONÉTIQUE

Les accentuations et les intonations

13 85 Écoutez. Soulignez les mots sur lesquels porte l'accent d'insistance.

J'aime le voyage intérieur qui nous permet de nous découvrir nous-mêmes. Quand je trouve un endroit qui me plaît, je peux me poser plusieurs heures au même endroit, immobile, et je laisse alors mon esprit vagabonder, je quitte les rivages de ma vie quotidienne.

BILAN

🎧 Compréhension orale   10 points

1 🎧 86 **Écoutez le témoignage de Théa et cochez les réponses correctes.**

a. Que raconte Théa dans son témoignage ?   *1 point*
  ☐ Elle raconte une randonnée dans l'Himalaya.
  ☐ Elle décrit des paysages autour du refuge de Vashisht.
  ☐ Elle parle d'une expérience de voyage différente.

b. Que s'est-il passé quand le groupe est arrivé au refuge ?   *2 points*
  ☐ Il n'y avait pas assez de place et Théa a dû dormir ailleurs.
  ☐ Théa a eu un accident et son voyage s'est arrêté.
  ☐ Théa n'a pas supporté l'altitude et a été malade.

c. Quelle décision a pris Théa au refuge ?   *2 points*
  ☐ Théa a voulu rester plus longtemps pour découvrir les environs.
  ☐ Théa a choisi d'attendre ses amis.
  ☐ Théa a décidé de revenir trois semaines après.

d. Qu'a fait Théa pendant son séjour à Vashisht ?   *2 points*
  ☐ Elle a rencontré plusieurs habitants du village.
  ☐ Elle s'est entraînée à marcher dans la montagne.
  ☐ Elle a contemplé les paysages.

e. Quelle habitude a pris Théa après quelques jours ?   *2 points*
  ☐ Elle allait discuter tous les matins avec le jeune peintre qui vivait là.
  ☐ Elle prenait des notes sur les livres qu'elle lisait.
  ☐ Elle allait se baigner dans des sources d'eau chaude.

f. Comment s'est sentie Théa à la fin de son séjour ?   *1 point*
  ☐ Elle était heureuse d'avoir eu du temps pour elle.
  ☐ Elle était triste de ne pas avoir pu explorer les environs.
  ☐ Elle était contente que ses amis soient revenus.

💬 Production orale   10 points

2 Expliquez à un(e) ami(e) ce qu'est un voyage immobile et donnez votre opinion sur le sujet.

✏️ Production écrite   10 points

3 Vous racontez votre randonnée dans les Pyrénées sur votre blog. Aidez-vous de vos photos.

Compréhension écrite 10 points

4 Lisez l'article du magazine et cochez Vrai ou Faux. Justifiez votre réponse avec une phrase de l'article.

---

www.lemondeduvoyage

DESTINATION   ITINÉRAIRES   TÉMOIGNAGES   **LIVRES**   Rechercher

Nous avons lu pour vous…

Sur les chemins noirs de Sylvain Tesson

« Je vais sortir. Il faut oublier aujourd'hui les vieux chagrins, car l'air est frais et les montagnes sont élevées. Les forêts sont tranquilles comme le cimetière. Cela va me guérir et je ne serai plus malheureux maintenant. » C'est par cette citation de Thomas de Quincey que commence le livre *Sur les chemins noirs*.

On comprend très vite : marcher, arpenter les chemins, c'est la thérapie que Sylvain Tesson a choisie pour guérir après qu'il a fait une chute de huit mètres, un an plus tôt. Celle-ci a eu de graves conséquences sur son état physique et psychologique. Comme il le dit lui-même : « J'avais pris cinquante ans en huit mètres. » Lui qui avait l'habitude, avant d'avoir ce terrible accident, de parcourir le monde sans faire attention à la fatigue, ni aux douleurs du corps, doit se reconstruire. Il rejette l'idée de passer de longs mois en rééducation. Pendant son séjour à l'hôpital, il prend une décision très forte : « Si je m'en sors, je traverse la France à pied. » L'itinéraire de Sylvain Tesson tracerait une diagonale, du sud-est au nord-ouest de la France, du Mercantour au Cotentin. Mais cette traversée à pied de l'Hexagone, il ne veut pas la faire n'importe comment. Il empruntera des sentiers, ceux que l'on a oubliés et qui nous permettent d'avancer en étant caché du monde. Il s'agit de ces petits chemins, loin des routes et des circuits de randonnée habituels, grâce auxquels on peut voyager tranquillement…

Dès qu'il sort de l'hôpital, Sylvain Tesson décide de tenir la promesse qu'il s'est faite. Équipé de son sac à dos et de ses bâtons de marche, il part sur ces chemins. Autoroute, TGV, 4G… Le monde n'aime plus la lenteur. Il faut que tout aille vite ! Mais cette vitesse qui « chasse le paysage », Sylvain Tesson la déteste. Il regrette qu'on ne prenne pas le temps de marcher pour profiter du monde, méditer, philosopher aussi parfois. La lenteur, à laquelle nous ne sommes plus habitués, rend libre. Pour que rien ne vienne perturber sa promenade, il faudra des sentiers appropriés pour vagabonder. Peut-on vraiment traverser toute la France sans prendre une seule route, sans croiser aucune voie ferrée ? Est-il encore possible de marcher plusieurs semaines sans croiser un centre commercial, un parking ou une tour de béton ? Sylvain Tesson en rêve…

---

a. L'article est un compte rendu de lecture. ☐ Vrai ☐ Faux
Justification : _____ *1 point*

b. Sylvain Tesson a choisi de marcher pour s'éloigner du stress de sa vie quotidienne. ☐ Vrai ☐ Faux
Justification : _____ *1 point*

c. Sylvain Tesson a décidé de partir à pied visiter la France alors qu'il n'était pas encore guéri. ☐ Vrai ☐ Faux
Justification : _____ *2 points*

d. L'important pour Sylvain Tesson, c'est de parcourir le chemin le plus direct possible. ☐ Vrai ☐ Faux
Justification : _____ *2 points*

e. Sylvain Tesson est parti après avoir passé plusieurs semaines chez lui à se reposer. ☐ Vrai ☐ Faux
Justification : _____ *1 point*

f. D'après l'article, Sylvain Tesson était content que la randonnée soit rapide. ☐ Vrai ☐ Faux
Justification : _____ *2 points*

g. L'article interroge sur la possibilité de trouver des chemins dans la nature qui n'aient pas été modifiés par la présence humaine. ☐ Vrai ☐ Faux
Justification : _____ *1 point*

Portfolio

Pour chaque affirmation, cochez une des trois cases :

🙂 **Je peux très bien le faire !**

😐 **Je peux le faire, mais j'ai des difficultés.**

☹️ **Je ne peux pas encore le faire.**

Quand vous cochez 😐 **ou** ☹️**, révisez l'unité correspondante et faites à nouveau les exercices.**

UNITÉ 1

	À l'oral 🙂 😐 ☹️	À l'écrit 🙂 😐 ☹️
Je peux…		
me présenter, parler de mon caractère, de mes goûts et de mes activités.		
comparer des générations.		
donner des conseils.		
faire des prévisions.		
expliquer les différences culturelles.		
Je comprends…		
quand quelqu'un se présente (caractère, goûts, activités).		
quand quelqu'un parle de différences générationnelles.		
quand quelqu'un donne des conseils.		
quand quelqu'un fait des prévisions.		
quand quelqu'un explique des différences culturelles.		

UNITÉ 2

	À l'oral 🙂 😐 ☹️	À l'écrit 🙂 😐 ☹️
Je peux…		
parler de mon engagement.		
exprimer une opposition.		
faire un récit au passé.		
parler de mon parcours professionnel.		
donner mon opinion.		
commenter un sondage.		
nuancer mon propos.		
Je comprends…		
quand quelqu'un parle de son engagement et des inégalités.		
quand quelqu'un raconte un événement du passé.		
quand quelqu'un exprime une opinion.		
quand quelqu'un nuance son propos.		

Portfolio

UNITÉ 3

	À l'oral			À l'écrit		
	🙂	😐	🙁	🙂	😐	🙁

Je peux...

donner des renseignements.						
exprimer une obligation, un souhait.						
parler d'un service en ligne.						
faire des recommandations.						
faire des hypothèses.						
raconter une expérience.						
exprimer un jugement.						

Je comprends...

quand quelqu'un donne des renseignements.						
quand quelqu'un exprime une obligation ou un souhait.						
quand quelqu'un parle d'un service en ligne.						
quand quelqu'un fait des recommandations.						
quand quelqu'un fait une hypothèse.						
quand quelqu'un raconte une expérience.						
quand quelqu'un exprime un jugement.						

UNITÉ 4

	À l'oral			À l'écrit		
	🙂	😐	🙁	🙂	😐	🙁

Je peux...

parler de mes loisirs et du temps libre.						
m'informer sur les pratiques de loisirs.						
faire des prévisions.						
parler d'un fait de société et en décrire l'évolution.						
demander des renseignements.						
rédiger une courte fiction.						
faire une proposition.						

Je comprends...

quand quelqu'un parle de ses loisirs et décrit des pratiques.						
quand quelqu'un décrit un fait de société.						
quand quelqu'un fait des prévisions.						
quand quelqu'un donne ou demande des renseignements.						
Quand quelqu'un parle du temps libre.						

cent trente et un 131

Portfolio

	À l'oral ☺ 😐 ☹	À l'écrit ☺ 😐 ☹
Je peux…		
proposer un projet citoyen.		
faire visiter/décrire un lieu.		
parler des transformations de la ville.		
décrire mon lieu de vie et mon logement.		
situer des événements dans le passé.		
exprimer la manière ou la simultanéité d'une action.		
raconter et commenter un roman.		
Je comprends…		
quand quelqu'un décrit un lieu/un logement.		
quand quelqu'un décrit les transformations de la ville.		
quand quelqu'un parle d'événements du passé.		
quand quelqu'un précise la manière ou la simultanéité d'une action.		
quand quelqu'un raconte et commente un roman.		

	À l'oral ☺ 😐 ☹	À l'écrit ☺ 😐 ☹
Je peux…		
parler d'une œuvre d'art et la décrire.		
donner une appréciation et nuancer un avis.		
parler du rôle de l'art et de son utilité.		
parler des différentes formes d'art.		
exprimer des contradictions.		
structurer mon discours.		
Je comprends…		
la description d'une œuvre d'art.		
quand quelqu'un donne une appréciation et nuance un avis.		
quand quelqu'un parle du rôle de l'art et de son utilité.		
quand quelqu'un relève des contradictions.		
la structure d'un discours.		

cent trente-deux

Portfolio

UNITÉ 7

	À l'oral ☺ 😐 ☹	À l'écrit ☺ 😐 ☹
Je peux…		
parler des métiers de l'information et des médias.		
exprimer un but, un objectif.		
animer un débat.		
alerter sur les risques d'une pratique.		
rapporter les propos de quelqu'un.		
réagir à un propos, à une situation.		
Je comprends…		
quand quelqu'un parle d'information et de médias.		
quand quelqu'un exprime un but, un objectif.		
quand quelqu'un parle des risques d'une pratique.		
quand quelqu'un rapporte des propos.		
quand quelqu'un réagit à un propos, une situation.		

UNITÉ 8

	À l'oral ☺ 😐 ☹	À l'écrit ☺ 😐 ☹
Je peux…		
parler des changements climatiques.		
exprimer un regret ou un reproche.		
exprimer des hypothèses dans le passé.		
parler des droits des animaux et prendre position.		
expliquer des règles.		
exprimer un doute.		
Je comprends…		
quand quelqu'un parle de changements climatiques.		
quand quelqu'un exprime des regrets ou des reproches.		
quand quelqu'un fait des hypothèses dans le passé.		
une prise de position sur les droits des animaux.		
quand quelqu'un explique des règles.		
quand quelqu'un exprime des doutes.		

Portfolio

	À l'oral :) :| :(	À l'écrit :) :| :(
Je peux…		
raconter une expérience de voyage.		
expliquer mes motivations.		
exprimer l'antériorité, la simultanéité, la postériorité d'une action.		
préciser mon récit.		
faire des prévisions.		
exprimer des sentiments.		
Je comprends…		
un récit de voyage.		
quand quelqu'un explique ses motivations.		
quand quelqu'un exprime l'antériorité, la simultanéité, la postériorité d'une action.		
quand quelqu'un fait des prévisions.		
quand quelqu'un exprime des sentiments.		

I. COMPRÉHENSION DE L'ORAL 25 POINTS

🎧 87 **Vous allez écoutez plusieurs documents. Il y a deux écoutes. Pour répondre aux questions, cochez la bonne réponse.**

Exercice 1 Comprendre une interaction entre locuteurs natifs   7 points

Vous écoutez une conversation.

🎧 88 **Lisez les questions. Écoutez le document puis répondez.**

1. Louise et Bastien parlent…   1 point
   - ☐ a. de leurs amis de Lyon.
   - ☐ b. des études de Louise à Lyon.
   - ☐ c. de l'installation de Louise à Lyon.

2. Louise est satisfaite de son logement parce qu'…   1 point
   - ☐ a. il est bien situé.
   - ☐ b. il n'est pas cher.
   - ☐ c. il est confortable.

3. Face au choix de Louise, Bastien se montre…   1,5 point
   - ☐ a. surpris.
   - ☐ b. négatif.
   - ☐ c. enthousiaste.

4. Louise trouve que sa cohabitation avec Martine comporte…   1,5 point
   - ☐ a. peu de contraintes.
   - ☐ b. quelques contraintes.
   - ☐ c. beaucoup de contraintes.

5. Pour Louise, choisir la cohabitation avec une personne âgée a des avantages…   1 point
   - ☐ a. pour soi-même.
   - ☐ b. pour la personne âgée.
   - ☐ c. pour les deux cohabitants.

6. Finalement Bastien pense que la cohabitation entre générations est…   1 point
   - ☐ a. une solution obligée
   - ☐ b. une solution extrême   … pour les étudiants.
   - ☐ c. une solution équilibrée

Exercice 2 Comprendre une émission de radio (domaine public)   9 points

Vous écoutez la radio.

🎧 89 **Lisez les questions. Écoutez le document puis répondez.**

1. L'initiative présentée dans l'émission s'inspire d'…   1,5 point
   - ☐ a. une pratique locale.
   - ☐ b. une tradition italienne.
   - ☐ c. un règlement municipal.

cent trente-cinq 135

DELF B1

2. Le billet suspendu est…   `1 point`
   - ☐ a. offert par le théâtre.
   - ☐ b. acheté par un spectateur.
   - ☐ c. financé par le gouvernement.

3. Caroline Simon pense que les billets suspendus pour les spectacles favorisent…   `1 point`
   - ☐ a. la sélection du public.
   - ☐ b. la participation de tous.
   - ☐ c. la promotion des spectacles.

4. L'argent pour les billets suspendus est directement versé…   `1,5 point`
   - ☐ a. à la caisse du théâtre.
   - ☐ b. à des associations caritatives.
   - ☐ c. aux personnes qui le demandent.

5. Selon Caroline Simon, les billets suspendus au Festival Travelling…   `1 point`
   - ☐ a. ont été un échec.
   - ☐ b. ont eu du succès.
   - ☐ c. ont eu peu de succès.

6. Les billets suspendus du Festival Travelling…   `1,5 point`
   - ☐ a. sont de couleur différente.
   - ☐ b. portent une mention spéciale.
   - ☐ c. sont identiques aux autres billets.

7. Pour que cette initiative fonctionne bien, l'institution doit…   `1,5 point`
   - ☐ a. connaître les bénéficiaires.
   - ☐ b. faire confiance aux bénéficiaires.
   - ☐ c. vérifier la situation des bénéficiaires.

Exercice 3 Comprendre une émission de radio (domaine professionnel)   `9 points`

Vous écoutez la radio.

🎧 90 **Lisez les questions. Écoutez le document puis répondez.**

1. Cette émission traite le thème du tourisme…   `1 point`
   - ☐ a. urbain.
   - ☐ b. spatial.
   - ☐ c. écologique.

2. D'après le journaliste, le tourisme dans le cosmos…   `1 point`
   - ☐ a. disparaîtra bientôt.
   - ☐ b. va se développer très vite.
   - ☐ c. sera réservé à quelques personnes.

3. En France, dans certaines zones, on peut facilement observer les étoiles parce que…   `1,5 point`
   - ☐ a. le ciel est très clair.
   - ☐ b. il n'y a pas de nuages.
   - ☐ c. il n'y a pas de lumière artificielle.

DELF B1

4. On peut aussi faire du tourisme dans le cosmos depuis son habitation à condition d'avoir... 1 point
   - a. un planétarium.
   - b. un équipement spécial.
   - c. une connexion Internet.

5. En France, le nombre de planétariums est de... 1,5 point
   - a. 70.
   - b. 170.
   - c. 270.

6. À Toulouse, l'accès à la Cité de l'espace... 1,5 point
   - a. est ouvert à tous.
   - b. réservé aux étudiants.
   - c. réservé aux astronautes.

6. En Floride, aux États-Unis, un site propose... 1,5 point
   - a. d'entrer dans une fusée.
   - b. de rencontrer des astronautes.
   - c. d'assister au départ d'une fusée.

II COMPRÉHENSION DES ÉCRITS 25 POINTS

Exercice 1 Lire pour s'orienter   8 points

Très sensible au thème de l'agriculture bio, vous souhaitez faire une expérience de woofing, c'est-à-dire aller travailler bénévolement dans une exploitation agricole. Vous consultez un site spécialisé pour trouver un séjour répondant aux critères suivants :
– contact avec des animaux ;
– temps libre dans la journée ;
– durée du séjour : 10 jours minimum ;
– nourriture végétarienne.

Vous comparez ces annonces : pour chaque annonce, cochez OUI si cela correspond au critère ou NON si cela ne correspond pas.

DOC. 1

Éco ferme de l'Azuré

Petite ferme bio depuis 2010, 90 chèvres. Transformation de toute la production en fromages et yaourts. Vente sur les marchés et magasins de proximité.
Nos horaires sont approximativement, le matin 8 h-12 h et en fin de journée 17 h-19 h 30 environ. Pendant vos deux semaines parmi nous, nous vous proposons de nous accompagner soit 4 h le matin, soit 2 h le matin et 2 h en fin de journée. Les après-midi sont généralement libres sauf cas particuliers (marchés, accueil ou tâches exceptionnelles). Les repas à base de viandes et de légumes de producteurs locaux seront pris autour d'une grande table sous un châtaigner centenaire.

	OUI	NON
1. Contact avec les animaux	☐	☐
2. Temps libre dans la journée	☐	☐
3. Durée du séjour : 10 jours minimum	☐	☐
4. Nourriture végétarienne	☐	☐

cent trente-sept

DELF B1

DOC. 2

Ferme de l'Aufrère

Nos activités : un élevage de vaches à lait, de nombreux légumes cultivés en agriculture biologique et la vigne.
Nous privilégions les circuits courts et vendons nos produits aux consommateurs locaux. Pendant votre semaine parmi nous, des activités très variées selon la saison vous seront proposées toute la journée. Au jardin, vous pourrez semer, planter, entretenir les cultures, récolter… Vous pourrez également participer aux travaux liés aux animaux, sans oublier la préparation des repas végétariens ou pas. En soirée, vous serez libre de rester en notre compagnie ou bien de sortir au village.

	OUI	NON
1. Contact avec les animaux	☐	☐
2. Temps libre dans la journée	☐	☐
3. Durée du séjour : 10 jours minimum	☐	☐
4. Nourriture végétarienne	☐	☐

DOC. 3

Le chant des oiseaux

Nous sommes attachés à la notion d'agriculture paysanne familiale et pratiquons l'agriculture biologique depuis plus de trente ans. À la ferme, nous cultivons essentiellement des légumes et des arbres fruitiers. Passionnés de biodiversité, nous voulons partager notre concept dans la convivialité et la simplicité. Nous vendons notre production sur les marchés le samedi et le dimanche et dans quelques magasins bio. Pendant votre séjour de 10 jours, nous apprécierons une aide de quelques heures, le matin ou l'après-midi. Nous proposons des repas végétariens ou végans.

	OUI	NON
1. Contact avec les animaux	☐	☐
2. Temps libre dans la journée	☐	☐
3. Durée du séjour : 10 jours minimum	☐	☐
4. Nourriture végétarienne	☐	☐

DOC. 4

Les Jardins de La Rabaudière est située près du joli village de Preuilly-sur-Claise, en Touraine. Nous y cultivons des fruits et des légumes pour les consommateurs locaux et quelques magasins bio de la région.
Pendant votre semaine avec nous, vous participerez à la préparation des paniers de légumes et aux différents travaux de culture, pendant 4 à 5 heures chaque jour. Vous pourrez aussi pêcher et vous baigner dans la petite rivière de la Claise. Des vélos sont à disposition pour visiter la vallée de la Loire. Notre nourriture est exclusivement végétarienne.

	OUI	NON
1. Contact avec les animaux	☐	☐
2. Temps libre dans la journée	☐	☐
3. Durée du séjour : 10 jours minimum	☐	☐
4. Nourriture végétarienne	☐	☐

DELF B1

Exercice 2 Lire pour s'informer et discuter   8 points

Vous lisez cet article sur Internet.

Le « nomadisme numérique » en pleine expansion grâce au télétravail

De plus en plus de Français partent vivre à l'étranger tout en télétravaillant pour leur entreprise en France. Du Portugal à la Thaïlande, de nombreux pays les attirent par des visas avantageux. Un phénomène qui pourrait se développer d'ici 2030.

La 33e édition du festival international du photojournalisme Visa pour l'image de Perpignan a distingué le travail de Jérôme Gence commencé en 2019 sur les travailleurs à distance, de Bali à Lisbonne. À l'époque, la pandémie de Covid-19 n'étant pas encore passée par là, télétravail et nomades numériques – ou digitaux – étaient des termes obscurs. Depuis, les choses ont changé et vivre à l'étranger tout en travaillant à distance devient une réalité.

« On est sûr que c'est le bon choix »
Partis au Portugal, Peggy, Christophe et leurs deux enfants âgés de 12 et 14 ans commencent un nouveau chapitre de leur vie en tant que nomades numériques. Le couple a créé une société de formation en ligne et peut désormais travailler « à distance ». Ils ont décidé de franchir le cap à la suite d'un tour du monde de huit mois, réalisé en 2017. Les confinements successifs en France ont confirmé leur projet. « On a bien sûr des interrogations sur notre vie de famille. On réévaluera régulièrement la situation pour savoir si ça convient à tout le monde », explique cette mère de « famille atypique ». En plus de trouver un logement à leur arrivée au Portugal, leur priorité sera de s'assurer une connexion wi-fi « de bonne qualité ».

Les nomades numériques ne sont pas à confondre avec les salariés en télétravail depuis leur salon. Ils travaillent principalement dans l'informatique, le webdesign ou la publicité en ligne comme indépendant ou pour une grande entreprise. De plus, les chercheurs relèvent l'importance pour eux de vivre à deux heures maximum d'un aéroport. D'autres critères comme le confort de vie sont à prendre en compte. Ils recherchent avant tout une nouvelle qualité de vie, loin des tumultes urbains.

Pour répondre aux questions, cochez la bonne réponse.

1. L'article présente un phénomène de société...   *1,5 point*
   - ☐ a. très ancien.
   - ☐ b. relativement récent.
   - ☐ c. complètement nouveau.

2. Un nomade numérique est une personne qui...   *1 point*
   - ☐ a. change souvent de travail.
   - ☐ b. se déplace souvent pour son travail.
   - ☐ c. effectue son travail loin de son pays d'origine.

3. D'après l'article, avec l'épidémie de Covid-19, le nomadisme numérique s'est développé davantage.   *1 point*
   - ☐ a. Vrai.   ☐ b. Faux.

4. Actuellement, le couple présenté dans l'article...   *1 point*
   - ☐ a. vit à l'étranger.
   - ☐ b. ne travaille pas.
   - ☐ c. fait le tour du monde.

5. Le choix de Peggy et Christophe de vivre au Portugal n'est pas définitif.   *1,5 point*
   - ☐ a. Vrai.   ☐ b. Faux.

DELF B1

6. Quand on est nomade numérique, il est important d'avoir...   [1 point]
   - a. un logement adapté.
   - b. une bonne connexion Internet.
   - c. des horaires de travail flexibles.

7. Les nomades numériques doivent vivre à proximité d'un aéroport.   [1 point]
   - a. Vrai.   b. Faux.

Exercice 3 Lire pour s'informer et discuter   [9 points]

Vous lisez cet article dans un magazine.

Le concept et la méthodologie du quart d'heure de lecture *Silence, on lit !*

L'association *Silence, on lit !* a développé le concept de la pratique quotidienne et collective de lecture.

Dans les établissements scolaires, *Silence, on lit !* propose un quart d'heure de lecture. Tous les jours à la même heure, tout le monde fait le silence, et dans ce silence absolu chacun prend un livre qu'il a toujours avec soi et lit en totale liberté, dans un cadre précis. Pour les autres collectivités telles que les entreprises, le concept est adapté à leur mode de fonctionnement.

L'association développe un projet transversal qui touche aussi bien les élèves que les adultes, apportant à chacun un moment de calme et de sérénité. Vivre quotidiennement ce moment ensemble permet de fédérer, de créer du lien, d'enrichir les échanges et de réduire les conflits.

Cette pratique de lecture silencieuse, quotidienne et collective amène à porter un autre regard sur le livre qui n'est plus uniquement considéré comme un outil d'apprentissage. Petit à petit, les non-lecteurs découvrent une lecture plaisir, leur permettant de s'ouvrir aux autres et au monde et de développer l'imaginaire, l'esprit critique, la citoyenneté et tant d'autres choses...

Plusieurs établissements scolaires bénéficient déjà de cette expérience. Grâce à leur savoir-faire, les intervenants proposent un accompagnement personnalisé à des centaines d'écoles. Cependant, ce projet nécessite aussi la mobilisation et la conviction de tous les acteurs scolaires (élèves, personnels enseignants, personnels administratifs et autres) et l'établissement scolaire tout entier est impliqué pendant plusieurs mois dans sa mise en place.

Cette pratique suit cinq règles fondamentales : silence, quotidienneté, tous ensemble, lecture de livres, lecture plaisir. Une préparation de plusieurs semaines est nécessaire et se base sur une communication en direction de tous les membres de la collectivité. L'association fournit un kit de mise en œuvre du quart d'heure de lecture *Silence, on lit !* et assure un suivi de l'action à travers son site Internet : www.silenceonlit.com

Pour répondre aux questions, cochez la bonne réponse.

1. L'article présente une association qui...   [1,5 point]
   - a. facilite les échanges de livres entre les personnes.
   - b. anime des débats sur les livres lus par les personnes.
   - c. redonne aux livres une place dans la vie des personnes.

2. L'association intervient...   [1 point]
   - a. uniquement dans les écoles.
   - b. dans tous types de collectivités.
   - c. dans les bibliothèques municipales.

3. Pendant le quart d'heure *Silence, on lit !*, on ne parle pas. (1,5 point)
   - a. Vrai.
   - b. Faux.

4. Pour le moment, peu d'écoles ont bénéficié du quart d'heure de lecture *Silence, on lit !* (1 point)
   - a. Vrai.
   - b. Faux.

5. Dans les écoles, qui participent à la mise en place du projet ? (1 point)
   - a. Les élèves volontaires.
   - b. Les enseignants de lettres.
   - c. Tous les membres de l'école.

6. La réalisation du projet s'étale sur… (1,5 point)
   - a. une journée.
   - b. une semaine.
   - c. plusieurs mois.

7. L'association est présente pendant toute la préparation et le déroulement du projet. (1,5 point)
   - a. Vrai.
   - b. Faux.

III PRODUCTION ÉCRITE — 25 POINTS

Expression d'un point de vue

Vous vivez en France. Vous avez participé à un atelier Écofrugal.

Un format innovant pour partager en groupe ses solutions économiques et écologiques.
Le but ? Découvrir et adopter de nouvelles pratiques pour consommer moins, mieux et autrement.

Ensemble, accélérons la transition vers un monde plus responsable !

Nos ateliers sont animés par des « **Ambassadeurs** » et des « **Ambassadrices** » bénévoles :
vous, moi, nous !

Nos ateliers gratuits : Zéro Déchet, Alimentation, Habitat, Numérique responsable

**Dans un e-mail à un(e) ami(e) français(e), vous racontez cette expérience.
Vous précisez le thème de l'atelier choisi et décrivez les activités réalisées. Vous lui faites part de vos impressions et vous insistez sur l'urgence d'agir pour protéger l'environnement.
(160 mots minimum)**

DELF B1

IV. PRODUCTION ORALE 25 POINTS

L'épreuve comporte trois parties : entretien dirigé, exercice en interaction et expression d'un point de vue.

Avant le début de l'épreuve, vous tirez au sort deux sujets pour la partie 3 et vous en choisissez un. Ensuite, vous disposez de 10 minutes pour préparer la partie 3.

Lors de la passation, les trois parties s'enchaînent.

1. L'entretien dirigé

Vous vous présentez : vous parlez de vous, de votre famille, de vos amis, de vos études, de votre profession, de vos goûts, etc. L'examinateur/examinatrice peut ensuite vous poser des questions complémentaires.

L'examinateur/examinatrice commence le dialogue par une question.

- Pouvez-vous vous présenter ?
- Quelle est votre formation ? Quelles sont vos activités professionnelles ?
- Quels sont vos rythmes de travail ? Comment conciliez-vous le travail et la vie privée ?
- Quels sont vos loisirs et pourquoi les avez-vous choisis ? Avec qui les pratiquez-vous ? Les conseilleriez-vous à d'autres personnes ?
- Racontez un de vos projets futurs.
- Quelle place les activités culturelles ont-elles dans votre vie ? Lesquelles préférez-vous et avec qui les partagez-vous ?
- Quel aspect lié à la protection de l'environnement vous touche plus particulièrement ?
- Que faites-vous avec vos ami(e)s et comment communiquez-vous avec eux/elles ?
- Que pensez-vous des cours/formations en ligne ? En avez-vous déjà fait ? Racontez et dites vos impressions sur cette expérience.
- Comment vous informez-vous ? Avez-vous déjà partagé des informations en ligne ? À votre avis, quels sont les avantages et les limites du journalisme participatif ?

2. Exercice en interaction

Vous tirez au sort deux sujets et vous en choisissez un. Vous jouez le rôle qui vous est indiqué.

Sujet 1

Vous travaillez dans une entreprise en France. Vous constatez que pendant les pauses café et déjeuner vos collègues consultent sans arrêt leur téléphone portable et que les conversations amicales sont de plus en plus rares. Vous en parlez à votre chef de service. Vous lui proposez de mettre en place pendant une semaine « une déconnexion forcée pendant les pauses ». Il n'est pas convaincu : vous lui expliquez les avantages d'une telle expérience.

Sujet 2

Vous travaillez en France, dans une ville de province. Vous cherchez un logement avec un de vos collègues français. Personnellement, vous aimeriez un logement dans un quartier loin du centre-ville. Votre collègue n'est pas d'accord. Vous lui expliquez vos raisons et essayez de le convaincre de ce choix.

Corrigés et transcriptions

Être différents et vivre ensemble, c'est possible ?

Leçon 1

Parler de soi

1. a. 5, 9 – **b.** 4, 6, 8 – **c.** 2, 3, 7, 10

2. a. Prénom : Jovan
Âge : **21 ans**
Situation familiale : **pacsé**
Métier : **cuisinier**
Loisir : *théâtre*
Caractère : **ouvert**
b. Prénom : Erica
Âge : **32 ans**
Situation familiale : **célibataire**
Métier : **médecin**
Loisir : **guitare / musique**
Caractère : *de bonne humeur*
c. Prénom : Maëlle
Âge : **49 ans**
Situation familiale : **divorcée**
Métier : *aide-ménagère*
Loisir : **randonnée**
Caractère : **sociable**

3. a. Une commune est une ville.
b. Un(e) maire dirige la commune.
c. Un(e) citoyen(ne) peut participer aux décisions dans la ville.
d. Une garderie est un lieu pour les enfants.
e. La municipalité est l'équipe qui prend les décisions dans une ville.
f. Une mairie est un lieu où le conseil municipal se réunit.

4. Je m'appelle Chloé, je suis *fière* de participer au groupe de réflexion *Sport et bien-être* de la mairie et je suis très **attachée** aux personnes qui y travaillent avec moi. Venez nous rejoindre ! Si vous êtes **timide**, pas de problème, tout le monde est très **sociable** et nous sommes **à l'écoute de** toutes les propositions, avec beaucoup **d'optimisme** ! Les gens ici sont parfois **réservés** mais toujours de **bonne humeur** !

5. a. Flore se fait facilement des amis, elle est **sociable**.
b. Hilda rit beaucoup, elle est toujours **de bonne humeur**.
c. Gwen reste souvent seule, elle est **timide**.
d. Ali a réussi son examen, il est **fier**.
e. Adama rêve à son avenir, on aime **son optimisme**.
f. Fouzia travaille dans une association pour aider des personnes, elle est très **à l'écoute**.
g. Lucas aime se rappeler le passé, il est **nostalgique**.

6. a. Vous **choisissez** une activité ? → **2** bases
b. Ils **sortent** très peu le soir. → **2** bases
c. Je **vois** souvent le maire. → **2** bases
d. Tu **peux** faire des propositions. → **3** bases
e. Les habitants **viennent** nombreux aux réunions de la mairie. → **3** bases
f. Vous **connaissez** la commune ? → **2** bases
g. Nous **prenons** des cours de yoga. → **3** bases

7. Le passé récent : a, c, f – Le présent continu : d – Le futur proche : b, e

8. a. Je rencontre des habitants **qui veulent participer à la vie de la commune**.

b. C'est l'équipe municipale **que nous rencontrons demain à la mairie**.
c. La maire a pris une décision **dont les citoyens sont fiers**.
d. Vous vous êtes connus à la réunion **où il y avait le maire**.
e. Ils ont des idées **qui sont intéressantes pour la commune**.
f. Il va créer l'atelier théâtre **dont il a parlé avec le groupe « Vie associative »**.

9. a. J'ai déménagé à Nîmes l'année **où** j'ai fini mes études.
b. C'est un travail **dont** il a besoin.
c. Le maire **que** je connais bien est très ouvert.
d. Je préfère les réunions **où** tout le monde peut parler.
e. Nous sommes arrivés à la mairie **qui** se trouve sur la place.
f. C'est une décision **dont** je me souviens.

10. a. Je suis une personne très sociable, mais un peu réservée.
b. Nous allons à la mairie pour nous inscrire aux activités.
c. Ils finissent la réunion.
d. Je préfère les moments où je suis en famille.
e. C'est une idée dont il est fier.
f. Le maire est toujours à l'écoute de nos problèmes.
g. Tu n'es pas nostalgique ?
h. Elle ne vient pas à l'association cet après-midi.

11. *Exemple de production :*
Bonjour, je m'appelle David, j'ai 29 ans. Je fais un métier qui me plaît, je suis plombier. Je travaille beaucoup alors je n'ai pas beaucoup de temps pour sortir. Je suis un peu timide et je n'aime pas parler de moi. Mes amis me disent que je suis assez calme. Je suis végétarien. Le week-end, j'adore me promener dans la forêt. Je fais aussi du basket-ball et du vélo. J'aimerais créer un club de vélo pour rencontrer des gens et faire le tour de la région.

12 Je m'appelle Johana Refor<u>ma</u> / j'habite à Montpellier depuis un <u>an</u> / Je vis avec mon compagnon <u>Ivan</u> / et nous avons un en<u>fan</u>t / qui a deux <u>ans</u> / Je suis ven<u>deuse</u> / dans le magasin de chau<u>ssures</u> / qui se trouve sur la place de la m<u>air</u>ie / Le week-<u>end</u> / nous sortons avec nos <u>amis</u> / nous allons au cinéma / ou au thé<u>âtre</u> / Mon compagnon est très so<u>ciable</u> / <u>Moi</u> / je suis plus ré<u>servée</u> / mais j'aime rencontrer des <u>gens</u>.

Leçon 2

Comprendre les autres

1. a. Elle cherche un appartement.
b. D'une personne qui habite en colocation.
c. Elle vit dans un appartement.
d. La cohabitation est plus facile avec une personne jeune.
e. C'est important de discuter avant d'habiter ensemble.
f. Il va donner à Elsa les coordonnées de son amie.
g. Elle est contente.

2. Rencontrer avant son/sa futur(e) colocataire – Prévoir les règles de la vie quotidienne – Parler avec des personnes qui sont en colocation

3. C'est une bonne idée la cohabitation intergénérationnelle entre un(e) jeune et un(e) aîné(e). Grâce à **l'allongement de la vie**, les personnes **âgées** vivent mieux et plus longtemps. La cohabitation permet des **échanges** entre les **générations**. Beaucoup de **jeunes** aimeraient trouver une colocation pour résoudre le problème du logement et aussi pour **le partage** avec quelqu'un. **Dans quelques années,** la colocation entre des personnes qui ne sont pas du même âge sera très normale !

4. a. Il a trouvé **un emploi** dans une entreprise du bâtiment.
b. Les jeunes sont hyperconnectés et préfèrent **le télétravail**.
c. Quand on télétravaille, c'est parfois difficile de séparer **le temps de repos** du temps de travail.
d. Elle voudrait travailler en free-lance, elle dit qu'elle a des difficultés avec **les relations hiérarchiques**.
e. Si je travaille dans une **petite entreprise**, je serai plus heureux.
f. Il va quitter son travail, il a besoin d'**une meilleure reconnaissance**.
g. Les jeunes générations préfèrent **entreprendre** que travailler dans une grande organisation.
h. Nous allons quitter notre travail parce que **le salaire** est trop bas.

5. a. multitâche – **b.** perfectionniste – **c.** flexible – **d.** idéaliste – **e.** enthousiaste – **f.** mobile – **g.** inventif – **h.** optimiste

6. a. La génération Z a **moins de** difficultés à s'adapter aux modes de communication **que** les baby-boomers.
b. Les jeunes diplômés ont un **meilleur** salaire **que** les non-diplômés.
c. Les jeunes veulent **autant de** reconnaissance au travail **que** les baby-boomers.
d. La cohabitation ? Les seniors la proposent **plus** rarement **que** les jeunes.
e. Les jeunes sont **moins** optimistes **que** leurs aînés.
f. Les membres de la génération Z sont **mieux** adaptés au télétravail **que** les seniors.

7. a. Les baby-boomers sont **les moins** flexibles.
b. C'est l'entreprise où on travaille **le mieux**.
c. L'environnement est le sujet **le plus** important pour les jeunes.
d. Ce sont les réunions **les moins** utiles pour prendre des décisions.
e. La génération Y est **la mieux** formée.
f. Ce sont les jeunes qui restent **le moins** longtemps dans la même entreprise.

8. a. Vous **pourriez** trouver un ou une colocataire.
b. Ils **devraient** réfléchir au contrat pour la cohabitation.

c. Ce **serait** bien qu'elle trouve un travail intéressant.
d. Nous **ferions** un métier passionnant.
e. Vous **seriez** en télétravail ?
f. Je **préférerais** un meilleur salaire.
g. Est-ce que vous **viendriez** avec nous demain ?
h. Tu **irais** habiter avec cette personne ?

9. Oui : a, c, d, f, h –
Non : b, e, g

10. a. C'est préférable de faire connaissance avant d'emménager.
b. Il devrait changer d'emploi.
c. Faites un contrat !
d. Elle devrait être plus réaliste.
e. Il vaut mieux finir demain.
f. Je te conseille d'être plus ouvert(e).
g. Ils devraient respecter le contrat.
h. Il faudrait proposer le télétravail.

11. a. Les jeunes sont plus flexibles que leurs aînés.
b. Vous devriez faire un contrat pour la colocation.
c. C'est important d'avoir une reconnaissance dans son travail.
d. Le télétravail est aussi efficace que le travail dans un bureau.
e. Les personnes âgées ont besoin de soutien et de partage.
f. Il ne faut pas être trop perfectionniste, il vaut mieux être efficace.

12. *Exemple de production :*
Bonjour Kate,
Je pense que tu devrais avoir une colocataire pour partager ton appartement. Tu pourrais chercher une personne jeune, calme et indépendante. Il vaut mieux être ouverte et à l'écoute pour discuter des règles de vie. Ce serait préférable de faire un contrat. Il faudrait décider des horaires pour la vie en commun. Je te conseille d'être flexible et de t'adapter. C'est une bonne expérience pour créer des relations et partager des moments ensemble !
À bientôt !

Leçon 3

Expliquer des différences culturelles

1. a. Vrai. « Au début, c'était difficile de parler avec les Français à cause des nombreux stéréotypes sur l'Inde ! »
b. Vrai. « Ici, beaucoup de gens pensent que tous les Indiens font du yoga. »
c. Vrai. « Je suis végétarienne […] »
d. Faux. « Je réponds que les Indiens mangent moins de viande que les Français puisque la vie animale est sacrée pour beaucoup de gens. »
e. Faux. « […] je mange peu au restaurant […] »
f. Faux. « Au début, c'était difficile de parler avec les Français […] »
g. Vrai. « En France, quand le repas est terminé, on reste avec les autres pour discuter. »
h. Faux. « Quand on a mangé, on part rapidement après parce que ce n'est pas poli de rester : cela veut dire qu'on n'a pas assez mangé ! »

2. b. 2 – c. 1 – d. 3 – e. 9 – f. 8 – g. 4 – h. 7 – i. 6

3. La première fois que je suis venue en France, j'ai trouvé que tout était *bizarre*. Au Mexique, dans mon pays, les gens qui ne se connaissent pas se parlent facilement, ici non. Les Français ne paraissaient pas très **ouverts**, ils étaient assez **froids**. Pour moi, c'était un peu **choquant**. J'ai été trop **directe** parfois. Au début, je ne comprenais pas pourquoi les gens **se fermaient** quand je leur parlais. Maintenant je pense qu'il faut être plus **distant** quand on rencontre une nouvelle personne. Par contre, quand on se connaît bien, c'est sympa, on peut **rigoler** ensemble !

4. a. J'ai pu m'adapter facilement grâce à des amis français très ouverts.
b. À cause d'une mauvaise compréhension interculturelle, il ne s'est pas senti très bien dans le pays.
c. Comme il est très distant, c'est difficile pour lui de se faire des amis.
d. Vous avez toujours froid en Suisse puisque vous venez d'un pays chaud.
e. Les gens me demandent souvent d'où je viens car je ne parle pas bien la langue du pays.
f. Grâce aux moyens de communication, il est plus facile qu'avant de découvrir d'autres cultures.

5. a. Cause : a, b, e, g – Conséquence : c, d, f, h
b. **a.** car – **b.** À cause des – **c.** c'est pourquoi – **d.** du coup – **e.** grâce à – **f.** c'est pour ça que – **g.** Comme – **h.** donc

6. a. donc – b. parce qu' – c. du coup, – d. car – e. par conséquent – f. alors – g. c'est pourquoi – h. puisque

7. b. 6 – c. 1 – d. 5 – e. 3 – f. 7 – g. 2

8. a. Nous avons vécu plusieurs années à l'étranger, c'est pourquoi nous avons des amis dans beaucoup de pays.
b. Parfois c'est difficile de comprendre les étrangers à cause de nos habitudes.
c. J'adore la cuisine épicée parce que j'ai longtemps vécu en Asie.
d. Quand on rencontre quelqu'un d'une autre culture, il faut rester ouvert pour le comprendre.
e. Parfois les gens sont distants car ils ne savent pas comment se comporter avec les étrangers.
f. Les habitudes locales peuvent être choquantes si on ne les connaît pas.

9. *Exemple de production :*
a. Je viens de la région d'Istanbul et je suis arrivé à Paris il y a deux ans.
b. Au début, quand je suis arrivé en France, c'était difficile pour moi. J'étais très réservé et distant. Quand quelqu'un me parlait, je me fermais parce que je ne me sentais pas bien.
c. Les gens étaient parfois très familiers. Pour moi, ils parlaient beaucoup. Ici, on peut rester assis

longtemps à table pour discuter. C'est différent dans mon pays, c'est pourquoi je trouvais ça très bizarre.
d. Maintenant, je me suis adapté. Je peux dire que je ne suis pas d'accord parce que je suis plus ouvert. Et j'adore acheter des croissants à la boulangerie.

10. *Exemple de production :*
Je m'appelle Mei, je suis chinoise. Je vis à Lyon depuis un an, je fais des études à l'université. Quand je suis arrivée en France, tout me paraissait bizarre. D'abord, je voyais les gens se faire la bise. En Chine, on ne s'embrasse pas, par conséquent pour moi, c'était très choquant. J'ai mis un peu de temps à m'habituer. Quand je voyais des étudiants qui fumaient, j'étais hors de moi parce qu'en Chine, les étudiants ne fument pas. Je trouvais les gens trop directs : ils me posaient des questions très familières. Je pense que je suis plus distante parce que dans mon pays, on exprime moins ses sentiments directement.

Bilan

1. a. Vrai. « Témoignages : les différences entre les générations dans le monde du travail. »
b. Vrai. « Aujourd'hui, je trouve que les jeunes sont plus impatients... »
c. Faux. « Ils séparent moins la vie professionnelle et la vie privée que nous. »
d. Vrai. « Ici, je travaille avec des personnes de tous les âges, et j'apprécie l'expérience des plus âgés. »
e. Faux. « Mais les plus âgés, [...] sont [...] plus intéressés par la réussite professionnelle que nous. »
f. Faux. « Mais les plus âgés, [...] sont généralement plus réalistes [...] que nous. »

2. a. de leur expérience interculturelle.
b. La différence entre les femmes de son pays et les femmes françaises.
c. Leur carrière professionnelle.
d. Ils pensaient qu'elle était trop familière.
e. Les gens de son pays sont fiers de leur culture comme les Français.
f. Au climat.

3. *Exemple de production :*
Je vous présente mon ami Arto, il est finlandais. Il a 23 ans, il est infirmier. Il parle trois langues : le finnois, le russe et l'anglais. Il aime jouer du saxophone et lire des bandes dessinées. Il aime beaucoup cuisiner. Il adore le sauna ! Il apprécie les voyages, il a fait le tour du monde l'année dernière. Il s'intéresse aussi à la nature et à l'écologie. Il est plutôt réservé, mais il est à l'écoute des autres, il est inventif et perfectionniste. Et il est optimiste !

Barème :
Je donne des informations sur son identité. *3 points*
J'exprime ses goûts et ses centres d'intérêts. *4 points*
Je décris son caractère. *3 points*

4. *Exemple de production :*
Bonjour, je m'appelle Diego, j'ai 52 ans, je suis espagnol. Mon métier, c'est transporteur de marchandises, je conduis un camion. Je traverse beaucoup de pays quand je travaille. Parfois, je trouve difficile de communiquer avec les gens à cause des différences culturelles. C'est préférable de rester flexible et ouvert aux autres. Au début, j'étais très direct alors ça choquait des gens. Il est préférable d'écouter et d'essayer de comprendre. On peut apprendre beaucoup de choses grâce aux rencontres qu'on fait. Je me suis fait des amis dans beaucoup de pays parce que maintenant je suis plus à l'écoute des différences culturelles.

Barème :
Je me présente. *2 points*
Je donne des explications. *2 points*
Je donne des conseils. *3 points*
J'utilise le vocabulaire et les structures de la cause et de la conséquence. *3 points*

UNITÉ 2 — Peut-on combattre les inégalités ?

Leçon 5

Raconter un engagement

1. a. Faux. « Je suis bénévole dans une association d'aide aux personnes qui vivent dans la rue. »
b. Vrai. « Je voyais souvent des personnes avec des conditions de vie difficiles, juste à côté de chez moi. »
c. Faux. « Je trouvais ça injuste alors que moi j'ai un appartement et j'ai assez d'argent pour vivre. »
d. Vrai. « Au début, j'aidais à faire les collectes d'aliments dans les supermarchés. »
e. Faux. « [...] avec deux autres bénévoles, nous distribuions des prospectus aux personnes qui faisaient leurs courses. »
f. Vrai. « Mais le plus important, c'est de créer des contacts et d'échanger avec ces personnes. »

2. a. Ils ont été obligés de quitter leur pays à cause des catastrophes climatiques, ce sont **des réfugiés**.
b. Ils viennent en France pour y trouver du travail, ce sont **des migrants**.
c. Elle dirige l'entreprise et les employés, c'est **la patronne**.
d. Quand on obtient une autorisation de vivre et de travailler dans un pays, on est **régularisé**.
e. Ces jeunes migrants ont appris la langue et ont trouvé du travail. Ils se sont **intégrés**.
f. Elle a été obligée de quitter son pays d'accueil, c'est **une expulsion**.

3. a. Nous avons signé la **pétition** parce que nous croyons que c'est une cause **juste**.
b. Je suis devenu membre de cette **association caritative** il y a deux ans, je suis **bénévole**.

c. Si l'on veut développer plus de **solidarité** avec les migrants, on doit **se mobiliser**.
d. La **protection** de la nature est très importante, nous **manifestons** toutes les semaines.
e. Nous organisons **une collecte** d'argent pour notre association. Faites un don !
f. Ils se sont **rassemblés** sur la place des Vosges pour montrer la force de la **mobilisation**.
g. Je **soutiens** cette association parce qu'elle **agit** pour intégrer les réfugiés.
h. Elle s'est **engagée** pour combattre cette **injustice**.

4. a. Nous n'avons pas assez de jeunes bénévoles, par contre **notre association a de l'argent**.
b. La lutte contre les inégalités sociales concerne tout le monde. En revanche, **peu de personnes se mobilisent**.
c. Le jeune homme a pu être régularisé alors qu'**il devait être expulsé le mois prochain**.
d. Ils sont allés à la manifestation contre le réchauffement climatique, mais **ils ne participent pas aux réunions de l'association**.
e. On peut se mobiliser dans une association caritative plusieurs heures par semaine, par contre **on n'est pas obligé de faire des dons**.
f. La collecte alimentaire a bien réussi cette année alors que **nous avions peu de bénévoles**.

5. J'*ai quitté* mon pays le Soudan quand j'*avais* 15 ans. La vie **était** difficile. Un jour, ma famille **m'a demandé** de partir. J'**ai fait** la traversée de la Méditerranée sur un bateau. Il y **avait** beaucoup de migrants et le bateau était petit. Nous **étions** très inquiets mais on ne **pouvait** rien faire, il **fallait** être courageux. Pendant les premiers mois en France, j'**avais toujours peur** d'être expulsé parce que je ne **parlais** pas français et je **me cachais** toute la journée. Je **dormais**. Il y a un an, grâce à une association, j'**ai pu** aller dans une famille d'accueil et j'**ai commencé** une formation professionnelle. J'espère que je serai bientôt régularisé !

6. a. Les deux sœurs se sont **mobilisées** pour une cause juste.
b. Le migrant est **parti** de son pays en bateau il y a un mois.
c. Les bénévoles ont **collecté** des dons alimentaires tous les samedis.
d. Elles ont **appris** la langue dans une famille d'accueil.
e. Les habitants du quartier sont **venus** à la réunion de l'association.
f. Les bénévoles des Restos du cœur se sont **engagés** à distribuer des repas.

7. a. Mon amie **est arrivée** d'Italie où elle s'occupe des migrants avec une association.
b. Nous **sommes allés** manifester pour l'accueil des réfugiés.
c. Elles **se sont assises** à côté de lui pour écouter son histoire.
d. Maria, tu **es sortie** de la réunion à quelle heure ?
e. Ils **ont expliqué** qu'ils marchaient depuis un mois.
f. Ton frère et toi, vous **vous êtes enfuis** de votre pays ?

g. Les bénévoles **se sont engagés** pour aider les migrants.
h. Les réfugiées **sont montées** dans le bateau de l'association.

8. a. Nous avons manifesté vendredi pour le climat.
b. Tu peux agir pour plus de solidarité.
c. Monsieur le directeur, vous vous êtes engagé dans cette association ?
d. Je faisais régulièrement des dons pour la collecte alimentaire.
e. L'association propose des cours de français aux migrants, par contre elle n'apporte pas d'aide alimentaire.
f. Elle s'est intégrée en travaillant dans un magasin.

9. *Exemple de production :*
Elle s'appelle Zara, elle a 26 ans. Elle s'est toujours mobilisée contre l'injustice. En 2019, elle est devenue membre d'une association pour l'accueil des migrants où elle est bénévole. Pendant deux ans, elle a participé à plusieurs manifestations, elle a fait la collecte de dons et elle a accompagné des personnes qui venaient d'arriver en France. En novembre 2021, elle a rencontré Amid, qui était réfugié et ne parlait pas français. Il était menacé d'expulsion. Un mois après, elle s'est engagée pour sa régularisation, elle a créé une pétition.

10. *Exemple de production :*
Bonjour,
Je suis motivé(e) pour devenir bénévole dans votre association. Je voudrais participer à la distribution des repas, par contre je ne peux pas aider pour l'organisation d'ateliers de cuisine. Je suis disponible quelques heures dans la semaine, mais seulement le matin. Je peux aussi faire des dons d'aliments, en revanche, je ne peux pas donner d'argent. Je voudrais participer à la collecte nationale, en distribuant des prospectus, mais je ne peux pas faire de ramassage régulier de produits chaque semaine.
J'espère pouvoir m'engager pour faire des actions dans votre association.
Bien cordialement,

Leçon 6

Donner son avis

1. a. Une créatrice d'entreprise.
b. Proposer du travail à des personnes handicapées.
c. Parce qu'elle ne trouvait pas d'agence avec des employés handicapés.
d. Elle était sûre d'elle.
e. Des personnes malentendantes.
f. Un soutien financier.

2. Opinions de Claire : C'est important de travailler en équipe. – Il faut proposer des emplois aux personnes handicapées. – Il faut adapter les missions aux personnes.

3. Quand j'ai fini mes études, je ne savais pas ce que je voulais faire. J'étais *perdu*, je n'avais pas d'idée

Corrigés

sur ma **vocation**. J'ai travaillé dans une **entreprise** qui aide les personnes âgées. **À mon avis**, c'est très important de s'occuper des gens qui ont des difficultés pour vivre au quotidien. On m'a **embauché** pendant quatre mois **à temps plein**. J'avais plusieurs **missions** : accueillir les personnes, les aider à remplir des formulaires… C'était très intéressant. Maintenant, je suis **sûr de moi** : je **pense** que je vais travailler à aider les autres !

4. a. perdu(e) – b. un fauteuil roulant – c. une vocation – d. un effectif – e. un contrat à durée déterminée – f. s'épanouir

5. a. Il faut informer les entreprises pour **embaucher** ces personnes.
b. Quand elle embauche une personne handicapée, l'entreprise peut demander **une aide financière**.
c. Les personnes en situation de handicap ne sont pas toutes dans **un fauteuil roulant**.
d. Depuis que j'ai fait ce travail, j'ai trouvé **ma vocation**.
e. Nous avons embauché trois personnes handicapées en **contrat à durée déterminée**.
f. Cette personne handicapée est très compétente, elle est **malvoyante**.

6. L'état psychologique : e, g – Le handicap : b – L'État : d – Le travail : a, c, f

7. a. **La solidarité** au travail compte le plus pour moi.
b. Il a besoin **de se reposer** après toutes ces années de bénévolat dans l'association.
c. Pour lui, **son engagement** est le plus important.
d. J'ai le plus aimé **la rencontre avec les jeunes** dans cette mission.
e. Cette agence de communication devrait **embaucher des personnes handicapées**.
f. J'ai envie d**e faire un service civique** l'année prochaine.

8. a. Ce que nous préférons, c'est le travail en équipe.
b. Ce qui est important, c'est d'employer des personnes handicapées.
c. Ce dont il parle souvent, c'est de son stage de bénévole en Afrique.
d. Les personnes handicapées, ce sont des personnes aussi compétentes que les autres.
e. Devenir bénévole, c'est ce que je voudrais.
f. Ce qui a compté pour moi, c'est la rencontre avec cette personne.

9. a. Ce dont ton association a besoin, c'est de l'argent pour faire des actions. / De l'argent pour faire des actions, c'est ce dont ton association a besoin.
b. Des cours de français, c'est ce que nous organiserons pour les migrants. / Ce que nous organiserons pour les migrants, ce sont des cours de français.
c. Ce qui me prend beaucoup de temps, c'est travailler sur ce projet. / Travailler sur ce projet, c'est ce qui me prend beaucoup de temps.
d. Plus de stages pour les jeunes, c'est ce que nous devrions proposer. / Ce que nous devrions proposer, c'est plus de stages pour les jeunes.
e. Ce qu'elle aime, c'est se sentir utile aux autres. / Se sentir utile aux autres, c'est ce qu'elle aime.
f. Mon engagement pour le climat, c'est ce dont je suis fière. / Ce dont je suis fière, c'est de mon engagement pour le climat.

10. a. À mon avis, on devrait prévoir des bureaux pour les personnes en fauteuil roulant.
b. Ce que j'aimerais faire, c'est un travail à temps partiel dans une association.
c. Dans cette entreprise, il y a un effectif de cent vingt personnes.
d. On a embauché un employé en situation de handicap, il est malvoyant.
e. Vous avez eu une aide financière quand vous avez créé l'entreprise ?
f. Ce dont elle est fière, c'est d'avoir travaillé dans une association d'aide aux migrants.

11. *Exemple de production :*
C'est une entreprise de formation avec un effectif total de 34 employés, dont quatre sont des personnes en situation de handicap. Trois formateurs sont malvoyants, un autre est en fauteuil roulant. Tous sont employés à temps partiel, avec un contrat à durée indéterminée. L'entreprise a embauché ces personnes en 2018.

12. *Exemple de production :*
Je trouve que les personnes handicapées devraient pouvoir travailler comme les autres. Ce n'est pas facile de se déplacer dans un fauteuil roulant, mais on peut créer des bureaux adaptés. Les entreprises peuvent embaucher des personnes malentendantes parce qu'elles sont capables d'agir, de lire, d'écrire et de réfléchir comme tout le monde. Les personnes en situation de handicap ont des compétences dans des domaines variés. Pourtant, beaucoup de personnes handicapées ne trouvent pas d'emploi. Les entreprises hésitent à les embaucher parce qu'elles connaissent mal leurs compétences… et leur handicap.

Leçon 7

Parler des inégalités

1. a. Depuis plusieurs années, les inégalités **sont moins importantes**.
b. Dans le domaine de l'emploi, les femmes **sont autant au chômage que les hommes**.
c. Dans le monde professionnel, l'inégalité la plus forte est dans **le salaire**.
d. Les femmes travaillent plus souvent que les hommes **en contrat à durée déterminée**.
e. La présence des femmes à la direction des entreprises **reste plus faible aux postes importants**.
f. À la maison, **les hommes participent moins que les femmes aux tâches ménagères**.

2. a. Vrai – b. Vrai – c. Faux – d. Vrai – e. Faux

3. Une *étude* a été réalisée pour donner des informations sur les inégalités sociales en Europe. Dans ce **sondage**, 48 % des Européens pensent que l'Union européenne devrait lutter contre la pauvreté et les **différences de salaire**. Ce chiffre **progresse** depuis l'année dernière. **De plus en plus** de personnes veulent l'accès à une éducation de qualité. Mais c'est la protection de l'environnement qui est **vraiment** la cause défendue la plus importante : les gens trouvent qu'il y a **trop de** pollution et pas **assez** d'actions pour le climat.

4. a. Nous avons patiemment attendu les résultats de l'enquête.
b. Ils sont tranquillement partis après l'interview.
c. Il dirige intelligemment les réunions.
d. Ils donnent prudemment leur avis.
e. Les manifestants ont silencieusement défilé contre les injustices sociales.
f. Il a précisément parlé des résultats du sondage.

5. a. Les bénévoles ont **tristement** participé à la manifestation.
b. Ils ont **rarement** répondu à des sondages.
c. Les associations ont **silencieusement** manifesté à la marche pour l'égalité.
d. Ils ont **mollement** combattu le réchauffement climatique.
e. Il s'est **légèrement** trompé dans son étude sur les inégalités.
f. On a **inutilement** diffusé les statistiques dans les associations.

6. a. La qualité de l'éducation est évidemment très importante.
b. Il y a certainement des progrès à faire pour l'égalité hommes-femmes.
c. La lutte contre le réchauffement climatique est vraiment insuffisante.
d. On voit assez fréquemment des inégalités de salaire entre les femmes et les hommes.
e. Ces personnes se sont couramment exprimées dans la langue du pays.
f. On comprend très facilement les chiffres de ce sondage.

7. Adverbe entendu : **a.** assez ; **c.** complètement ; **d.** trop ; **f.** fièrement ; **h.** vraiment – Pas d'adverbe entendu : b., e., g.

8. a. Les inégalités entre les femmes et les hommes restent très importantes.
b. Le nombre de femmes aux postes de direction progresse.
c. De plus en plus de personnes veulent vraiment agir pour l'environnement.
d. Les femmes ont trop fréquemment des salaires moins élevés que les hommes.
e. Les tâches ménagères sont plutôt faites par les femmes.
f. Ce sondage montre assez clairement les différences de salaire entre les hommes et les femmes.

9. *Exemple de production :*
Je viens de voir cette infographie sur la parité politique. En 2022, seulement douze femmes dirigent des communes de plus de 100 000 habitants. Il n'y a que 20 % de femmes maires. C'est mieux qu'en 2014, mais je trouve que la parité politique devrait vraiment progresser !
Dans les conseils municipaux, on trouve de plus en plus de femmes, mais elles ne sont pas assez présentes. Il y a trop fréquemment une inégalité avec les hommes : moins de la moitié des membres des conseils municipaux sont des femmes. *Nous devrions lutter pour plus d'égalité hommes-femmes !*

10. [ε] : c, g, h – [$\tilde{\alpha}$] : b, d, e – [$\tilde{\mathrm{o}}$] : a, f

Bilan

1. a. Une jeune diplômée.
b. Les difficultés des jeunes.
c. Elle est bénévole dans une association.
d. Des programmes d'apprentissage pour les jeunes.
e. Les jeunes trouvent leur vocation.
f. Redonner confiance aux autres.

2. *Exemple de production :*
Je m'appelle Aziz, j'ai 50 ans. Il y a un an, j'ai rejoint une association pour l'accueil des migrants. Je voulais m'engager parce que je trouve que souvent nous n'aidons pas assez les réfugiés. J'ai participé à plusieurs manifestations. J'ai organisé des collectes alimentaires et j'ai aussi distribué des repas. J'ai rencontré des personnes qui étaient perdues et ne parlaient pas français. C'est important de les aider ! Ce qui compte le plus pour moi, c'est la rencontre avec les autres. Nous restons mobilisés pour continuer nos actions. Je pense que c'est très important de combattre les inégalités. Ce que j'espère, c'est que nous aurons un jour un monde plus juste !

Barème :
Je raconte un engagement. *3 points*
J'exprime une opinion. *3 points*
Je raconte au passé. *2 points*
Je mets en relief des informations. *2 points*

3. *Exemple de production :*
Les inégalités entre les femmes et les hommes sont encore trop fortes. D'après des statistiques de 2021, on voit clairement les différences. Les femmes sont plus nombreuses à faire des études mais elles travaillent plus à temps partiel. En revanche, les femmes sont autant employées que les hommes, le taux de chômage est égal (8,5 % pour les hommes, 8,4 % pour les femmes). Il y a un peu plus de femmes pauvres que d'hommes pauvres. À la maison, il y a aussi beaucoup d'inégalité : les tâches ménagères sont plutôt faites par les femmes. Le temps passé par les femmes à ces tâches est bien plus important. Enfin, les hommes sont beaucoup plus nombreux dans la vie politique : 38,7 % seulement des député(e)s sont des femmes. On peut encore progresser pour l'égalité hommes-femmes !

Barème :
Je parle des inégalités. *3 points*
Je présente des statistiques. *3 points*
J'utilise des adverbes. *2 points*
J'utilise les structures de l'opposition. *2 points*

4. a. Vrai. « Emploi et handicap : le point sur la situation »
b. Vrai. « Les embauches des travailleurs handicapés ont progressé grâce à la loi de 1987 et à la volonté de certaines entreprises. »
c. Faux. « La période que nous vivons est encore plus difficile pour les personnes handicapées ».
d. Vrai. « Le taux de chômage des travailleurs handicapés diminue… »
e. Faux. « […] trop de chefs d'entreprises pensent encore que c'est difficile d'embaucher des personnes en situation de handicap (62 %). »
f. Vrai. « D'autres patrons pensent que cela peut être une charge financière pour l'entreprise. »
g. Faux. « Néanmoins, 34 % des chefs d'entreprise souhaitent employer des personnes handicapées, et ce chiffre augmente. »

Peut-on tout faire en ligne ?

Leçon 9

Donner des renseignements

1. a. elle pense qu'il faut faire un vrai régime pour perdre du poids.
b. elle ne devra pas préparer ses menus.
c. il n'est pas nécessaire de compléter complètement son profil.
d. propose des menus pour les végétariens.
e. il n'est pas nécessaire de savoir cuisiner.
f. s'inscrire sur le site.

2. N° 2, Choisir un menu – N° 3, Sélectionner ses plats – N° 4, Enregistrer sa liste de courses – N° 5, Aller faire des courses – N° 6, Préparer les plats

3. a. Quand je suis arrivé en France, je me suis inscrit à **l'assurance maladie**. Mais je n'ai toujours pas reçu mon **numéro de sécurité sociale**. Si je consulte un **médecin**, est-ce que j'aurai droit à un **remboursement** ?
b. Tu n'as pas l'air d'être **en pleine forme** ! Pourquoi tu ne vas pas faire une **consultation médicale** ?
c. Avec l'assurance maladie, vous êtes **assuré** quand vous voyagez à l'étranger.
d. Est-ce que les **pharmacies** prennent aussi la carte vitale ? Je dois acheter des médicaments.
e. Tu peux m'envoyer l'adresse du **cabinet médical** du docteur Girard ?

4. b. 4 – c. 5 – d. 1 – e. 7 – f. 3 – g. 6

5. a. J'ai communiqué à distance mais je n'ai rien pu voir car **ma webcam** ne fonctionne plus.
b. La classe de sa fille est **équipée** en matériel informatique.
c. De quelle marque est **la tablette** ?
d. Le médecin propose une **téléconsultation** remboursée par la sécurité sociale.
e. Pour voir ses remboursements, il faut **se connecter** à son compte sur le site.
f. **La consultation médicale** est gratuite si tu es assuré.

6. a. Il faut que tu **ailles** à l'assurance maladie pour retirer ta carte vitale.
b. Il devient urgent que nous **fassions** attention à notre poids.
c. Il est nécessaire que vous **remplissiez** complètement votre profil pour avoir une séance d'essai.
d. Il est indispensable qu'ils **s'inscrivent** sur le site pour obtenir un abonnement.
e. Il ne veut pas que je **fasse** la séance de sport en ligne car je suis trop fatiguée.
f. Tu n'es pas d'accord pour qu'elle **écoute** des émissions en replay tous les soirs ?
g. Il ne faut pas se connecter à un site qui **ne soit pas** sécurisé.
h. Il est nécessaire qu'ils **soient** inscrits sur le site AMELI pour avoir un compte.
i. Il faut que tu **prennes** un abonnement sans engagement.

7. a. Je dois faire de l'exercice pour perdre du poids.
b. Il/Ce n'est pas nécessaire d'être sportif pour s'inscrire à la gym en ligne.
c. Il/Ce n'est pas indispensable de faire une séance d'essai.
d. Tu dois prendre un abonnement mensuel si tu es motivée.
e. Est-il/ce indispensable de prendre rendez-vous en ligne avant de venir à la consultation médicale ?
f. Est-il/ce nécessaire de présenter un numéro de sécurité sociale pour commencer les soins ?
g. On doit / Vous devez prendre rendez-vous avec le secrétariat ou en ligne.
h. Faut-il opter pour une maison de santé ?

8. a. Il faut que vous **vérifiiez** que les données de santé soient sécurisées.
b. Il faut **prendre** rendez-vous pour une consultation médicale.
c. Il faut **posséder** un ordinateur pour prendre un abonnement.
d. Il faut que tu te **connectes** au site de l'assurance maladie pour avoir les informations.

9. a. Je me suis inscrite au cours de sport pour rester en forme.
b. Je dois aller chez le médecin pour une consultation médicale.
c. Il est nécessaire que nous ayons un numéro de sécurité sociale.
d. Il n'est pas indispensable d'avoir une tablette.
e. J'aimerais que vous utilisiez un site sécurisé.
f. Le patient doit se connecter sur son compte AMELI.

g. On peut consulter le site sans abonnement.
h. Le cabinet médical n'est pas équipé de matériel informatique.

10. *Exemple de production :*
Bonjour,
Je viens d'arriver en France et j'aimerais avoir des renseignements sur la téléconsultation. Est-il possible de faire une téléconsultation si je suis assuré(e) ? Est-il indispensable que je voie mon médecin habituel avant de téléconsulter ? Quel matériel faut-il posséder ? Est-ce qu'il est obligatoire d'avoir un ordinateur ou est-il possible que je me connecte depuis ma tablette ? Est-ce qu'il est nécessaire d'avoir une webcam ? Comment se passe une téléconsultation ? Faut-il que je prenne rendez-vous avec la secrétaire ou en ligne ? Merci pour votre aide et vos conseils.

Leçon 10

Organiser une activité à distance

1. a. Faux. [Il faut] avoir une bonne connexion, un PC portable et un smartphone.
b. Faux. « Aujourd'hui, le télétravail est possible partout dans le monde. »
c. Vrai. « Je voulais retourner dans la ville natale de mes parents, profiter […] des prix bas de ce pays. »
d. Vrai. « Le matin, je travaille en visioconférence avec mes équipes restées en France. »
e. Vrai. « Rihana a posé ses valises à La Réunion il y a six mois : "L'année dernière, j'étais en Tunisie. Le mois prochain, j'irai vivre à Majorque." »
f. Faux. « J'ai beaucoup d'amis de toutes les nationalités. »
g. Vrai. « Nous avons tout organisé en ligne et des travailleurs nomades comme nous ont participé au projet. »
h. Faux. « Le travail nomade, c'est l'idéal ! »

2. b. 6 – c. 4 – d. 2 – e. 3 – f. 1

3. a. On joue aux **jeux en ligne** sur un **écran** seul ou **en réseau**.
b. Un PC portable réunit un écran et un **clavier** sur un seul support et il n'y a pas de **souris ergonomique**.
c. Rester en contact, c'est se voir souvent ou s'écrire régulièrement sur les réseaux sociaux.
d. La **visioconférence** est une conférence qui se fait **à distance**, par des écrans d'ordinateur.
e. Le **siège de bureau** est indispensable pour être assis confortablement devant sa table de travail.

4. a. un apéritif – **b.** la vie personnelle – **c.** un cinéma – **d.** la vie professionnelle – **e.** une visioconférence – **f.** une photographie

5. Conseil : c, f – Hypothèse : b, d – Aucun des deux : a, e

6. a. Si nous faisons des apéros Zoom, nous resterons en contact.
b. S'ils invitent des amis à la maison pour dîner, ils feront des jeux de société.
c. Si tu restes en pyjama toute la journée, tu ne pourras pas télétravailler.
d. Si je fais des pauses pendant le travail, je serai plus efficace.
e. Si elle s'inscrit sur les réseaux sociaux, elle pourra jouer en ligne.
f. Si vous achetez un siège de bureau confortable, vous n'aurez plus mal au dos.

7. a. Nous voudrions que tu télétravailles trois fois par semaine.
b. Ses parents aimeraient que Léo organise moins souvent des jeux en ligne avec ses amis.
c. Tu voudrais faire un apéro Zoom demain soir ?
d. Nous souhaiterions acheter un nouveau PC pour donner l'ancien ordinateur à notre fille.
e. Il aimerait que tu restes en contact avec lui pour le travail.
f. Nous aimerions nous inscrire sur un site de sport en ligne pour perdre du poids.
g. Tes parents souhaitent que tu loues un siège de bureau confortable.
h. Vous voudriez participer à la visioconférence jeudi matin.
i. Les responsables aimeraient que les télétravailleurs soient plus en contact avec eux.

8. a. Tous les lundis matin, l'équipe travaille en visioconférence.
b. Si vous passez plusieurs heures consécutives sur l'écran, vous serez fatigués.
c. Je souhaite rester en contact avec mes amis.
d. Il aimerait qu'on aménage un espace bureau.
e. Si vous voulez travailler dans le calme, isolez-vous.
f. Vous ne conseillez pas de rester en pyjama pour télétravailler.

9. *Exemple de production :*
Bonjour Stella,
Voici quelques recommandations pour te présenter sur Viadéo. D'abord, je te conseille de parler de tes expériences de télétravail. Tu t'habilles toujours comme pour aller au bureau parce cela te prépare mentalement au travail. Tu as aménagé un espace bureau chez toi parce que cela te permet d'être plus efficace. Tu as un ordinateur et une webcam. Montre que tu es motivée pour travailler à distance. Tu as l'habitude d'organiser ton temps de travail comme une journée habituelle. Dis aussi que tu souhaiterais évoluer dans ton domaine professionnel. Et si on demande à te rencontrer, tu proposeras un entretien ou une visioconférence.
Bon courage !

10. a. Si vous avez un conseil à me donner, je le suis immédiatement.
b. C'est difficile de télétravailler quand les enfants sont à la maison.
c. Tu seras plus efficace si je t'offre un siège de bureau ?

Corrigés

d. Les apéros Zoom ?! C'est une idée géniale à mon avis !
e. Nous étions tous en télétravail vendredi.
f. Nous sommes allées à la soirée et il n'y avait personne !

Leçon 11
Parler de ses expériences

1. a. une réduction pour trois produits achetés.
b. n'a rien reçu.
c. par mail.
d. des acheteurs ont aussi des problèmes.
e. le site est une arnaque.
f. sans contact réel.

2. a. 4 – b. 2 – c. 1 – d. 3

3. Il y a un mois, j'ai **commandé** un pantalon de sport sur le site de culturesport. Il y avait beaucoup de **likes**. J'ai acheté mon **article** en ligne et les **frais de port** étaient gratuits. Le site était **sécurisé**. La **livraison** a eu lieu un jeudi matin ! J'ai ouvert le paquet et il y avait du matériel de gymnastique. J'ai contacté **le service client** qui m'a proposé un **renvoi** des articles et un **remboursement** de mon achat. J'ai reçu mon pantalon deux jours après. J'étais content, j'ai laissé un **commentaire** sur le site : « Bravo, cette boutique en ligne est honnête, ce n'est pas une **arnaque** ! »

4. a. 4. virtuel – b. 1. un like – c. 2. un message vocal – d. 8. le speed watching – e. 7. le GPS – f. 5. une notification – g. 6. le streaming

5. a. Je ne **l'**ai jamais reçu.
b. Nous avons décidé de **leur** offrir un remboursement du produit.
c. Je ne vais pas **les** payer si je ne reçois pas mon article !
d. Je **lui** ai demandé de rembourser les chaussures.
e. Bazile **nous** a proposé une rencontre virtuelle.
f. Les acheteurs **la** renvoient à ma boutique en ligne.
g. Le vendeur **les** lit sur la page Facebook de la boutique.
h. Je **vous** envoie une notification pour l'heure du rendez-vous.

6. a. les chaussures – b. à mon frère – c. à ma sœur et moi – d. à moi – e. la lettre de réclamation – f. aux membres de l'équipe

7. b. 6 – c. 1 – d. 3 – e. 2 – f. 5 – g. 4

8. a. ton frère – b. l'acheteuse – c. Ramsès et toi – d. ma mère et moi – e. tes parents – f. ce commentaire

9. a. Si tu envoies un SMS à Livio, tu **lui** diras que j'ai acheté un grand écran.
b. J'ai commandé un pull pour l'hiver il y a trois semaines, mais je ne **l'**ai pas reçu.
c. Elke est allée chez son ami Helmut et elle s'est disputée avec **lui**.
d. C'est la mère qui a commandé l'article, pas son fils ! C'est donc à **elle** de laisser un commentaire !

e. Laure et toi voudriez que Vicente **vous** réponde rapidement.
f. J'ai envoyé une notification aux vendeurs mais ils ne **m'**ont pas répondu.
g. Le service client a remboursé les articles aux acheteurs mais il **leur** a demandé de payer les frais de port.

10. a. Le service client leur a offert les frais de port.
b. Le service en ligne propose un remboursement de l'article.
c. C'est toi qui as reçu une notification ?
d. Elle a demandé un renvoi de l'article, mais elle ne l'a pas encore reçu.
e. Je vais vous envoyer une notification.
f. Les réseaux sociaux créent une société virtuelle et sans contact.

11. a. Madame,
Les frais de ports sont pour le transporteur qui a fait la livraison. Nous ne pouvons pas vous les rembourser. Mais si vous faites un nouvel achat, nous vous proposons une remise de 22,30 euros.
b. Cher client(e),
Nous avons pour objectif de vous satisfaire. Les dimensions du téléphone sont indiquées dans l'annonce. Si vous ne souhaitez pas ce téléphone, nous vous proposons de le renvoyer et de demander son remboursement. Les frais postaux ne seront pas remboursés.
c. Cher client(e),
Nous souhaitons que vous soyez satisfait de votre achat. Nous sommes désolés pour ce problème causé par le transport. Vous pouvez nous renvoyer le produit et nous vous enverrons un nouveau téléphone du même modèle. Dans ce cas, les frais de port de ce nouvel envoi seront gratuits.
d. Chère cliente,
Nous avons interrogé le transporteur : il y a eu un vol de matériel au centre de livraison. Nous souhaiterions vous renvoyer un nouvel écran, les frais de port seront gratuits. Si vous préférez, nous vous rembourserons votre achat et les frais de port. Nous proposons une remise de 10 % sur votre prochain achat.
Nous attendons votre réponse.

Bilan

1. a. Faux. « Pourquoi est-il nécessaire de défendre la cause de la conversation en face à face ? »
b. Faux. « Nos smartphones, ordinateurs et tablettes sont devenus des outils indispensables dans tous les domaines de la vie, personnel, professionnel, commercial, financier. »
c. Vrai. « Souvenons-nous : […] nous recevons une notification, nous regardons alors notre écran pour consulter le message ou réaliser une activité en ligne. »
d. Vrai. « L'information virtuelle semble plus importante que la conversation réelle. »

e. Faux. « Des recherches sur le comportement montrent que les jeunes générations, les plus âgées aussi, préfèrent les liens sans contact à la rencontre en face à face. »

f. Faux. « Dans beaucoup de situations, la présence physique se révèle plus rassurante qu'un "smiley" ou un "like". »

2. a. Giorgia est malade.
b. Victor lui conseille d'aller voir un médecin.
c. Giorgia n'a pas de médecin en France.
d. Giorgia n'a pas de numéro de sécurité sociale, elle peut faire une consultation payante à l'hôpital.
e. Pour obtenir un remboursement, il faut être assuré.
f. Pour une téléconsultation, il est obligatoire de faire une consultation avec un médecin.
g. Pour une consultation dans un cabinet médical, il est obligatoire de prendre rendez-vous au secrétariat.
h. Avant la consultation, le médecin envoie un lien avec l'heure du rendez-vous.

3. *Exemple de production :*
Bonjour Monsieur,
Je souhaiterais organiser une séance de travail avec mon équipe. Quels sont les tarifs de location des salles ? Comment sont-elles équipées ? Avez-vous des formules d'abonnement ? Nous sommes six personnes et il est indispensable que nous disposions d'une connexion Internet à haut débit. Nous aimerions regarder des films en speed-watching. Il faut aussi que nous disposions d'un grand écran pour des visioconférences. Nous avons des collaborateurs installés à l'étranger et nous travaillons à distance. Si vous disposez d'une salle au rez-de-chaussée, ce serait mieux. Nous avons besoin d'apporter du matériel lourd. Nous aimerions la louer tous les lundis pendant six mois. Pourriez-vous me téléphoner au 06 62 26 37 42 ou me mettre en contact avec votre service client.
Bonne journée à vous

Barème :
Je demande des informations sur les tarifs et le matériel. *3 points*
J'exprime l'obligation, l'hypothèse et du souhait. *3 points*
J'utilise le subjonctif. *1 point*
J'utilise le vocabulaire de l'équipement informatique, des réseaux sociaux et des activités en ligne. *3 points*

4. *Exemple de production :*
J'ai acheté un short de sport et je ne suis pas satisfait. Je l'ai commandé il y a deux mois et je ne l'ai jamais reçu ! J'ai contacté le service client pour demander un remboursement mais il ne m'a pas répondu. D'après moi, ils n'ont plus ce modèle de short ! Ils ont seulement le modèle 2021. Moi, je voulais recevoir le modèle ancien 1990 en noir. Je ne recommande ce site à personne, il propose beaucoup de modèles, une remise sur les frais de port mais il n'a que deux ou trois modèles et les colis ne sont jamais envoyés ! Si on commande un modèle qu'il n'a pas, on pourra toujours attendre la livraison ! Il faut se méfier de ces sites qui sont des véritables arnaques ! Il est nécessaire que tous les acheteurs déçus écrivent des commentaires négatifs !

Barème :
J'écris une réclamation. *3 points*
J'exprime une opinion, un sentiment. *2 points*
J'exprime l'hypothèse et le souhait. *2 points*
J'utilise les pronoms COD, COI et les pronoms toniques. *2 points*
J'utilise le vocabulaire de la vente en ligne. *1 point*

Profitons-nous de notre temps libre ?

Leçon 13

S'informer sur les loisirs

1. a. Vrai. « Si vous pouviez organiser votre journée différemment, qu'est-ce que vous feriez ? »
b. Vrai. « Si je pouvais organiser ma journée différemment, tous les matins, je me réveillerais à sept heures et demie. Je resterais un peu au lit et je me lèverais à huit heures. »
c. Faux. « Si je pouvais habiter près de mon lieu de travail, je ne commencerais à travailler qu'à 9 heures… et à temps partiel. »
d. Faux. « […] si je travaillais à temps partiel le matin, je pourrais voir mes amis l'après-midi […] Le soir, je participerais à la distribution alimentaire d'une association de mon quartier. »
e. Vrai. « Moi, j'irais plus souvent à mon cours de yoga […] »
f. Faux. « La femme : […] je passerais plus de temps avec mes enfants […] » – « L'homme : […] je pourrais faire des activités avec mes enfants après l'école. Je nous inscrirais à des cours de théâtre. »

2. La femme : 7 h 30 Réveil – 8 h Lever du lit ; Petit déjeuner ; Lire ; Écouter la radio – 8 h 15 *Se préparer* – 8 h 30 Départ au travail – 9 h Travail au bureau – Après-midi Faire du yoga ; Passer du temps avec ses enfants
L'homme : 9 h Travail au bureau – Après-midi Voir ses amis ; Aller au cinéma ; Voir des expositions ; Faire du théâtre en famille – Soir Distribuer des repas

3. b. le bénévolat – c. la danse – d. l'œnologie – e. la pêche – f. les mots croisés

4. Jeux : Photo f ; Scrabble – Art et culture : Photo c ; Musique – Gastronomie : Photo d ; Cuisine – Plein air : Photo e ; Camping – Vie associative : Photo b ; Distribution des repas

5. Le temps de travail occupe une grande partie de nos journées. À côté de ce temps de travail, le temps disponible se compose du *temps physiologique*

Corrigés

nécessaire à la vie et **du temps domestique** consacré aux activités de la maison. Les **repas** (petit-déjeuner, déjeuner, dîner) se répartissent dans la journée et le **sommeil** a lieu généralement la nuit. C'est un temps obligatoire. Le temps passé aux activités de la maison est plus variable : le **ménage** (aspirateur, vaisselle, linge), les **courses** (au supermarché) et parfois le **bricolage**. Le temps consacré aux activités de loisirs est aussi très variable : culture, activités de plein air et parfois jeux en ligne avec un **casque de réalité virtuelle** pour retrouver ses amis.

6. – Vous *souhaiteriez* avoir plus de temps libre ?
– Oui, je **serais** prêt à organiser mon emploi du temps pour avoir quelques heures de libre supplémentaires !
– Vous **accepteriez** de dormir moins longtemps ?
– Je **préférerais** dormir plus et ne pas perdre de temps de sommeil. J'**aimerais** mieux travailler moins.
– Comment **organiseriez**-vous vos journées si vous aviez plus de temps ?
– Je **passerais** plus de temps avec ma famille. Nous **irions** au parc ou au cinéma. Nous **pourrions** sortir le soir. Mon fils **jouerait** moins aux jeux vidéo. Je crois que ma femme et mon fils **adoreraient** cette nouvelle situation !

7. a. Je **voudrais** aller à la pêche le week-end prochain.
b. Au centre de loisirs, nous **jardinerions** et **bricolerions** la plupart du temps ?
c. **Iriez**-vous au théâtre pendant vos vacances ?
d. Selon vous, **serait**-il possible d'établir un planning de ses activités de loisirs ?
e. Une étude **montrerait** que les Français ne font pas assez de sport ?
f. Tu **deviendrais** bénévole dans une association à partir du mois prochain ?

8. a. Si tu pratiquais des activités de plein air, tu **serais** en meilleure forme.
b. Si nous consacrions plus de temps à notre famille, nous **aurions** de meilleures relations.
c. Si vous vous inscrivez à l'association, vous **devrez** distribuer des repas deux fois par mois.
d. Si elles vont au cinéma demain, je les **inviterai** à dîner après.
e. S'il modifiait son emploi du temps, il **pourrait** aller à l'atelier de peinture toutes les semaines.
f. Si on me propose un travail à temps partiel, j'**accepterai** immédiatement.

9. a. Si tu **avais** deux jours de congés, que **ferais**-tu de ton temps libre ?
b. Si notre chef de projet organisait un week-end « team building », nous **accepterions** tous de participer !
c. Si vous **travailliez** à temps partiel, vous **vous inscririez** à des cours de sculpture ?
d. Si j'**étais** bénévole à l'association, je **jouerais** moins en ligne avec mes amis.
e. Si elles **habitaient** une grande ville, elles **visiteraient** plus souvent les musées.
f. Si je **gagnais** beaucoup d'argent, j'**irais** partout dans le monde.

10. S'il pouvait organiser sa semaine différemment, Julien travaillerait seulement trois jours. Il consacrerait ses week-ends à la pêche et à la randonnée, ses deux passions. Il s'intéresserait à l'œnologie. Il passerait plus de temps à faire la cuisine pour ses amis. Il irait plus souvent au théâtre et au musée. Il ferait les courses et le ménage pendant la semaine ! Enfin, il n'aurait pas d'heures de sommeil en retard. Une chose est sûre, il ne ferait pas plus de bricolage !

11. *Exemple de production :*
1. Je n'ai pas assez de temps pour faire des activités de loisirs parce que je travaille beaucoup.
2. Je ne pourrais pas vivre sans montre parce que j'ai toujours l'impression de ne pas avoir le temps.
3. Le matin, j'aimerais dormir plus et avoir un peu plus de temps quand je suis réveillé.
4. J'accepterais de réduire mon salaire pour avoir une demi-journée de plus par semaine. C'est important d'avoir du temps libre pour faire des activités personnelles.
5. Je m'inscrirais à des séances de yoga et je prendrais des cours de peinture.
6. J'ai l'impression de perdre mon temps quand j'attends dans le cabinet du médecin ou quand je suis en voiture.
7. Le téléphone et le lave-vaisselle surtout me font gagner beaucoup de temps.

Leçon 14

Découvrir un fait de société

1. a. L'expression de charge mentale a permis à des personnes de **parler de ce qu'elles ressentent**.
b. C'est l'impression **de ne jamais avoir le temps**.
c. On se sent **coupable d'être très fatigué**.
d. Les victimes d'une charge mentale sont **tout le monde**.
e. Il faut en parler **parce qu'on se sent mieux après**.

2. 1. c, d – 2. b, e – 3. a, f

3. b. davantage – c. yoga – d. mesurer – e. yogini – f. chant – g. méditation – h. retraite – i. s'intéresser à – j. constater

4. Le *burn-out* est une maladie de notre société moderne. Un individu se sent **épuisé**, il éprouve une grande **fatigue physique** et une **fatigue psychologique**. Il dort mal : son **sommeil** est perturbé. Il supporte difficilement la **charge mentale** : il a l'impression de ne pas réussir à gérer son temps. Il **éprouve** aussi une inquiétude pour tout. Le **malaise** augmente. Ses proches constatent avant lui son **stress**. Et leur **inquiétude** peut aggraver l'état du malade. Il **se sent** coupable d'inquiéter sa famille et ses proches. C'est un médecin qui **dressera le constat** de la maladie.

5. a. Y a-t-il un accès à Internet dans ce centre de méditation ?
b. Quand parleras-tu de ta charge mentale ?

c. Où le concept de burn-out est-il apparu ? / Où est apparu le concept de burn-out ?
d. Que pensez-vous des symptômes du stress ?
e. Qui a dressé le constat de sa maladie ?

6. a. Pourquoi faut-il emporter des pulls pour la retraite à Majorque ?
b. **Où** est-ce qu'on va pour s'échapper du quotidien ?
c. Il y a **combien de** place au stage de yoga ?
d. **Quel** type de malaise constate-t-on dans la société ?
e. **Qui** s'intéresse au bien-être dans les grandes villes ?
f. **Quand** a-t-on constaté l'importance du problème ? Au début du 20e siècle ?
g. Il faut faire **comment** pour s'inscrire au cours de chant ?
h. **Quelles** activités sont organisées pendant le stage de méditation ?

7. a. Est-ce que quelqu'un vient nous chercher au monastère ?
b. Nous allons nous inscrire à un séminaire sur le yoga.
c. J'aimerais que nous commencions à dresser un constat de la situation.
d. Est-ce que les gens souffrent plus de stress aujourd'hui qu'aux siècles passés ?
e. Quelqu'un va vous accompagner à votre séance de méditation.
f. C'est un atelier où les gens apprennent à gérer leurs émotions et leur stress.
g. Nous avons finalement opté pour la demi-pension.
h. Est-ce que quelqu'un peut nous indiquer les vêtements à emporter ?

8. a. Je dois apporter quoi comme vêtements ?
b. Est-ce qu'on dîne ensemble tous les soirs ?
c. Que fait-on le soir après la séance de méditation ?
d. Y a-t-il un lieu de retraite dans ma région ?
e. Le stress est devenu un fait de société.
f. On peut s'inscrire au stage de yoga à partir de 18 ans.
g. Comment mesure-t-on une grande fatigue psychologique ?
h. L'historien a observé que le problème touche toutes les classes sociales.

9. *Exemple de production :*
#KC C'est quand je veux aller faire les courses et qu'il n'y a plus d'essence dans la voiture.
#NRV C'est quand je veux laver du linge et qu'il/elle a oublié de dire qu'il n'y a plus de lessive.
#AGaC C'est quand je dois réserver pour les vacances et qu'il/elle me dit : « On ira où tu voudras. »

10. *Exemple de production :*
Cette photo montre une femme au travail qui est épuisée. On lui demande de répondre à deux appels téléphoniques, on lui montre l'heure qu'il est, le temps qui passe, et on lui tend un document qu'elle doit analyser. Elle doit répondre à toutes les demandes en même temps. Sa charge mentale est importante. Elle éprouve un grand stress et elle ne peut rien faire. Elle pourrait souffrir d'un burn-out.

11. [ø] : b, e, f – [œ] : a, c, h – [ə] : d, g, i

Leçon 15
Imaginer

1. a. Faux. « Ne rien faire, personne ne le fait jamais réellement. Si on a un peu de temps, […] on écoute de la musique […] On occupe toujours son temps à faire quelque chose. »
b. Vrai. « Mais ne rien faire, c'est être simplement avec soi, pour penser à tout et à rien. »
c. Vrai. « Le cerveau, lui, ne fait pas rien ! Au contraire, il continue à penser, à faire des liens entre les informations. »
d. Faux. « Ne rien faire permet d'améliorer ses compétences. La plupart des grandes idées arrivent à ce moment-là ! »
e. Faux. « Les meilleurs musiciens ne pratiquaient leur musique que 90 minutes par jour et se reposaient plus que les autres. »
f. Faux. « Ne rien faire est nécessaire pour mieux apprendre, faire face à un problème, trouver des solutions et être plus créatif ! »

2. *un rayon de soleil* – chaud – la paresse – décrocher – le repos – bleu – la fatigue – le sommeil – jaune

3. a. le travail – **b.** triste – **c.** travailler – **d.** partir en voyage – **e.** un ordinateur

4. b. 5 – c. 6 – d. 1 – e. 3 – f. 4

5. a. Pendant le week-end, beaucoup de salariés restent **accrochés** à leur travail.
b. Plus de 60 % des Français ne réussissent pas à **se déconnecter** pendant leurs vacances.
c. Ne rien faire, c'est encourager **la paresse**.
d. Les activités de loisirs sont un moyen de ne pas **s'ennuyer**.
e. L'entreprise et les salariés négocient **la durée du travail**.
f. Les outils numériques ne permettent pas de **décrocher** du boulot.

6. a. Je n'ai rien fait hier soir.
b. Non, nous ne partons jamais à la campagne le week-end./Non, je ne pars jamais à la campagne le week-end.
c. Nous ne rendons jamais visite à notre ami./Je ne rends jamais visite à mon ami.
d. Non, ils n'ont rien vu à Lisbonne pendant les grèves.
e. Non, elle n'a demandé à personne la direction du centre de loisirs.
f. Non, nous n'apporterons rien pour déjeuner pendant notre temps libre./Non, je n'apporterai rien pour déjeuner pendant mon temps libre.
g. Non, personne ne lui a dit que 20 % des Français ne déconnectent pas pendant leurs congés.

7. a. Il ne décroche du travail ni pendant le week-end ni pendant les vacances.
b. La semaine prochaine nous n'irons ni au yoga ni à la séance de méditation.
c. Ces congés ne sont ni agréables **ni** reposants.

Corrigés

d. Ni les responsables ni les salariés ne travaillent pendant leurs congés.
e. Ils ne louent ni une maison ni une voiture pour les vacances.
f. Ni Elsa ni Natacha ne partent en Australie avec des amis.

8. a. Pour mes congés, je ne veux aller ni à la mer ni à la montagne.
b. Il faut décrocher du travail pendant son temps libre.
c. Personne ne s'ennuie en vacances.
d. Il opte pour une soirée de paresse dimanche soir.
e. Sept Français sur dix ne déconnectent jamais du travail.
f. Il imagine qu'il serait à la mer sous les rayons du soleil.

9. *Exemple de production :*
L'inspecteur de police : *Qu'avez-vous fait le jeudi 24 novembre ?*
Loïc Garibaldi : Je suis resté chez moi toute la journée. C'était mon jour de congés et j'ai regardé des séries sur Internet. Ensuite, je suis sorti à 18 h 15 pour acheter le journal et je suis rentré peu de temps après.
L'inspecteur de police : *Est-ce que quelqu'un est venu chez vous ?*
Loïc Garibaldi : Non, personne n'est venu chez moi. Je suis resté seul toute la journée.
L'inspecteur de police : *Avez-vous entendu quelque chose à l'heure du vol ?*
Loïc Garibaldi : Non, je n'ai rien entendu, le son de l'ordinateur était très fort.
L'inspecteur de police : *Quand vous êtes sorti, avez-vous vu quelqu'un ?*
Loïc Garibaldi : Oui, j'ai vu un homme sortir de l'immeuble.
L'inspecteur de police : *Pourriez-vous décrire cet homme ?*
Loïc Garibaldi : Il était grand avec les cheveux blonds. Il portait un manteau long et une casquette.
L'inspecteur de police : *Connaissez-vous cet homme ?*
Loïc Garibaldi : Non, je ne l'ai jamais vu, n'habite pas dans l'immeuble.

10. *Exemple de production :*
a. C'est le soir, la jeune femme est assise sur un tapis et fait du yoga. Elle pratique une séance de méditation pour décrocher du stress après une journée de travail.
b. Le week-end la jeune femme lit un livre. Elle s'assoit tranquillement dans un fauteuil du salon. Elle aime les plantes vertes. Elle en peint parfois quand elle a du temps.
c. La jeune femme fait du jardinage quand ses enfants sont à l'école. Cette activité la repose et elle adore vivre au milieu des plantes.

Bilan

1. a. Comment organiser son temps libre.
b. Il donne des règles à suivre pour bien s'organiser.
c. Lister les activités et faire un emploi du temps.
d. Pour partager des activités longues sur plusieurs jours.
e. Pendant son temps libre, il faut aussi se reposer et se faire plaisir.
f. Téléphoner.

2. *Exemple de production :*
Chers lecteurs, chères lectrices,
Aujourd'hui, j'ai lu un article « Comment gagner du temps libre ». Je vais vous en parler et vous donner des conseils. Si on regarde cette infographie, on observe qu'on travaille 8 heures par jour et qu'on dort aussi 8 heures. Avec les trajets, les repas (et la préparation !)… on a seulement deux heures par jour à consacrer à des activités personnelles. Le week-end, on dort un peu plus, mais on ne travaille pas ! On a donc deux fois plus de temps libre le week-end que sur la totalité de la semaine.
Si vous voulez gagner du temps libre, je vous donne trois conseils :
1. Profitez de votre temps libre pendant le week-end : l'idéal serait de se déconnecter complètement. N'allumez pas votre ordinateur. Sortez dans les musées, aller au cinéma, faites du sport, marchez, inscrivez-vous à des ateliers artistiques ou dans une association, promenez-vous avec des amis !
2. Organisez votre emploi du temps : si vous faisiez les courses et le ménage pendant la semaine, vous seriez complètement libre le week-end.
3. Préparez les repas une seule fois : si vous cuisiniez le dimanche matin pour toute la semaine, vous gagneriez 45 minutes à une heure de temps libre supplémentaire chaque jour !
Voilà mes conseils du jour !
Bon temps libre et à la semaine prochaine !

Barème :
Je commente une infographie. *2 points*
Je parle des loisirs et du temps libre. *2 points*
Je donne des conseils. *2 points*
J'utilise le pronom personnel sujet *on*. *2 points*
Je fais des hypothèses et j'utilise le conditionnel. *2 points*

3. a. Vrai – **b.** Faux – **c.** Faux – **d.** Faux – **e.** Faux – **f.** Faux – **g.** Vrai – **h.** Vrai

4. *Exemple de production :*
Si je pouvais organiser mon week-end idéalement, je ferais de nombreuses activités et je ne penserais au travail. Le samedi matin, j'irais courir dans le parc de mon quartier avec ma sœur pendant deux heures. Ensuite je rentrerais chez moi, je prendrais une douche et j'irais déjeuner avec trois amis d'enfance. On visiterait une exposition sur l'art japonais au musée de la ville. À 17 heures, j'irais à ma séance de méditation. Le soir, je sortirais avec mon groupe d'amis de l'atelier de peinture. On se voit souvent depuis qu'on a fait un séminaire ensemble. Je rentrerais à 2 heures du matin et je dormirais jusqu'à midi le dimanche. Je n'aimerais pas que quelqu'un me dérange, alors j'éteindrais mon téléphone pour bien dormir. Je serais reposé pour aller chez ma tante à vélo. J'y passerais tout l'après-midi.

Je jouerais un peu au foot avec mes cousins.
Le dimanche, je me déconnecterais des réseaux sociaux. À la fin de la journée, je commencerais une soirée de paresse, je ne ferais rien ou je lirais un bon roman. Ce week-end idéal me permettrait d'échapper au quotidien, au stress et à la fatigue.

Barème :
Je parle de mon emploi du temps. *2 points*
Je donne des informations sur les activités (quand, où, avec qui). *3 points*
J'utilise le conditionnel et je fais des hypothèses. *3 points*
Je parle de ce que je voudrais et de ce que je ne voudrais pas. *2 points*

Comment améliorer son cadre de vie ?

Leçon 17

Proposer un projet

1. a. Il n'y aura pas de voiture.
b. Ils demandent des espaces verts.
c. En métro et en bus.
d. Ils veulent mieux respirer.
e. En végétalisant les espaces publics.
f. Des formations pour les habitants.

2. Dans mon quartier, il y a eu beaucoup de travaux pour *végétaliser* les espaces publics. **Le long** des trottoirs, on a planté des arbres qui **bordent** les avenues. On a **bâti** trois immeubles végétalisés dans le centre-ville. Les services municipaux ont proposé l'**aménagement** d'une piste cyclable qui **longe** les axes principaux. Et les piétons ne sont pas oubliés : on a aménagé une place **au milieu** du quartier pour **la promenade**. Nous sommes invités à circuler à pied ou à vélo. On se sent bien **sous** les arbres et **autour des** pieds d'arbre, nous pouvons planter des fleurs ! La **piétonisation** de l'espace est très agréable ! Nous ne voulons plus prendre la voiture dans notre ville.

3. a. Les responsables de l'urbanisme proposent des **réaménagements** dans la ville.
b. Protéger la **biodiversité**, c'est l'objectif de la ville du 21ᵉ siècle.
c. Les projets pour végétaliser l'espace urbain sont **innovants**.
d. Les arbres bordent **les axes de circulation** dans notre ville.
e. La politique de la ville, c'est de développer la **végétalisation** de l'espace public.
f. Il faudrait **entretenir** les espaces verts pour avoir une ville plus agréable.
g. Pour les piétons, les **trottoirs** sont plus larges.
h. Les urbanistes s'engagent à un réaménagement **durable** des pistes cyclables.

i. Les espaces verts **rafraîchissent** l'atmosphère dans les grandes villes.

4. b. 9 – c. 5 – d. 4 – e. 1 – f. 11 – g. 8 – h. 6 – i. 3 – j. 7 – k. 10

5. a. Vous pouvez arriver plus vite **en longeant** le parc.
b. On peut rendre la ville plus agréable **en choisissant** de végétaliser les espaces.
c. Le conseil municipal a décidé d'agir **en faisant** des pistes cyclables sur les grands axes.
d. Vous aurez le choix entre le vélo ou la marche **en passant** par la promenade plantée d'arbres.
e. Les axes importants de la capitale seront aménagés **en réduisant** le nombre de voitures en circulation.
f. On choisit d'agir dans son quartier **en combattant** la pollution.
g. Je veux apporter mon aide **en créant** un petit jardin au pied des arbres de ma rue.
h. Vous pouvez participer à la végétalisation du quartier **en mettant** des fleurs sur votre balcon.

6. b. 3 – c. 7 – d. 5 – e. 6 – f. 1 – g. 4

7. Gérondif : a, c, g

8. *Exemple de production :*
a. La municipalité rafraîchira l'atmosphère **en créant des espaces verts**.
b. Les ingénieurs réfléchissent à de nouveaux axes de circulation **en étudiant la faisabilité technique**.
c. La mairie autorise les plantations au pied des arbres **en délivrant des permis de végétaliser**.
d. Les promoteurs immobiliers ont une démarche écologique **en bâtissant des logements durables**.
e. Les services techniques ont réaménagé l'aire de jeux **en plantant des arbres autour de l'espace**.
f. Les architectes ont construit des bâtiments **en utilisant des matériaux recyclables**.

9. a. La végétalisation de l'espace public est très importante.
b. Les trottoirs le long de l'avenue sont maintenant plus larges.
c. La ville est plus agréable en aménageant des espaces verts.
d. Nos voisins entretiennent les pieds d'arbre de la rue.
e. C'est un réaménagement durable de notre quartier.
f. On peut circuler à pied en utilisant les voies piétonnes.

10. *Exemple de production :*
Demandez à la mairie d'aménager des espaces verts en réservant une partie importante de l'espace public pour les arbres et les plantes.
Contactez les services de l'urbanisme pour qu'ils plantent des arbres le long des avenues et utilisent tous les espaces libres de la ville pour végétaliser avec des fleurs.
Obtenez un permis de végétaliser en déposant votre demande à la mairie.
Mettez des plantes sur les balcons, autour des pieds d'arbre, dans les cours d'immeuble.

Corrigés

11. *Exemple de production :*
Je viens de lire ce sondage sur le site de la métropole de Lyon. C'est très intéressant parce que la ville idéale, c'est une ville avec des espaces verts. Les habitants veulent se promener à pied dans une ville propre. Ils préfèrent les transports en commun en souhaitant redonner une place aux piétons dans les avenues. La ville idéale, c'est une ville avec moins de voitures et où on peut circuler facilement. Avoir une ville plus écologique est la principale demande des habitants.
À bientôt pour un billet sur la maison écologique !

Leçon 18
Faire visiter un lieu

1. a. Toulouse est la quatrième ville de France.
b. On appelle Toulouse la Ville rose.
c. La ville est agréable parce qu'on peut s'y promener à pied.
d. À Toulouse, il y a un fleuve.
e. Au centre de Toulouse, on peut voir des vieux bâtiments rénovés.
f. Les bâtiments modernes se trouvent plutôt autour du centre ancien.
g. À Toulouse près du métro, on trouve la médiathèque.
h. La Cité de l'espace est dans un grand parc.
i. Les travaux de la Cité de l'espace ont commencé en 1994.
j. On peut voir à la Cité de l'espace une grande fusée.

2. a. l'eau courante – b. un moulage – c. un style – d. une voie – e. dominer – f. une courbe

3. a. un cimetière – b. une médiathèque – c. un front de mer – d. un phare – e. un hôtel de ville

4. Ce qui m'a plu à New York, c'est *l'urbanisme* de la ville. Il y a de très longues **voies** qui traversent la ville. Les avenues sont larges et les immeubles **dominent** ! Le **parc** urbain est très grand et très agréable, c'est un poumon vert au milieu de la ville. Ici, on trouve plusieurs **styles** d'architecture : anciens et très modernes. Il y a des **résidences** le long du **front de mer** au sud avec un ensoleillement important. On a **édifié** de nombreux monuments, comme le musée Guggenheim à l'**architecture** très moderne ou la New York Public Library, une grande **médiathèque**, qui est un lieu magnifique.

5. Vous connaissez le musée d'Orsay ? C'est un des plus beaux musées de Paris, ouvert au public *depuis* 1986. Sa transformation a commencé **il y a** quarante ans. Avant c'était une gare, qu'on avait construite **en** 1900. Le bâtiment a fait l'objet de travaux importants **dans les années** 1980. Il a été réaménagé complètement **entre** 1983 et 1986. Ensuite, **pendant** deux ans le musée a fermé pour être agrandi. **Depuis** sa réouverture **en** 2011, de nombreux visiteurs peuvent admirer sa nouvelle architecture et les magnifiques œuvres d'art exposées.

6. Oui : b, c, e – Non : a, d, f

7. a. Nous sommes retournés voir cet appartement qui nous avait beaucoup plu.
b. Ils n'ont pas accepté le projet que vous aviez fait pour l'hôtel de ville.
c. Quand il a commencé des études d'architecture, il avait toujours su sa vocation.
d. À la place du parc, ils avaient prévu de construire un hôtel sur le front de mer.
e. Quand je suis arrivée à la médiathèque à 11 heures, tu étais déjà partie.
f. J'ai visité l'hôtel de ville, je n'y étais jamais allée avant.
g. Il avait rencontré cet urbaniste avant la réalisation des voies piétonnes.
h. Avant la construction de la résidence, nous avions déjà acheté un appartement.

8. a. Avant de faire partie du patrimoine parisien, les colonnes de Buren au Palais-Royal **avaient déclenché** beaucoup de critiques.
b. On a bâti le Centre Georges-Pompidou à la place d'un parking qu'on **avait installé** pour le stationnement des habitants du quartier.
c. Avant la rénovation du musée du Louvre, les autorités **avaient prévu** la construction de la Pyramide.
d. Jean Nouvel a réalisé en 2015 la Philharmonie de Paris dans le Parc de la Villette. Il **avait construit** dans les années 1980 l'Institut du monde arabe à Paris.
e. Avant 1930, Le Corbusier **avait déjà conçu** un plan d'urbanisme à Paris.
f. Le nouveau Palais de justice a un style original que nous **n'avions pas encore vu** à Paris.

9. a. La Ville de Paris a fermé le musée pendant deux ans pour des travaux de rénovation.
b. On a construit un magnifique centre culturel dans ma ville en 2021.
c. Avant les années 1960, les urbanistes avaient proposé de construire des immeubles très hauts.
d. Les anciens logements n'avaient pas l'eau courante, maintenant tous ont une salle de bains.
e. Dans ma résidence, l'ensoleillement est très agréable, c'est une orientation à l'est.
f. La ville est devenue beaucoup plus agréable depuis la construction de la médiathèque.

10. *Exemple de production :*
L'histoire de la ville de Rouen est très intéressante. *La ville existe depuis très longtemps.* Elle devient une ville très importante à partir du 18ᵉ siècle : la deuxième de France. Entre 1789 et 1797, pendant la Révolution française, il y a eu des difficultés économiques et sociales importantes dans la région. En 1843, le train a relié Rouen à Paris, encourageant les échanges économiques. De 1870 à 1914, la vie culturelle dans la ville s'est développée. Après 1945, on a rebâti Rouen que la guerre avait détruit entre 1940 et 1944. On a reconstruit et rénové des anciens

quartiers. *Aujourd'hui, on peut voir beaucoup de beaux monuments à Rouen.*

11. *Exemple de production :*
On a construit la tour Eiffel au 19e siècle pour l'Exposition universelle de 1889 à Paris. Le chantier a commencé en janvier 1887. Il a fallu quinze mois pour construire le premier étage mais seulement quatre de plus pour bâtir le deuxième étage ! Pendant deux ans, deux mois et cinq jours, les ouvriers ont travaillé pour bâtir ce monument. Son architecte, Gustave Eiffel, avait construit des ponts auparavant. Jusqu'à aujourd'hui, la tour Eiffel a attiré environ 300 millions de visiteurs.

Leçon 19
Parler de son lieu de vie

1. a. Faux. « Nous habitions un petit logement dans un grand immeuble à Lyon. »
b. Faux. « […] c'était au quatrième étage, mais l'immeuble en avait douze ! »
c. Vrai. « Notre appartement avait deux pièces […] Nous dormions tous les trois dans la chambre. »
d. Faux. « Je me souviens de la moisissure sur les fenêtres et des murs qui se fissuraient. »
e. Faux. « Bâti en 1955, […] »
f. Vrai. « Dans l'appartement, il y avait une cuisine très petite, nous l'avions ouverte sur le salon pour avoir plus de place. »
g. Faux. « Heureusement, notre appartement était orienté plein sud, et nous avions beaucoup de soleil, même en hiver. »
h. Faux. « Nous avions des fleurs que ma mère avait plantées […] »

2. Exposition : orienté plein sud
Aménagement de la cuisine : ouverte sur le salon
Nombre de placards : 1
Nombre de chambres : 1
Ascenseur : Oui
Balcon : Oui

3. un tapis, un placard, une plante, une fenêtre, une table, une cuisine ouverte

4. a. L'appartement est sale et vieux, il y a de la **moisissure** sur les murs.
b. Les tasses sont très jolies, elles sont un peu **argentées**.
c. La peinture est neuve, le **mur** n'est pas abîmé.
d. Dans l'escalier, il faudrait rénover les murs : ils **se fissurent**.
e. Il y a beaucoup de soleil, l'appartement est **orienté plein sud**.
f. J'habite près des transports : **la bouche de métro** est à côté de mon appartement.

5. b. lavabo – **c.** studio – **d.** peinture – **e.** étages – **f.** balcon – **g.** toit – **h.** doré – **i.** murs – **j.** immeuble

6. a. La bouche de métro est à côté de l'appartement, je l'ai **vue** quand je suis allée au rendez-vous.
b. Ils ont **découvert** des arbres magnifiques dans le parc autour de la résidence.
c. Les murs sont en bon état, je les ai **peints** l'année dernière.
d. Elle a **rencontré** le propriétaire pour un appartement orienté plein sud.
e. Elles ont **visité** un studio dans un immeuble ancien.
f. Vous m'avez **décrit** un balcon exceptionnel, je veux le voir.
g. La cuisine ouverte que nous avons **imaginée** sera très agréable.
h. Dans la salle de bains, ils ont installé le lavabo et le placard que nous avons **commandés**.

7. a. Elle a vu un appartement qui l'a beaucoup intéress**ée**.
b. C'est toi qui as photographié la médiathèque ?
c. Nous connaissons bien cette résidence, la ville l'a reconstruit**e** dans les années 1960.
d. Vous êtes allées voir l'agent immobilier, il vous a bien accueilli**es** ?
e. Tu as installé le placard ? Non, c'est Pablo qui l'a installé.
f. Je croyais que tu avais réparé la sonnette !
g. C'est exactement l'appartement que nous avions souhaité !
h. Sa chambre est petite mais il l'a très bien aménagé**e**.

8. a. C'est la résidence que tu **as habitée** pendant deux ans ?
b. Je suis sûr qu'il y a une cuisine ouverte, je **l'ai vue** quand j'ai visité l'appartement.
c. Il a loué un logement avec les deux personnes que vous **avez rencontrées** chez lui.
d. Sur le balcon, il y a les plantes que ma fille **a choisies**.
e. C'est le salon que nous **avons agrandi** en ouvrant la cuisine.
f. Il va planter dans son jardin les fleurs qu'il **a achetées** à Amsterdam.
g. Les placards de la cuisine ne ferment plus, tu **les as changés** ?
h. Je vais déménager dans une maison qu'un architecte suédois **a dessinée** il y a deux ans.
i. J'adore le tapis à fleurs que tu **as posé** dans l'entrée.

9. a. Tu as vu les belles fleurs que j'ai plantées ?
b. Dans ce logement, il y a un balcon orienté plein sud.
c. Il recherche un appartement de 25 m² avec une cuisine ouverte.
d. Nous habitions dans un studio au cinquième étage d'un immeuble.
e. Il y a de la moisissure et les murs se fissurent.
f. La résidence à côté de l'hôtel de ville, je ne l'ai pas remarquée.

10. *Exemple de production :*
Salut Sonia,
Je viens de visiter un appartement qui me plaît. C'est un studio de 18 m². Il est au cinquième étage d'un

vieil immeuble. Il n'y a pas d'ascenseur mais il y a un balcon. Je peux voir les toits de Paris ! L'appartement est orienté plein sud, alors il y a beaucoup de soleil. Il y a une cuisine ouverte. Mais il y a des moisissures et les murs se fissurent. Il faut refaire la peinture. Heureusement la propriétaire a prévu des travaux qu'elle a déjà commandés.
À bientôt !

11. [y] : a, b, c, f – [u] : d, e.

12. [ɥ] : a, c, d – [w] : b, e, f

Bilan

1. a. De leur ville.
b. Elle a demandé un permis de végétaliser.
c. Il faudrait planter et jardiner dans les espaces publics.
d. En créant un espace vert.
e. La qualité de l'air est meilleure.
f. De modifier les axes de circulation.

2. *Exemple de production :*
Allo Selim, je viens de m'installer dans mon nouvel appartement ! J'habite maintenant un deux pièces de 27 m² sur la place de l'hôtel de ville. C'est au quatrième étage. Il est très agréable, exposé plein sud avec beaucoup de soleil. Il y a une cuisine ouverte.
La peinture est en très bon état. En étant sur mon balcon, j'ai une très belle vue sur les toits de la ville. En plus, il est près des transports, la bouche de métro est à côté de l'immeuble.

Barème :
Je décris l'appartement. *4 points*
J'explique en quoi ce lieu de vie est agréable. *3 points*
J'utilise le gérondif. *3 points*

3. a. Faux. « Les bâtiments abritent les collections des arts d'Afrique, d'Asie, d'Océanie et des Amériques. »
b. Vrai. « Il s'étend comme un grand pont au milieu des arbres. »
c. Vrai. « Le mur du bâtiment principal est entièrement recouvert de plantes. »
d. Vrai. « Le chantier a duré de 2001 à 2006. »
e. Faux. « C'est Jean Nouvel qui a conçu le musée du Quai Branly. Ce célèbre architecte […] »
f. Faux. « Dans ce musée, il n'y a […] ni escalier […] »
g. Faux. « il n'y a ni porte, ni salle, ni escalier, tout est ouvert, et le visiteur s'y promène en toute liberté. »

4. *Exemple de production :*
Je viens de visiter Nantes qui est une ville très agréable. C'est la ville élue capitale verte européenne en 2013. Depuis 20 ans, on a aménagé la ville en développant les transports publics et en créant des pistes cyclables et des voies piétonnes. Les habitants peuvent se promener au milieu de beaucoup d'espaces verts. 45 % de la ville est végétalisée ! C'est très agréable parce que les plantes rafraîchissent l'atmosphère. On peut aller à pied pour visiter les places et les monuments, il y a moins de voitures et on respire mieux !

Barème :
Je décris des aménagements dans la ville. *4 points*
J'utilise le gérondif pour donner des explications. *3 points*
J'utilise des marqueurs temporels pour situer dans le temps. *3 points*

UNITÉ 6 — L'art peut-il changer notre quotidien ?

Leçon 21

Parler d'une œuvre d'art

1. a. Vrai. « Elle a été achetée en 1950 par la ville de Nice, […] »
b. Faux. « En 1963, on a aménagé […] à l'étage supérieur, le musée Matisse, […] »
c. Faux. « Il a ouvert ses portes sous sa forme actuelle en juin 1993. »
d. Faux. « La collection du musée Matisse […] présente des œuvres, du mobilier, des tissus et des objets divers qui proviennent directement de l'atelier de l'artiste Henri Matisse. »
e. Vrai. « La collection compte 31 peintures, 454 dessins et 57 sculptures […] »
f. Faux. « Dans ce tableau, composé principalement de jaune et de bleu, […] »
g. Faux. « Un bouquet de fleurs, des fruits et un verre à vin du Rhin complètent la composition harmonieuse. »

2. a. Dans **la galerie** du château de Versailles, on découvre des peintures superbes.
b. Les sculptures sont vues sous différents **angles** dans le jardin du musée Bourdelle.
c. Le nouveau musée de Rennes sera réalisé entièrement en **béton**.
d. Au musée du Quai Branly à Paris, le mur principal est **recouvert** de plantes.
e. Le Centre culturel des Bleuets à Créteil est construit avec des murs en **aluminium**.
f. Une statue réalisée par Auguste Moreau représente un enfant avec un **tambour**.
g. Sur ce tableau, le personnage est **revêtu** d'une grande robe rouge.
h. Le musée du château de Horn en Allemagne a été rénové avec un **sol** en bois.
i. La jeune fille représentée sur cette toile tient une **harpe**.

3. b. 4 – c. 8 – d. 1 – e. 2 – f. 7 – g. 6 – h. 3 – i. 10 – j. 9

4. a. Son attitude n'est pas naturelle, elle est **artificielle**.
b. Je trouve que cette statue fait très peur, elle est **effrayante**.
c. Tu es très attiré par cette sculpture, n'est-ce pas ? C'est vrai qu'elle est **fascinante**.

d. Il y a une impression de calme dans cette peinture, les personnages sont **paisibles**.
e. Il n'a pas aimé l'exposition, il a trouvé les œuvres **sans intérêt**.
f. Cette statuette est **extraordinaire** ! Elle est magnifique et très originale.
g. Ce tableau est très agréable à regarder, sa composition est **harmonieuse**.

5. a. Des objets du monde entier sont présentés par le musée.
b. Un centre culturel sera construit à la place du parking. / À la place du parking, un centre culturel sera construit.
c. Les œuvres d'art ont été exposées dans la rue pendant toute la semaine. / Pendant toute la semaine, les œuvres d'art ont été exposées dans la rue.
d. Le sol en béton est recouvert de tapis. / Le sol en béton est recouvert par des tapis.
e. Ce chef-d'œuvre a été découvert après la mort de l'artiste.
f. Le tableau *Les Demoiselles d'Avignon* a été peint en 1907 par Pablo Picasso. / Le tableau *Les Demoiselles d'Avignon* a été peint par Pablo Picasso en 1907.
g. Les textes pour présenter les œuvres ont été écrits par l'artiste.
h. *La Joconde* de Léonard de Vinci est connue de tous.

6. a. Le musée va proposer une **nouvelle** exposition.
b. La galerie met en valeur cette œuvre **fascinante**.
c. J'aime beaucoup le portrait de la **vieille** dame.
d. Ce musée a une **longue** histoire.
e. L'artiste a besoin d'un lieu **tranquille** pour peindre.
f. La sculptrice est une femme **novatrice**.
g. C'est le **dernier** jour pour voir l'exposition.

7. a. La nouvelle exposition a été très appréciée.
b. Le personnage du tableau est extraordinaire.
c. La galerie met en valeur les œuvres magnifiques qui sont présentées.
d. La composition originale est très harmonieuse.
e. Cette œuvre est exposée pour la première fois.
f. La pose artificielle de cette femme est sans intérêt.
g. Il y a un contraste important entre ces deux sculptures.

8. *Exemple de production :*
Hier, j'ai visité le musée Bonnard. Le musée se trouve au Cannet dans une vieille maison du début du 20ᵉ siècle qui a été rénovée. Sur le côté, un bâtiment en verre a été ajouté avec un escalier et un ascenseur. Il y a aussi une belle terrasse et un magnifique jardin. C'est une architecture très novatrice ! Le musée a ouvert en 2011. Les œuvres d'art ont été achetées ou données au musée. On peut voir des chefs-d'œuvre du peintre Pierre Bonnard, comme des paysages et des portraits.
À bientôt pour un billet sur le musée Rodin !

9. *Exemple de production :*
J'aime bien ce tableau. C'est la représentation d'un homme assis devant une table qui pose sa tête sur sa main. Une plante est posée devant lui. Cet homme a une pose très personnelle, il semble absorbé par ses pensées avec une expression de tristesse dans le regard. La composition n'est pas académique. L'homme est au centre du tableau et il prend tout l'espace. Il y a un contraste entre la couleur bleue du fond et de ses vêtements et son visage clair qui attire le regard du spectateur sur ses yeux bleus aussi. Les fleurs bleues sur la table orange donne de l'espoir face à la tristesse de l'homme.

Leçon 22

Nuancer un avis

1. a. Des amateurs de graffitis ont étudié à l'école des Beaux-Arts de la Croix-Rousse et ils ont dessiné sur les murs du quartier.
b. Parce que les graffitis ne sont pas souvent conservés sur les murs. Les propriétaires des murs les effacent.
c. Quand les artistes répondent à une commande du propriétaire des murs.
d. Les types d'expression de ces œuvres sont politique, esthétique ou poétique.
e. Elle n'est ni classique ni historique.
f. Elle propose de montrer des œuvres d'art originales et novatrices d'artistes célèbres ou pas encore connus.

2. a. le hip-hop – **b.** des marionnettes – **c.** des graffitis – **d.** des pochoirs – **e.** un spectacle de rue

3. a. un pochoir – **b.** inaccessible – **c.** une galerie d'art – **d.** insolite – **e.** le collage – **f.** interdit – **g.** une marionnette

4. Des artistes sont devenus célèbres grâce aux *arts de la rue*. Des graffeurs ont expérimenté l'art du dessin sur des murs dans les villes, ils ont peint des **graffitis** magnifiques, d'autres artistes ont réalisé des **mosaïques** superbes ! Les danseurs et les musiciens s'expriment aussi dans le **street art**. Le **hip-hop** est une danse née dans la rue qui est maintenant présentée dans les plus grands lieux de culture du monde. Les **marionnettes** sont des spectacles de très bonne qualité pour un public de tout âge, pas seulement les enfants. On peut également passer une très bonne soirée au **cirque** en regardant un **spectacle** populaire **accessible** à tous.

5. a. Est-ce que tu as vu des graffitis le long de la voie du bus ? Non, je n'**en** ai pas vu.
b. Le festival d'Aurillac propose des spectacles de rue, vous connaissez ? Non, nous n'**y** sommes jamais allés.
c. Ce sont des formes d'art accessibles à tous, on devrait **en** parler plus.
d. Les musées nationaux proposent des œuvres assez classiques. On **y** expose rarement du street art.
e. Des spectacles populaires comme le cirque, c'est important d'**en** organiser.
f. Tu es allé voir l'exposition ? Non, je n'**y** ai pas pensé.
g. 100Taur réalise des graffitis à Toulouse. Il **en** a peint rue des Anges.

Corrigés

h. Je suis allée à Toulouse cet été. J'**y** ai découvert le Cours Julien, le lieu privilégié des graffeurs.

6. a. des pochoirs
b. des spectacles de cirque
c. au hip-hop
d. à cette exposition
e. des graffitis
f. au Festival des arts de la rue
g. de ma visite au musée
h. dans les capitales d'Europe

7. b. 4 – c. 7 – d. 2 – e. 5 – f. 1 – g. 6

8. a. Les villes ne veulent pas toujours conserver les graffitis **bien que** certains soient très réussis.
b. Le street-art n'intéresse pas les collectionneurs **malgré** la qualité et la diversité des œuvres.
c. **Même si** quelques artistes sont célèbres, le street-art n'est pas encore considéré comme une véritable forme d'art.
d. Les manifestations artistiques se développent, **même si / cependant** elles ont des difficultés à trouver des financements.
e. Les artistes de rue ne sont pas reconnus **bien que** certains fassent des œuvres géniales.
f. Le street art devrait être encouragé **malgré** la difficulté à trouver des espaces dédiés dans la ville.

9. a. Les graffitis et les pochoirs sur les murs ne sont pas toujours de bonne qualité.
b. J'aime beaucoup les spectacles de rue, je vais en voir souvent.
c. Même s'il faut encadrer les arts de la rue, les artistes doivent pouvoir s'exprimer librement.
d. Cet artiste est connu pour ses graffitis, il en a peint dans toutes les grandes capitales.
e. Les galeries d'art ne sont pas accessibles à tous les artistes.
f. Des artistes ont organisé des spectacles sur la place, bien qu'ils y soient interdits.

10. *Exemple de production :*
Je pense que le street art devrait être accessible à tous. Il permet à des artistes de montrer leur talent. Il devrait être encouragé même si des graffitis sur les murs sont parfois très laids. Les spectacles de rue sont nécessaires pour démocratiser la culture parce qu'ils sont gratuits. Cependant il y en a beaucoup, et ils ne sont pas assez encadrés. Il faudrait un soutien de l'État et des municipalités pour encourager cette forme d'art en développant des festivals et des espaces réservés à la création.

11. *Exemple de production :*
La semaine dernière, je me suis promené(e) dans les rues de ma ville et j'ai vu un spectacle de rue. Deux comédiens jouaient un spectacle. C'était une scène de couple où l'homme se disputait avec sa partenaire. Ils invitaient le public à y participer en demandant de choisir qui avait raison. Les spectateurs étaient interrogés et devaient argumenter leur choix. C'était très drôle ! Je suis content(e) d'avoir vu ce spectacle qui animait le quartier même si les spectacles de rue sont interdits dans la municipalité.

Leçon 23
Échanger sur le rôle de l'art

1. a. Un psychanalyste.
b. Grâce à l'art, nous pouvons mieux nous connaître.
c. L'art permet d'affirmer sa personnalité.
d. L'art est nécessaire pour se sentir bien.
e. En faisant confiance à ce qu'on ressent.
f. Quelles émotions provoque-t-elle en moi ?
g. La satisfaction et l'apaisement.
h. L'ouverture aux autres.

2. a. C'est un **morceau** de musique absolument magnifique.
b. La musique permet de diminuer les **douleurs** chroniques en créant du bien-être.
c. Pour jouer du violon, il faut un **archet** de bonne qualité.
d. Quand on est malade, on doit contrôler sa **tension artérielle**.
e. À la fin du 20ᵉ siècle, on a redécouvert les bienfaits **de l'art-thérapie**.
f. Je me sens apaisée quand j'écoute la musique de cette **compositrice**.

3. a. musicothérapie – b. compositeur – c. archet – d. anxiété – e. morceau – f. accord

T	E	W	A	E	C	O	M	P	O	S	I	T	E	U	R	I	D
V	I	K	R	T	I	Y	W	B	E	S	R	E	T	H	M	E	O
N	A	R	C	H	E	T	D	L	S	S	E	M	E	N	T	S	U
C	C	U	E	A	N	X	I	E	T	E	T	V	B	O	M	B	L
I	C	Y	T	V	B	G	M	V	S	A	E	X	Z	E	T	T	E
P	O	N	V	N	A	M	O	R	C	E	A	U	H	F	Y	E	U
K	R	X	M	C	N	E	P	R	B	R	A	N	R	N	V	A	R
F	D	Q	M	U	S	I	C	O	T	H	E	R	A	P	I	E	M

4. *Exemple de production :*
a. Quand on écoute de la musique, il y a des effets sur le corps. Cela permet de diminuer la tension artérielle et de réduire l'anxiété.
b. Oui, la musique classique par exemple a un effet sur le bien-être. En écoutant de la musique qu'on aime, on peut se relaxer et mieux dormir. On oublie tous ses problèmes !
c. Non, si on écoute de la musique douce, on sera plus détendu. Si on est fatigué, une musique dynamique peut nous apporter de l'énergie.

5. b. 4 – c. 6 – d. 1 – e. 5 – f. 3

6. a. Dans l'art-thérapie, le but est non seulement de réduire les douleurs, **mais aussi** d'éveiller des sensations positives.
b. La danse permet d'exprimer des émotions avec son corps. **Ainsi** on peut exprimer la colère, l'angoisse ou la joie.

c. Les interventions sont variées : théâtre, peinture, collage, musique, **ainsi**, l'art-thérapie peut être proposée à beaucoup de personnes.
d. La musicothérapie permet de réduire **à la fois** l'anxiété et les douleurs.
e. Observer des œuvres d'art est une source de bien-être **car** cela crée des émotions positives.

7. 2. c – 3. e – 4. g – 5. b – 6. d – 7. h – 8. f – 9. i

8. a. L'art-thérapie est adaptée à tous les âges, ainsi elle peut être très utilisée.
b. Les personnes âgées ressentent du bien-être grâce à la musicothérapie.
c. C'est un grand compositeur, il a créé des morceaux très connus.
d. Grâce à l'art-thérapie, il a mieux supporté ses douleurs.
e. L'art-thérapie permet de réduire la tension artérielle et l'anxiété.
f. D'une part, l'art-thérapie existe depuis longtemps, d'autre part, les recherches ont montré son efficacité.

9. *Exemple de production :*
L'art-thérapie, c'est utiliser les arts pour aider les malades à se sentir mieux. Elle permet d'améliorer la confiance en soi et provoque des émotions positives. En effet, grâce à l'art, on peut ressentir des sensations différentes. Non seulement on laisse s'exprimer sa créativité mais aussi on apprend à mieux se connaître. Ainsi, cela peut apporter une aide aux personnes qui souffrent. Néanmoins, l'art-thérapie ne permet pas de guérir des maladies.

10. *Exemple de production :*
Si je devais conseiller une œuvre d'art à des fins thérapeutiques, je recommanderais une toile du Douanier Rousseau : *Surpris ! ou Tigre dans une tempête tropicale* par exemple. Les tableaux de ce peintre invitent au voyage et à la rêverie. Elles ont le pouvoir de calmer l'anxiété en faisant entrer dans un autre monde. Elles invitent non seulement à rêver mais elles encouragent aussi à peindre son propre monde intérieur. Créer offre la possibilité d'une part, de sortir de son quotidien et d'autre part, d'exprimer sa douleur. Ainsi, elle devient plus supportable.

11. a. 4 – **b.** 3 – **c.** 3 – **d.** 4 – **e.** 5 – **f.** 3 – **g.** 5 – **h.** 2

Bilan

1. a. D'un musée.
b. Parce que la structure du bâtiment est à l'extérieur.
c. Sa façade est colorée.
d. Son caractère novateur.
e. Des œuvres d'art moderne.
f. Pour voir l'atelier d'un artiste célèbre.
g. D'un sculpteur d'origine roumaine.

2. *Exemple de production :*
J'aime beaucoup cette œuvre de street art. C'est un éléphant peint sur un grand mur en brique. L'animal donne l'impression de le démolir pour sortir de l'autre côté, vers le spectateur. Cette œuvre créée un effet de surprise. Du côté du mur où il pénètre, on voit des fleurs colorées. De plus, un cœur y est représenté, il est comme suspendu dans l'air. Ce décor signifie le bonheur. Cette peinture est réalisée avec un souci de la précision et du détail, ce qui la rend particulièrement réaliste. Bien que l'éléphant détruisant le mur exprime de la violence, les fleurs et le cœur apportent de la douceur. Pour moi, cette œuvre évoque le désir de liberté. Passer à travers le mur, c'est accéder à un autre monde malgré les difficultés. Ainsi, cette œuvre de street art est non seulement réaliste mais aussi symbolique. Elle est pour moi source d'espoir et elle me rend joyeux/joyeuse et optimiste.

Barème :
Je décris une œuvre d'art. *4 points*
Je donne mon avis. *3 points*
J'exprime mes émotions. *3 points*

3. a. Vrai. « J'ai toujours été intéressée par l'art, mais je n'ai pas toujours apprécié toutes les formes d'art. »
b. Faux. « J'aimais les peintures classiques […] l'art abstrait ne me plaisait pas. »
c. Vrai. « En effet, faire des "taches" de couleur sur une toile qui ne représente rien et dire que c'est de l'art me semblait trop facile. »
d. Faux. « Mais en passant dans le couloir de la galerie, je me suis arrêtée devant un tableau, et… j'ai admiré. »
e. Vrai. « […] j'ai admiré. Pourquoi ? Je ne sais pas. »
f. Faux. « Cette toile ne représentait rien. Je ne pouvais rien y comprendre ni rien y reconnaître. J'ai ressenti une émotion devant cette toile et j'ai voulu l'acheter. »
g. Vrai. « Cette expérience a changé complètement mon regard sur l'art et les artistes en m'ouvrant l'esprit à des sensations différentes. »

4. *Exemple de production :*
Je viens de lire cette citation. Je suis vraiment d'accord avec cette phrase. Pour moi, l'art n'est pas seulement ressenti, il est aussi éprouvé. Le contact avec une œuvre d'art provoque une émotion et c'est pour cette raison aussi qu'il aide à mieux se connaître. Pourtant, il n'est pas toujours facile d'apprécier une œuvre d'art. Néanmoins, on ressent toujours une émotion quand on regarde un tableau ou quand on écoute un morceau de musique. Le contact avec une œuvre d'art apaise. D'ailleurs l'art est utilisé dans l'art-thérapie pour aider les malades à mieux vivre, à être plus calme et à moins ressentir la douleur.

Barème :
Je donne mon avis. *3 points*
Je parle du rôle de l'art. *4 points*
J'utilise des connecteurs pour organiser mon texte. *3 points*

Corrigés

Unité 7 — Sommes-nous tous journalistes ?

Leçon 25

Parler des métiers de l'information

1. a. Vrai. « Le journaliste recueille des informations, les vérifie et les rend accessibles au public en suivant la déontologie de la profession […] »
b. Vrai. « On est un journaliste professionnel quand on travaille dans un ou plusieurs médias et que c'est son occupation principale. »
c. Faux. « […] la presse écrite (journaux et magazines) où 57 % des journalistes travaillent, l'audiovisuel (télévision et sociétés de production de vidéo) qui emploie 17 % des journalistes […] »
d. Vrai. « La curiosité et la maîtrise de la langue sont des qualités indispensables pour devenir journaliste. »
e. Faux. « Le journaliste doit […] garder toujours un esprit critique sur ce qu'on lui dit. »
f. Faux. « […] il doit travailler rapidement sur les sujets et être disponible. »

2. a. filme des événements.
b. propose des dessins pour les articles.
c. relit les articles.
d. exprime ses opinions.
e. signe des éditoriaux où il/elle donne son opinion.

3. a. Un reporter **va sur le terrain** pour être proche du lieu des événements.
b. Quand un journaliste réalise un reportage, il **recueille** des informations.
c. Quand un article est écrit et vérifié, il **est publié** dans le journal.
d. **Vérifier** une information, c'est une nécessité pour s'assurer qu'elle est vraie.
e. Un journaliste professionnel **met en contexte** les événements, c'est-à-dire explique où, quand et comment ces événements se sont produits.
f. Le journaliste recueille des informations et **analyse** les faits pour donner des informations objectives.
g. Un journaliste professionnel **écrit** des articles pour un ou plusieurs journaux.
h. Le journaliste a un devoir d'objectivité, il **met en perspective** les informations.

4. a. la méfiance – b. une rubrique – c. un reportage – d. l'authenticité – e. l'objectivité – f. une expertise – g. une enquête – h. la véracité

5. a. Un journaliste professionnel met l'information en perspective pour que son article **reste** objectif.
b. Nous avons changé la date du reportage pour que le cameraman **vienne** avec nous.
c. Un journaliste analyse un sujet d'actualité pour que les lecteurs **puissent** être mieux informés.
d. Ce journal a réalisé un reportage afin que le public **connaisse** la vérité sur cette affaire.
e. Une déontologie existe dans le journalisme pour que le public **ait** confiance dans la presse.
f. Il faut une bonne idée de reportage pour que des journalistes **aillent** sur le terrain.
g. Les influenceurs devraient toujours vérifier leurs sources afin que personne ne **mette** en doute la véracité des informations.
h. Le comité de rédaction a créé une rubrique pour qu'un spécialiste **fasse** la critique des spectacles.

6. a. Les influenceurs cherchent toujours à **attirer** le plus grand nombre de followers.
b. Nous avons lu un article sur ce journaliste afin de mieux le **connaître**.
c. Le rédacteur en chef a écrit un éditorial pour que le public **comprenne** la situation.
d. Ces chiffres sont faux, le journaliste n'a pas cherché à **vérifier** ses sources.
e. La dessinatrice a réalisé un travail extraordinaire pour que l'article **soit** bien illustré.
f. On doit terminer la relecture ce soir afin que le journal **sorte** demain matin.
g. Nous devons informer les lecteurs pour qu'ils **sachent** la vérité.
h. Ces reporters ont continué à informer afin de **témoigner** des difficultés du terrain.

7. b. 1 – c. 7 – d. 5 – e. 2 – f. 6 – g. 8 – h. 4

8. a. Nous avons vu un reportage **expliquant** le réchauffement climatique.
b. La rédaction emploie des journalistes **ayant** une longue expérience professionnelle.
c. Dans la rubrique « Économie », le journaliste interviewe des ouvriers **commençant** une grève.
d. La chaîne de télévision **informant** en continu n'offre pas toujours des actualités intéressantes.
e. Ces étudiants **choisissant** des études de journalisme s'intéressent aux événements dans le monde.
f. La rédaction recrute une secrétaire de rédaction **devant** relire et corriger les articles.
g. Pour ce reportage, on a besoin d'un journaliste **sachant** utiliser une caméra.
h. Ce reporter **parlant** le finnois a été engagé par un journal d'Helsinki.

9. a. Les journalistes doivent mettre en contexte les informations qu'ils trouvent.
b. La déontologie doit être respectée pour garantir la véracité des informations.
c. Le journaliste a proposé des idées à l'illustratrice pour qu'elle fasse les dessins.
d. Le rédacteur en chef écrivant un éditorial donne le point de vue de la rédaction.
e. Nous avons besoin d'un reporter sachant parler arabe.
f. Certains influenceurs écrivent pour amuser leurs followers.

10. *Exemple de production :*
Moi : Je ne suis pas d'accord avec nora113. C'est vrai, un journaliste doit écrire correctement, mais ce n'est

pas le plus important. Pour moi, c'est son objectivité. Le travail du journaliste consiste à rester neutre afin que ses lecteurs aient une information objective. Le journaliste ne doit pas chercher à donner son opinion, mais il peut proposer plusieurs points de vue dans ses articles pour que le lecteur se fasse SON opinion. Un journaliste ayant une expertise de son métier sait ainsi encourager le débat. Vérifier ses sources est aussi très important, le journaliste doit s'assurer de la véracité des informations. Pour résumer, seul un journaliste respectant la déontologie de sa profession est un bon journaliste. Et c'est le plus important !

11. Exemple de production :
Un journaliste et un influenceur ne transmettent pas de la même façon l'information. Le journaliste écrit des articles ou réalise des reportages pour gagner sa vie, c'est sa profession. Il respecte la déontologie du métier : être objectif et ne pas donner d'opinion personnelle. Il peut aussi transmettre différents points de vue pour que ses lecteurs se fassent une opinion sur le sujet. Les objectifs de l'influenceur sont différents : il écrit pour avoir le nombre le plus important de followers. Il choisit de donner son opinion personnelle et son point de vue sur différents sujets. Son langage est simple et il n'approfondit pas ses sujets. N'étant pas influenceur à plein-temps, il n'a pas les contacts nécessaires pour une mise en contexte de l'information. Les influenceurs les plus suivis sont souvent recrutés par de grandes marques commerciales pour faire la promotion d'articles ou de services. N'ayant pas la formation de journaliste, ils ne respectent pas leur déontologie professionnelle.

Leçon 26

Transmettre des informations

1. a. Le journaliste demande si la manière de s'informer a une conséquence sur notre vie quotidienne.
b. D'après la médiatrice, les auditeurs pensent qu'il y a trop d'informations négatives.
c. D'après elle, ils veulent plusieurs sources d'information et être toujours informés sur l'actualité.
d. D'après le spécialiste, le problème, c'est que les gens n'ont pas le temps de réfléchir à chaque information parce qu'il y en a trop.
e. D'après lui, quand on consomme trop d'informations, on peut développer du stress.
f. Les problèmes de santé causés par la surcharge d'information sont la dégradation du sommeil et un trouble de la concentration.
g. C'est la dépendance créée par une trop forte stimulation du cerveau due aux alertes.
h. Il conseille de choisir quelles informations on veut recevoir.

2. Ne plus regarder les chaînes d'info en continu – Hiérarchiser les informations

3. a. Tous les soirs, mon voisin regarde les vidéos de son **youtubeur** préféré.
b. Le médecin m'a conseillé de désactiver les **notifications** sur mon téléphone.
c. Dans la **presse papier**, on peut lire des éditoriaux intéressants.
d. Les entreprises utilisent l'**intranet** pour communiquer avec leurs employés en continu.
e. Grâce à Internet, je peux me tenir **au courant** des nouvelles du monde.
f. Ce **blogueur** propose une réflexion sur un sujet d'actualité tous les jeudis.
g. On commence à lutter contre la surcharge d'information au travail causée par **la messagerie instantanée**.
h. Au journal télévisé, on parle souvent de **scoops** qui sont révélés sur les réseaux sociaux

4. b. 6 – c. 1 – d. 7 – e. 8 – f. 2 – g. 4 – h. 5

5. Je suis allé chez le médecin parce que je me sentais très fatigué. Il m'a demandé de lui parler de mes loisirs. Je lui ai raconté que j'étais *youtubeur* et que je regardais les **chaînes d'information en continu**. Il m'a dit que je souffrais de **cyberdépendance**. Il m'a expliqué que cela entraînait une **dégradation** du sommeil et qu'il fallait faire attention. Il m'a demandé si j'avais des **pertes** de mémoire ou des **troubles** de la concentration. Je lui ai raconté que je n'arrivais plus à gérer **la messagerie instantanée** au bureau. Il m'a dit que j'étais atteint d'**épuisement professionnel** et il m'a conseillé de me reposer. Alors je pars en vacances demain matin pour un mois sans connexion Internet pour décrocher de mon **addiction**.

6. a. Ils ont dit que dans l'entreprise, ils **recevaient** beaucoup trop d'e-mails.
b. Le spécialiste dit que le soir il **vaut** mieux lire que regarder les chaînes d'information.
c. La psychologue a expliqué que les problèmes de santé **augmenteraient** avec le développement des applications.
d. Il s'est demandé comment **feraient** les médecins pour traiter les personnes souffrant d'addiction.
e. La journaliste a dit que les chaînes d'information en continu **s'étaient développées** très rapidement.
f. Elle me demande si j'**ai** souvent des troubles de la concentration.
g. Il a dit que c'**était** intelligent de traiter de l'infobésité dans un reportage sur l'addiction.
h. Le médecin a précisé qu'il **connaissait** très bien les effets de la surcharge d'information sur la santé.

7. a. Le journaliste a conclu que l'addiction à l'information était un vrai danger pour la santé.
b. Le directeur nous a demandé ce que nous pensions de l'utilisation d'intranet.
c. Claire m'a demandé si j'avais reçu beaucoup d'e-mails au bureau aujourd'hui.
d. Mon fils m'a dit que beaucoup de jeunes ne s'intéressaient pas à l'addiction aux écrans.

Corrigés

e. Le directeur de l'école nous a informés que l'utilisation des téléphones serait interdite dans l'établissement.

8. a. Le médecin a expliqué qu'il fallait faire attention à la dégradation du sommeil.
b. Il m'a conseillé d'essayer de passer deux heures par jour sans regarder les écrans.
c. J'ai demandé à Anna ce qu'elle ferait pour lutter contre l'addiction.
d. Mon amie m'a précisé qu'elle avait longtemps suivi ce youtubeur.
e. Le journaliste a expliqué que les gens voulaient s'informer en continu.
f. La responsable du service lui a conseillé de se reposer.
g. Mon frère a dit qu'il fallait faire attention au burn-out.
h. Le professeur a déclaré qu'il faudrait laisser les téléphones dans les sacs.

9. a. Il a dit que c'était important de se tenir au courant.
b. La jeune femme a ajouté qu'elle ne savait pas hiérarchiser les informations.
c. Le médecin a confirmé qu'il souffrait d'une perte de mémoire.
d. Le spécialiste a précisé que nous devrions faire attention à notre santé.
e. Elles ont expliqué que l'épuisement professionnel était assez courant.
f. La cyberdépendance est un problème chez les jeunes.
g. Le twittos répond à toutes les notifications sur son téléphone.

10. *Exemple de production :*
Je préfère sélectionner l'information, surtout quand elle concerne l'actualité. Il y a beaucoup de fake news qui circulent, il est donc préférable de choisir des médias qui contrôlent les informations. J'ai choisi de lire l'actualité sur deux sites de journaux en ligne. Mais parfois, je ne suis pas assez méfiant(e) et je diffuse moi aussi des fausses nouvelles sur les réseaux sociaux. C'est vrai, je ne résiste pas à regarder mon téléphone quand je reçois des notifications ! Et j'en reçois beaucoup dans la journée. Alors je souffre peut-être aussi un peu d'infobésité.

11. *Exemple de production :*
Hier, j'ai entendu un témoignage intéressant à la radio. Un jeune homme a dit que les gens aimaient beaucoup les informations sensationnelles qui circulaient un peu partout. Il a ajouté que les chaînes d'information en continu avaient beaucoup de succès. Je suis d'accord avec lui : tout va très vite ! Il a expliqué que les gens ne savaient plus faire la différence entre une information vérifiée et une fausse information. Il a raconté que dans son travail, il était hyperconnecté. Il recevait souvent plus de soixante messages par jour ! C'est vrai, c'est beaucoup trop ! Il risque un burn-out. Je pense qu'il souffre comme beaucoup de gens d'un mal de notre époque : la vitesse. Le rythme des gens s'est accéléré pour s'adapter à la vitesse des échanges de l'espace numérique. Mais le rythme du cyberespace est beaucoup plus rapide que le rythme biologique, et beaucoup de gens en souffrent.

Leçon 27
S'interroger sur l'information

1. a. Parce qu'on peut savoir s'il connaît bien le sujet de son article.
b. En regardant avec attention sur quel type de média se trouve l'information.
c. Les sites peuvent avoir des objectifs différents : informer, vendre, convaincre, manipuler ou faire peur.
d. Il faut identifier la source de l'information et l'objectif du média qui la diffuse.
e. Il est intéressant de comparer comment une information est diffusée par d'autres médias.
f. Parce qu'elles manquent parfois d'authenticité et illustrent une fausse nouvelle.

2. a. virtuel – **b.** retoucher – **c.** automatiser – **d.** l'intelligence artificielle – **e.** détecter – **f.** un avatar

3. b. 6 – c. 1 – d. 2 – e. 3 – f. 5

4. Les jeunes passent beaucoup de temps à regarder la télévision, à jouer en ligne, à chatter, à bloguer, à écouter de la musique. Ils ont accès à des sites qui *diffusent en continu* des informations. Il faut leur apprendre à être **méfiants** si une information ne donne pas ses sources. Il est nécessaire de leur répéter de ne pas croire tout ce que les photos montrent. Les images **retouchées** sont nombreuses et très bien réalisées. On peut aussi **manipuler** l'information dans de courts extraits vidéo. Grâce à **l'intelligence artificielle**, il est possible aussi de modifier le discours d'un homme politique par exemple. Nos yeux ne sont généralement pas capables de **détecter** ces manipulations.

5. a. Selon la journaliste de l'AFP, l'intelligence artificielle **établirait** le profil de 80 % de la population.
b. Des sondages **indiqueraient** que les Français souffrent d'infobésité.
c. Ma cousine dit que vous **diffuseriez** des fausses nouvelles sur les réseaux sociaux.
d. D'après lui, tu **insinuerais** que je ne suis pas assez méfiant quand je télécharge des vidéos.
e. La DRH insinue que des algorithmes **généreraient** des profils de candidats idéaux.

6. *D'après nos informations, la chaîne d'information continue OUITV développerait un nouveau type de journalisme.* Des vidéos seraient conçues grâce à l'intelligence artificielle. *La rédaction du journal TV proposerait ces vidéos dans ses reportages régulièrement.* Les techniciens de la chaîne ne sont pas d'accord. *Ils pourraient se mettre en grève la semaine prochaine pour protester.* Le rédacteur en chef a affirmé que ces nouvelles vidéos n'entraîneraient aucune perte d'emploi. *Il pourrait organiser une réunion ce soir ou demain matin avec les employés.* L'organisation des journalistes indépendants a apporté son soutien aux techniciens de la chaîne. Nous suivrons de près l'évolution de la situation dans notre journal.

7. Faire une hypothèse : g – Conseiller : c – Exprimer un désir ou un souhait : e – Donner une information non vérifiée : b, d, f – Rapporter au discours indirect : a, h

8. On nous a signalé qu'une lettre du ministère de l'Éducation nationale, annonçant la réduction des vacances d'été, *circulait* depuis hier sur les réseaux sociaux. Selon nos informations, qui ne sont pas encore vérifiées, la lettre **présenterait** le logo de la République française et **serait** signée du ministre. Elle **indiquerait** que les vacances d'été sont supprimées cette année pour que les élèves travaillent plus. Des professeurs et des parents d'élèves **ont déjà réagi** sur les réseaux sociaux. Le ministre **pourrait** démentir cette information dans la journée d'après notre correspondant au ministère. Nous **attendons** donc la confirmation de l'intervention du ministre qui **devrait** arriver rapidement.

9. *Exemple de production :*
a. D'après les dernières nouvelles, le candidat à l'élection utiliserait un avatar pour répondre aux questions des utilisateurs sur son site Internet.
b. Une enquête sous-entend que quelques journalistes de la rédaction perdraient leur emploi pour être remplacés par l'intelligence artificielle.
c. Selon le site, les jeux vidéos permettraient de diffuser de fausses nouvelles.
d. Une information sur le Net indique que les casques de réalité virtuelle permettraient de faire des voyages dans l'espace.
e. Selon ses observations, beaucoup de sites automatiseraient la gestion des commentaires des utilisateurs.
f. Mon ami Raoul sous-entend que la voiture intelligente serait plus dangereuse sur la route que la voiture traditionnelle.

10. a. Les fausses nouvelles se répandent rapidement bien qu'elles soient souvent démenties.
b. L'intelligence artificielle permet de détecter les images retouchées.
c. La télévision utiliserait bientôt des présentateurs virtuels.
d. L'information sur les nouveaux algorithmes a rencontré un écho dans la presse.
e. Un incendie se serait déclaré en fin d'après-midi.
f. D'après la chaîne d'information, le gouvernement devrait démentir l'utilisation d'algorithmes de reconnaissance des visages dans les hôpitaux.

11. *Exemple de production :*
La nouvelle d'une présentatrice virtuelle en Corée du Sud est incroyable. C'est le signe d'une grande avancée du numérique. Ces technologies permettent d'imiter parfaitement la réalité. Elles ne changent rien au contenu de l'information. L'avatar dit ce qu'aurait dit la présentatrice si elle avait été présente. Mais qui écrit les textes du JT ? Est-ce toujours la rédaction du journal ou un algorithme ? On peut se poser la question et se demander aussi s'il est nécessaire de diffuser des informations 24 heures sur 24.

12. *Exemple de production :*
Je passe beaucoup de temps sur les réseaux sociaux, à jouer en ligne et à écouter de la musique. J'ai confiance dans les nouvelles technologies, c'est la révolution de notre époque ! Quand je cherche une information, je la trouve rapidement et je peux donner mon opinion tout de suite. Je peux dire à mon réseau ce que j'aime et ce que je n'aime pas, je peux partager des vidéos, des articles et des photos. Toutes les informations circulent très vite. Mais je fais attention aux fausses nouvelles parce que sur les réseaux il y a du vrai et du faux, alors je vérifie la véracité des infos sur les sites qui diffusent en continu des informations. Je suis aussi méfiant quand une information ne donne pas ses sources. Et je ne crois pas toujours ce que les photos montrent. J'ai confiance mais j'ai appris à ne pas croire quand une courte vidéo bien réalisée ou une photo retouchée cherche à me manipuler. Des algorithmes chercheraient à orienter mes recherches sur Internet, je n'y crois pas vraiment !

13. [s] : d, h – [z] : b, f – [ʃ] : a, e, g – [ʒ] : c

Bilan

1. a. De l'évolution dans notre manière de nous informer.
b. Il est difficile de repérer les informations sérieuses.
c. Les médias classiques diffusent des informations sur les réseaux sociaux.
d. Facebook est devenu le premier média pour diffuser de l'information.
e. Les informations qu'on peut partager rapidement sont les plus diffusées.
f. Les médias préfèrent diffuser des contenus créant de l'émotion.

2. *Exemple de production :*
Salut, je viens de lire un article sur les médias. Un spécialiste de l'information a écrit que l'intelligence artificielle serait de plus en plus utilisée pour produire de l'information. Il a ajouté que bientôt toute l'information serait fabriquée par des algorithmes. Il a expliqué que grâce à cette pratique, on pourrait avoir une information personnalisée et ciblée. Mais il a ajouté qu'il y avait de nombreux dangers. Et je pense qu'il a raison. Plus personne ne serait alors responsable du contenu de l'information. Il n'y aurait aucune raison pour que les journalistes défendent les articles écrits par un programme informatique. Il faut faire attention à cette évolution technologique. Je suis d'accord avec l'article qui dit que les hommes et les femmes ayant des expertises doivent garder le contrôle sur tout ce qui est produit par les algorithmes dans leurs domaines.

Barème :
Je rapporte un discours que j'ai lu à la forme indirecte. *3 points*
Je parle des nouvelles technologies. *3 points*
Je donne mon opinion sur un sujet. *4 points*

Corrigés

3. a. Vrai. « Comment est fabriquée l'information ? »
b. Vrai. « Quand un fait se produit, le journaliste est averti par des sources. »
c. Vrai. « Il vérifie les déclarations officielles et les témoignages pour obtenir différents points de vue portant sur le même fait. »
d. Faux. « Il peut aussi parler avec des experts, consulter des rapports, des études, des enquêtes d'opinion ou des sondages afin que le fait soit mis en perspective. »
e. Faux. « Une information est donc une construction qui comporte deux éléments : le fait et le commentaire. […] La partie principale de l'information, le fait, […] »
f. Faux. « Un même événement peut être traité de différentes manières par plusieurs médias. »
g. Vrai. « Des commentaires différents suivant la ligne éditoriale du journal permettent aux gens qui s'informent de se faire un avis personnel sur le sujet. »

4. *Exemple de production :*
Aujourd'hui, jeunes ou seniors, hommes ou femmes, nous sommes tous hyperconnectés aux sites d'information ou aux réseaux sociaux. Nous pouvons regarder les chaînes d'information en continu, les vidéos de nos youtubeurs préférés, lire des blogs et suivre des personnalités ou des « amis » sur les réseaux sociaux. C'est difficile pour tout le monde de résister aux notifications sur le téléphone qui indiquent qu'il vient de se passer quelque chose. Plusieurs médecins nous alertent : quand il y a trop d'informations, on peut souffrir d'une surcharge d'information avec des conséquences graves : altération du jugement, dégradation de son sommeil, perte de mémoire. Dans la vie professionnelle, c'est le même problème : la messagerie instantanée et l'intranet envoient des messages en continu. On peut souffrir d'épuisement professionnel. C'est pourquoi, il est important de désactiver les notifications et de passer régulièrement du temps sans écran pour éviter le burn-out.

Barème :
Je décris le problème de l'excès d'information. *4 points*
J'explique les dangers pour la santé. *4 points*
J'utilise le lexique des nouvelles technologies. *2 points*

UNITÉ 8 — Quelle place réserver au vivant ?

Leçon 29

Parler des changements climatiques

1. a. Vrai. « L'homme a modifié l'équilibre naturel de la Terre en envoyant de grandes quantités de gaz à effet de serre dans l'atmosphère […] »
b. Vrai. « La déforestation aggrave le phénomène, […] »
c. Vrai. « L'augmentation de gaz à effet de serre est donc la principale cause du réchauffement climatique. »
d. Faux. « Nous pouvons le percevoir dans nos vies, avec des étés plus chauds et des périodes de canicule régulières. »
e. Vrai. « L'augmentation des températures et les changements du climat ont un impact sur les écosystèmes. […] On assiste déjà à la disparition de très nombreuses espèces. »
f. Faux. « Le changement climatique a des conséquences sur l'économie mondiale. L'insuffisance d'approvisionnement alimentaire et le manque d'eau font naître de nouveaux conflits. »
g. Faux. « Mais il n'est pas trop tard encore pour entamer une nouvelle ère de reconstruction ! »

2. la canicule – les tornades – l'incendie de forêt / la sécheresse – l'inondation / les fortes pluies.

3. b. 3 – c. 6 – d. 5 – e. 4 – f. 1

4. a. 1 – b. 3 – c. 2 – d. 3 – e. 1

5. Les changements climatiques ont des conséquences sur les espaces naturels. Dans les forêts, où la *déforestation* entraîne la perte de la **biodiversité** : les animaux et les plantes disparaissent. Dans certaines régions, la terre devient sèche, on assiste à la **désertification** des espaces naturels. Cela conduit à un **manque d'eau** pour les hommes, les espèces végétales et animales. Dans les villes, la **dégradation de la qualité de l'air** a pour conséquences des maladies respiratoires. La destruction des **écosystèmes** a aussi de graves conséquences : des **incendies** ravagent des forêts et de fortes pluies créent des **inondations**. Il est temps d'agir si nous voulons un monde habitable pour nos enfants !

6. a. Si nous **avions pris** des décisions fortes, le réchauffement climatique **aurait ralenti**.
b. Si les incendies **n'avaient pas détruit** la forêt, les habitants **n'auraient pas quitté** leur village.
c. Si vous **aviez écouté** l'émission sur le climat, vous **seriez venu(e)(s)** à la manifestation.
d. Si la sécheresse **n'avait pas duré** aussi longtemps, le manque d'eau **n'aurait pas été** aussi grave dans la région.
e. Si les pays **s'étaient mis d'accord** il y a vingt ans, nous **aurions évité** l'augmentation des températures dans le monde.
f. Les épisodes de canicule **auraient été** moins nombreux ces dix dernières années si la couche d'ozone **n'avait pas diminué**.
g. Si vous **aviez voyagé** aux États-Unis, vous **auriez vu** les dégâts de la dernière tornade.
h. Si je **m'étais engagé(e)** plus tôt pour le climat, j'**aurais pu** agir plus efficacement.

7. b. 5 – c. 1 – d. 7 – e. 6 – f. 2 – g. 8 – h. 4

8. Regret : a, b, g – Reproche : c, d – Ni regret ni reproche : e, f

9. a. Il aurait fallu s'engager tous ensemble pour le climat.
b. Si la déforestation s'était arrêtée, la situation ne se serait pas dégradée.
c. La perte de la biodiversité est une catastrophe pour l'avenir de la planète.
d. La canicule est de plus en plus fréquente dans nos villes.
e. Si des décisions avaient été prises plus tôt pour le climat, nous aurions pu nous adapter.
f. Nos dirigeants auraient dû agir beaucoup plus tôt !

10. *Exemple de production :*
Cette infographie est intéressante parce qu'elle explique bien le problème et les impacts du changement climatique. Le problème, c'est le réchauffement de la planète, à cause des gaz à effet de serre et aussi de la déforestation. S'il y avait eu moins de transports et moins de dépenses d'énergie, il n'y aurait pas eu une augmentation des températures de + 1,1 °C entre 1850 et 2017 ni une hausse du niveau de la mer de 8,8 cm. Les événements extrêmes sont devenus plus nombreux : des inondations, des canicules, des tempêtes. À présent, les changements climatiques ont des impacts sur l'environnement. Il en résulte des problèmes écologiques importants : d'abord le manque d'eau et la difficulté à trouver de l'eau de bonne qualité. Ensuite les sols s'appauvrissent parce que la sécheresse augmente. Et puis, il y a aussi des dangers pour la biodiversité : les animaux et les plantes sont menacés. Enfin, tout cela a des conséquences sur nos lieux de vies et augmente les risques pour la santé.

11. *Exemple de production :*
J'aimerais essayer de répondre à cette question : « Le climat change, est-ce que nous ne devrions pas faire pareil ? » Je crois que tout le monde est responsable du changement climatique. Si nous avions agi plus tôt, nous aurions moins de problèmes environnementaux. Il est nécessaire à présent de prendre des décisions importantes. Je pense que les actions peuvent être faites par les politiques, et aussi par les individus, vous, moi. Nous sommes tous responsables. Si l'industrie avait réduit ses émissions de gaz à effet de serre, la situation aurait été moins grave. Mais les problèmes ont été accrus à cause du comportement de surconsommation.
Je pense que tout le monde connaît la situation. Si nous étions tous mobilisés en même temps, nous pourrions collectivement changer nos modes de vie. Il faut agir ensemble pour assurer le futur des jeunes générations.

Leçon 30

Prendre position sur les droits des animaux

1. a. Il ne pense pas que les lois pour protéger les animaux suffisent en France.
b. Les souffrances des animaux commencent à être reconnues.
c. Des textes les réglementent en respectant la physiologie des animaux.
d. Parce que tout le monde est conscient de la souffrance animale.

2. a. La situation est différente aujourd'hui parce qu'on adopte de nouvelles lois.
b. Les animaux sauvages seront interdits dans les cirques et les delphinariums.
c. Leya est optimiste parce qu'elle pense que les gens sont maintenant sensibilisés à la souffrance animale. Elle pense qu'il y aura des progrès parce que beaucoup d'associations travaillent sur le sujet.
d. Pour Amidou, le plus grand danger est que le nombre d'animaux sauvages diminue et que la biodiversité régresse.

3. a. un delphinarium – **b.** la physiologie – **c.** une espèce – **d.** une loi

4. b. 8 – c. 4 – d. 3 – e. 6 – f. 9 – g. 2 – h. 5 – i. 7

5. Les animaux sont mieux protégés qu'avant. Une nouvelle loi vient d'être adoptée pour **réglementer** les comportements des gens avec leurs **animaux de compagnie**. Il sera interdit de vendre des **espèces** vivantes dans des magasins spécialisés. Le don des animaux de compagnie sera mieux **encadré** : il sera interdit de donner ou vendre un **animal** à des enfants sans l'accord de leurs parents. La loi prévoit également la fin des animaux sauvages dans les **cirques**. Enfin, la protection des **ours** sera renforcée suite à la disparation de trois animaux tués l'année dernière dans les Pyrénées.

6. a. Il y a beaucoup d'animaux de compagnie, **plusieurs** chiens et chats sont adoptés chaque année.
b. Je ne sais pas exactement combien, mais **certains** animaux sauvages ont disparu l'année dernière.
c. Il y en a peu : seules **quelques** espèces sont protégées par la loi.
d. **Aucune** personne ne devrait abandonner son animal !
e. **Chaque** loi est une avancée pour la défense des animaux.
f. Il faudrait être plus sévère, on devrait interdire **toutes** les exploitations des animaux !
g. La biodiversité disparaît peu à peu : il ne reste plus que **quelques** ours.
h. On parle beaucoup de la souffrance animale, j'ai lu **plusieurs** interviews de spécialistes.

7. Adjectif indéfini : b, d, f – Pronom indéfini : a, c, e

8. a. Les insectes disparaissent peu à peu, pourtant **certains** sont indispensables au renouvellement des sols.
b. Dans les élevages d'animaux, **tous** devraient être bien traités.
c. Il est interdit de maltraiter son animal de compagnie, mais **plusieurs** ont été abandonnés cet été.
d. Des lois sont nécessaires pour encadrer les conditions de vie des animaux, **quelques-unes** sont

plus urgentes que d'autres.
e. **Chacun** devrait être attentif au bien-être des animaux.
f. Il faut respecter les animaux même dans les abattoirs : **aucun** ne devrait souffrir.
g. Des espèces animales sont menacées, **plusieurs** disparaissent chaque année.
h. Je crois que les associations sont utiles, **toutes** devraient être encouragées.

9. a. Je pense que la loi sur les animaux de cirque **sera** efficace.
b. Vous doutez que nous **soyons** capables d'améliorer vraiment la condition animale.
c. Pensez-vous que la nouvelle loi **permette** de mieux protéger les animaux ?
d. Il est certain que nous **avons** fait des progrès ces dernières années.
e. Je ne crois pas que vous **compreniez** bien la situation des animaux.
f. Grâce à la loi sur les animaux de compagnie, il est sûr que les chats et les chiens **pourront** être mieux traités.
g. Nous ne pensons pas que tu **saches** vraiment de quoi tu parles.
h. Je ne suis pas convaincue qu'il **choisisse** de se battre pour améliorer les conditions de vie des animaux.
i. Il doute que l'homme **voie** le bien-être animal comme une cause importante pour l'avenir de la planète.

10. a. Les militants véganes doutent que les élevages **puissent** respecter le bien-être animal.
b. Tu n'es pas sûr que les lois défendant la cause des animaux **soient** efficaces ?
c. L'élève est certaine que nous **améliorons** les conditions de vie des animaux.
d. Croyez-vous qu'il **faille** être plus strict en multipliant les contrôles dans les abattoirs ?
e. Les représentants de l'association ne pensent pas que la situation des animaux **aille** mieux ces prochaines années.
f. Je ne crois pas que la loi actuelle **prenne** en compte suffisamment la souffrance animale.
g. Chacun est maintenant sûr que les animaux **ont** droit au respect.
h. Vous doutez que les animaux **ressentent** de la souffrance ?

11. a. Plusieurs animaux de compagnie sont abandonnés chaque année en France.
b. Je pense qu'il est normal de protéger les animaux.
c. Croyez-vous que tous les animaux soient bien traités dans les abattoirs ?
d. Il est nécessaire de respecter l'équilibre biologique.
e. Vous ne pensez pas que nous soyons très respectueux des animaux.
f. Tu doutes que nous arrêtions de consommer de la viande ?
g. On devrait adopter des nouvelles lois contre la maltraitance animale.
h. Aucun animal ne devrait souffrir à cause des hommes.

12. *Exemple de production :*
Je crois que pendant très longtemps, les animaux ont été traités comme des objets. Les gens veulent un animal de compagnie, un chien ou un chat, mais ils ne le respectent pas. Par exemple, ils le prennent pour un jouet, l'habillent ou le traitent comme un jeune enfant. Je pense que les animaux ont des besoins que nous devons respecter. Je ne crois pas que tout le monde soit capable de bien s'occuper d'un animal. Chacun doit promener son chien plusieurs fois par jour, le faire courir régulièrement et le nourrir à heure régulière par exemple. Des animaux sont abandonnés sur la route des vacances parce que c'est difficile de trouver une location acceptant les animaux. Alors certains règlent le problème en abandonnant leur animal. Je suis certain(e) qu'il en souffre. Heureusement, une loi vient d'être adoptée pour mieux traiter les animaux. J'espère que les animaux de compagnie seront mieux respectés dans l'avenir !

13. *Exemple de production :*
Je viens de voir qu'une loi a été adoptée pour protéger les animaux. C'est une bonne chose ! Je pense que c'est important de défendre les droits des animaux et de les traiter comme des êtres sensibles. Cette loi va interdire les animaux sauvages dans les cirques et les delphinariums. Aucun animal sauvage ne pourra plus être montré dans un spectacle ! Je ne pense pas qu'on puisse continuer à traiter les animaux comme des objets. Une loi récente encadre les comportements dans les abattoirs et les élevages pour mieux prendre en compte la physiologie des animaux. Plusieurs lois permettent aussi de mieux protéger la biodiversité. Mais certaines espèces animales ont déjà disparu, ce n'est pas très encourageant ! La vie animale est si importante pour nous ! Il faut continuer à adopter des lois encadrant le bien-être animal et assurant la survie des animaux pour faire mieux encore !

14. [j] : b, c, d, f, g, h

Leçon 31

Agir pour l'avenir

1. a. C'est ce qui permet aux êtres vivants de mieux vivre ensemble.
b. L'entraide se développe si les conditions de vie deviennent difficiles.
c. La diversité des formes d'entraide et d'empathie dans la nature.
d. Que seuls les êtres vivants qui s'entraident arrivent à survivre.

2. a. Les êtres vivants coopèrent ensemble et s'entraident, les êtres humains comme les animaux.
b. La compétition apparaît quand les ressources sont abondantes dans l'environnement.
c. Oui, c'est grâce à l'entraide que les espèces ont pu survivre depuis des milliers d'années parce

qu'elle permet de se développer ensemble. Et plus l'environnement est dangereux, plus les membres d'une espèce deviennent solidaires pour se protéger ensemble.

3. a. l'humidité atmosphérique
b. l'empathie
c. la serviabilité
d. les conditions climatiques

4. 2. g – 3. e – 4. d – 5. f – 6. c – 7. b

5. a. T'as raison, c'est **fastoche** !
b. Ici, il y a une véritable **entraide** entre les gens : les jeunes rendent des services aux plus âgés.
c. Tu crois vraiment que les salariés ne veulent plus **bosser** comme avant ?
d. Le jeune homme a ressenti de l'**empathie** pour son ami qui était triste.
e. Les plantes peuvent vivre en **communauté** comme les espèces animales.
f. La **serviabilité** est une qualité essentielle qui montre qu'on fait attention aux autres.
g. Avec les canicules et les inondations, les **conditions climatiques** sont plus mauvaises qu'il y a trente ans.
h. Je n'achète jamais d'**huile de palme**, je fais attention à ce que je mange.

6. a. S'il te plaît, achète-**lui-en**.
b. Tu **la leur** as transmise ?
c. Ne **la lui** donne pas.
d. Elle **nous en** fait.
e. Prends-**m'en**.
f. Elle **les leur** annoncera.
g. Nous **vous y** retrouverons.
h. Ne **les y** achète pas, ils ne sont pas bio.

7. a. Oui, nous **leur en** donnons.
b. Oui, je **lui en** prendrai.
c. Oui, nous **les y** voyons souvent.
d. Non, je ne peux pas **t'en** donner.
e. Oui, je **le leur** expliquerai.
f. Oui, je **la lui** ai demandée.
g. Non, je ne **leur en** fais pas.
h. Non, nous ne **les lui** enverrons pas.
i. Oui, je **la lui** recommanderais.
j. Non, nous ne **la leur** avons pas envoyée.

8. a. Vous avez demandé à votre mère son vélo ?
b. Tu emmènes souvent ton amie au restaurant végétarien.
c. Prends des légumes bio pour ton père !
d. Vous donnez des légumes de saison à vos enfants.
e. Les professeurs ont proposé aux étudiants leurs articles sur le changement climatique.
f. N'apporte pas de vin à tes amis !
g. Tu achètes des fraises bio pour mon frère et moi ?

9. a. Il n'a pas acheté de pâte à tartiner pour le goûter !
b. Nous n'avons plus de miel à la maison.
c. Hier, il y avait des légumes bio à la cantine.
d. Il aime la cuisine végane ?
e. Vous n'avez pas lu l'article sur la solidarité entre les arbres ?
f. Tu adores les steaks végétariens, on dirait !
g. Je n'ai jamais pris de viande dans ce restaurant.
h. Est-ce qu'il y a de l'huile de palme dans les chips ?

10. a. L'humidité atmosphérique est nécessaire pour les êtres vivants.
b. Tu vas bosser avec ta caisse.
c. Vous leur en avez pris beaucoup.
d. Emporte-le-lui !
e. Donne m'en un pot.
f. L'empathie et l'entraide seraient présentes dans les communautés animales.
g. J'ai adoré l'émission sur les conditions climatiques.
h. Il y a de l'huile de palme dans les ingrédients.

11. *Exemple de production :*
Cette photo partagée sur Instagram montre des mains d'adulte qui donne une plante à des mains de petit enfant. C'est le passage d'une génération à une autre. La jeune génération reçoit ce que lui a laissé la précédente. Le slogan « Agir pour les générations futures » propose d'agir pour transmettre un monde habitable aux plus jeunes, le leur laisser sans pollution, c'est-à-dire réduire les gaz à effet de serre dans l'atmosphère afin de préserver le climat et aussi la biodiversité. Je pense que cette photo fait appel à la solidarité entre les générations. Selon moi, elle est obligatoire si on veut créer une communauté humaine du futur vivant dans un environnement sain et biodiversifié. Chacun doit agir avec solidarité pour les générations à venir. C'est aussi une question de survie de l'espèce !

12. *Exemple de production :*
Tu sais, la planète est en danger, c'est important d'agir pour l'avenir. Même au niveau individuel, chacun peut faire des choses simples pour limiter les dégâts. Moi, depuis quelque temps, je fais attention à ce que je choisis au supermarché. Y a trop de produits industriels dans notre alimentation, j'en achète plus. Je vais plutôt au marché. Je n'y prends que des légumes frais, de saison. C'est pas normal de proposer du raisin au mois de mars par exemple ! J'essaye aussi de prendre des fruits et des légumes bio, pour limiter la consommation de produits chimiques. Dans ma famille, on y fait pas assez attention, pourtant je le leur dis souvent, il faut prendre soin de notre environnement. Et la consommation de viande aussi, je fais attention, on n'a pas besoin de manger de la viande tous les jours ! Ce serait bien que tout le monde fasse des efforts dans le choix des produits alimentaires. C'est ça aussi agir par solidarité, on agit les uns avec les autres et les uns pour les autres. L'avenir de l'humanité se construit ensemble !

Bilan

1. a. Des actions d'une association de défense de la biodiversité.

Corrigés

b. Il travaille dans une association.
c. Rendre à la nature des espaces qui ont été aménagés par l'homme.
d. Il a laissé un arbre mort là où il était tombé.
e. C'est arrêter les interventions humaines pour que la nature se développe.
f. Mieux partager les lieux et les ressources avec les êtres vivants.

2. *Exemple de production :*
Je viens de m'engager dans une association pour la défense des animaux. Je suis convaincu(e) que les animaux ne doivent pas souffrir à cause des humains. Nous devons faire des lois pour encadrer les comportements des gens avec les animaux de compagnie. Il y a trop d'animaux abandonnés. Une loi vient d'être adoptée pour interdire les animaux sauvages dans les cirques et les delphinariums, ainsi on ne pourra plus montrer des animaux sauvages dans les spectacles, et c'est une bonne chose !
Je sais qu'il y a aussi des conditions de vie difficiles pour les animaux dans les élevages et les abattoirs. Je ne pense pas qu'on puisse améliorer les conditions de vie sans faire des lois. En plus, la biodiversité est en danger : plusieurs espèces disparaissent chaque année. Il faut continuer à lutter pour la défense des animaux, c'est important.

Barème :
J'utilise le lexique de la défense des animaux. *3 points*
Je prends position sur la condition des animaux. *4 points*
J'utilise les phrases qui expriment le doute et la certitude. *3 points*

3. *Exemple de production :*
Je viens de lire ce titre d'article sur Internet. On peut en effet avoir des regrets aujourd'hui. Si nous avions été plus ouverts aux alertes des scientifiques, nous aurions pu éviter le réchauffement climatique et la destruction de la biodiversité. Nos parents auraient dû être plus attentifs ! Nous allons devoir faire face aux menaces du changement climatique, comme les ouragans, les tornades, les incendies de forêt. Il aurait fallu préserver l'environnement au lieu de collecter toutes les ressources naturelles et développer les activités humaines polluantes. Les gaz à effet de serre changent l'air que nous respirons, et le réchauffement climatique a des effets sur les océans, les sols et les animaux. Les conséquences sur l'ensemble du système écologique et pour les humains en particulier sont graves. Personne n'a rien fait depuis quarante ans mais maintenant nous pouvons agir !

Barème :
Je parle du changement climatique. *4 points*
J'exprime le regret et le reproche. *3 points*
Je fais des hypothèses dans le passé. *3 points*

4. a. Vrai. « Protéger l'environnement, c'est préserver l'avenir de l'humanité ! »
b. Faux. « Aujourd'hui, la situation est contraire, c'est notre environnement qui a dû s'adapter à nous. »
c. Vrai. « S'il disparaissait, quel avenir pourrait espérer l'humanité ? »
d. Vrai. « Pour pouvoir vivre, l'homme a besoin de boire, de manger et de respirer. Et cela, seul notre environnement peut nous le procurer. »
e. Faux. « Le changement climatique est important et a pour conséquence la montée des eaux, la sécheresse, des tempêtes et plusieurs catastrophes naturelles dans le monde. »
f. Faux. « Il n'y a pas de plus grande source de vie que la nature. Alors si nous la détruisons, croyez-vous que l'humanité y survive ? »

UNITÉ 9 — Pourquoi voyage-t-on ?

Leçon 33

Raconter une expérience

1. a. Elle a toujours voulu faire un long voyage.
b. 23 ans.
c. Elle avait assez d'argent de côté.
d. Parce que ses amis n'étaient pas disponibles.
e. Elle a pris le temps de s'arrêter pour profiter de différents endroits.

2. a. Salma parlait la langue des pays qu'elle voulait visiter et elle avait envie de faire de la randonnée.
b. Les personnes de sa famille étaient inquiètes, elles ont voulu la décourager.
c. Salma s'est sentie libre quand elle a pris l'avion pour son voyage.
d. Salma raconte qu'elle a traversé la forêt amazonienne sur un petit bateau, en étant la seule touriste !

3. a. un voilier/une voile – b. un équipage/des équipiers – c. un port – d. un serpent à sonnette – e. un ours

4. L'année dernière, je me suis lancé *un défi*. J'ai décidé de tester **mes limites** en partant faire le tour du monde à vélo. C'était **un rêve** que j'avais depuis longtemps. Il a fallu tout organiser. J'avais **la crainte** de ne pas pouvoir voyager dans de bonnes conditions. Beaucoup de choses m'**inquiétaient**, mais ma **détermination** était forte, alors je suis parti. Finalement, cela a été une aventure extraordinaire ! J'avoue que la **solitude** me faisait peur, mais j'ai eu la **force mentale** de terminer mon tour du monde. À mon retour mes amis m'ont félicité pour **cet exploit**.

5. a. Pour arriver à Fort-de-France en Martinique à la fin du mois, nous devions **naviguer** la nuit.
b. À la dernière minute, l'équipage a décidé de **mettre le cap** sur la Corse.
c. Il y a un an, j'**ai tout plaqué** pour partir seule en voyage au Pérou.

d. Mon père m'a dit qu'il s'**inquiétait** pour ma cousine qui était partie faire le tour du monde.
e. J'ai voulu faire cette randonnée pour voir si j'étais capable d'**affronter** les difficultés.
f. Avant d'arriver au port, le voilier doit **contourner** une petite île grecque.

6. Après mes études, *j'ai décidé* de faire une randonnée au Népal. Avant de partir je **m'étais renseignée** sur la difficulté du voyage. Il **fallait** être capable de marcher en altitude et il y avait un fort dénivelé. **Je suis partie** pour trois semaines. Le quatrième jour, **j'ai rencontré** Wendy, une jeune Anglaise, sur un chemin qui **montait** vers Pisang à 3 200 mètres. Nous avons continué ensemble et nous **avons eu** des difficultés pour faire l'ascension. À un moment, Wendy **a voulu** faire un détour parce que le chemin **était** trop difficile. Je **n'étais pas** d'accord : je **m'inquiétais** parce que nous **n'avions** presque plus d'eau. Finalement, nous **avons décidé** de continuer et d'affronter le sentier difficile. Quand nous **sommes arrivées** en haut, la vue **était** magnifique ! Nous **étions** fatiguées mais heureuses d'avoir accompli cet exploit !

7. En 2018, j'**ai fait** un tour du monde en bateau. Avant de partir, j'**avais cherché** des équipiers pendant plusieurs mois. J'**avais rencontré** Noémie et Antonio qui **avaient** très envie de faire ce voyage. Deux jours avant de quitter le port, Noémie **est tombée** amoureuse et **a décidé** de rester. Antonio et moi, nous **sommes partis** de Marseille, et nous **avons mis** le cap sur les îles grecques. Nous **devions** passer par l'Espagne et faire une étape à Barcelone. Nous **étions** très heureux de partir. Il **faisait** très beau quand nous **sommes sortis** du port. Après que nous **sommes arrivés** à Barcelone, la mer **est devenue** dangereuse et nous **avons dû** attendre. Nous **avons visité** la ville. Antonio **a rencontré** une Italienne qui **travaillait** à Barcelone. Il **n'a pas** voulu continuer le voyage. Alors, je **suis revenu** en France tout seul.

8. a. Avant de rentrer, l'équipage a terminé la course.
b. Dès que la pluie a commencé à tomber, les randonneurs se sont arrêtés.
c. Il m'a donné des conseils avant que je parte.
d. Mon frère s'est marié pendant que je faisais le tour du monde.
e. Il est parti à l'aventure après que son entreprise a déménagé.
f. J'ai décidé de voyager avant de devenir trop âgé.
g. Tu l'as rencontrée au moment où elle commençait à souffrir de la solitude.
h. Après que nous avons emménagé à Milan, elle a décidé de visiter l'Italie.

9. 2. d – 3. b – 4. f – 5. e – 6. g – 7. c

10. a. Dès qu'il aura trouvé un équipage, il quittera son emploi pour faire le tour du monde sur un voilier.
b. J'avais beaucoup de craintes avant que vous me racontiez votre voyage.
c. Il a rangé les affaires pendant que je préparais l'itinéraire.
d. Nous sommes arrivé(e)s au moment où la course a commencé.
e. Il lui avait fallu beaucoup de temps pour décider d'accomplir cet exploit.
f. Nous avons terminé l'ascension après que vous êtes parti(e)(s).
g. J'avais peur d'affronter des problèmes avant d'entreprendre cet exploit.
h. L'équipage a navigué pendant plus d'un an.

11. *Exemple de production :*
En 2013, Marc Kopp, un Français handicapé, a sauté en parachute sur le Mont Everest au Tibet. Équipé d'une combinaison spéciale et d'un masque à oxygène, il a sauté à 10 000 mètres d'altitude pour atterrir sans problème sur la plus haute montagne du monde. Il voulait prouver que malgré son handicap, il pouvait réaliser un exploit sportif. Il souhaitait ainsi encourager les personnes souffrant comme lui à réaliser leurs rêves. Sa maladie qui le handicape physiquement ne l'a pas fait renoncer au sport. Bien au contraire ! Mais avant de sauter en parachute, tout n'a pas été aussi simple. Il n'a pas pu utiliser son fauteuil roulant pour aller à l'héliport. Alors il a dû y aller à cheval. Le trajet a duré plusieurs jours. Et c'était très fatigant mais il a tenu bon jusqu'au bout. Et après que son équipe et lui se soient reposés pendant quelques jours, il a enfin réussi son défi !

12. *Exemple de production :*
J'ai voyagé en Norvège l'année dernière. C'était un voyage extraordinaire ! Je suis parti(e) avec mon amie Célestine dès que nous avons pu prendre des congés. Nous avons décidé de visiter d'abord Oslo, mais dès que nous sommes arrivé(e)s, nous avons choisi d'aller vers le nord pour faire de la randonnée dans la nature. Après avoir quitté Oslo, nous avons pris une route le long du littoral pour rejoindre la région de Narvik, où on peut faire du ski et de la marche. On peut y voir des paysages sensationnels, avec des chaînes de montagnes, des lacs magnifiques et des plages superbes ! Nous avons fait une randonnée d'une semaine. C'était parfois très fatigant mais c'était une belle aventure. Pour moi c'était un défi. Avant de partir, j'étais un peu inquiet/inquiète, j'avais la crainte de ne pas arriver à marcher aussi longtemps sur des chemins un peu difficiles. Finalement, j'ai eu la sensation de tester mes limites et d'accomplir un exploit !

Leçon 34

Parler du tourisme

1. a. Vrai. « […] tout cela nous donne envie de randonner et d'aller voir ce qui se cache hors de nos sentiers habituels. »
b. Vrai. « Il prend tout de suite beaucoup plus de valeur qu'un site qui est également accessible en voiture. »
c. Vrai. « Même si c'est difficile, c'est extrêmement agréable d'affronter des difficultés et de réussir un défi. »

Corrigés

d. Faux. « Et le challenge est vraiment personnel [...] »
e. Vrai. « Manger, boire, dormir, se déplacer... et se débarrasser pour un moment de toutes les choses matérielles auxquelles le monde moderne nous a habitués. »
f. Faux. « Et on peut rencontrer des gens extraordinaires avec lesquels on partage cette passion. »

2. a. 3 – b. 5 – c. 2 – d. 6 – e. 4

3. a. Il regarde **une chaîne de montage**.
b. Il tient à la main **un bâton**.
c. Elles sont **en plein air**.
d. Elles montent **une tente**.
e. Ils marchent **sur un chemin**.
f. Ils vont vers **un refuge**.

4. Thomas Pesquet est l'*astronaute* français qui a passé le plus de temps dans l'**espace**. La fusée Falcon 9 de la mission Alpha a **décollé** le 23 avril 2021 de la Guyane pour atteindre la **station orbitale** SSI. Pendant les six mois de sa mission, il est resté **en orbite** à plus de 400 km d'**altitude**. Il a vécu et travaillé en **apesanteur**. Au retour, il a fait un **vol** de huit heures pour **amerrir** dans l'océan Atlantique.

5. a. Dès que vous serez rentré à la maison (**1**), vous aurez envie de repartir faire une randonnée (**2**).
b. Les astronautes devront rester huit jours dans la station orbitale (**2**), avant de partir, ils auront été bien entraînés (**1**).
c. Tu auras commencé ta descente (**1**) en Isère quand je reviendrai au refuge (**2**).
d. Dans un an, j'aurai fini mes études (**1**) et je serai diplômé (**2**), je partirai faire le tour du monde à vélo (**3**).
e. Les randonnées dans la nature seront certainement appréciées cet été (**2**) par les familles qui seront restées en ville toute l'année (**1**).
f. À la fin du printemps, vous pourrez monter en altitude (**2**) pour voir les animaux qui auront passé l'hiver sous terre (**1**).
g. Les voyages dans l'espace seront une forme d'évasion pour les aventuriers (**2**) quand les tests seront terminés (**1**).

6. a. Il **faudra** faire encore quelques efforts quand nous **aurons quitté** le sommet.
b. Quand nous **partirons** au Népal, nous **nous serons beaucoup entraînés** physiquement.
c. Tu **sauras** mieux quoi faire quand tu **auras réfléchi** aux différentes propositions.
d. Quand nous **serons revenus** de la randonnée dans la Vallée des Merveilles, nous **aurons** des histoires à raconter.
e. Vous **pourrez** commencer à dîner dès que les autres randonneurs **seront arrivés** au refuge.

7. b. 2 – c. 5 – d. 8 – e. 1 – f. 7 – g. 4 – h. 6

8. a. Nous sommes revenus de notre voyage spatial **pour lequel** nous nous étions beaucoup entraînés.
b. Vous avez passé des vacances actives **pendant lesquelles** vous avez fait beaucoup de randonnées.
c. Mes équipiers sont des amis d'enfance **avec lesquels/qui** j'ai déjà beaucoup voyagé.
d. Voici le refuge **duquel** on a une vue exceptionnelle.

9. a. Ce sont des livres sur la randonnée auxquels on peut faire confiance.
b. Les voyages dans l'espace seront plus fréquents dans le futur.
c. Pour les habitants des villes, la randonnée est une évasion dans la nature.
d. Nous avons marché vers le refuge dans lequel nous avions dormi l'année dernière.
e. Ce sont les maisons près desquelles nous nous sommes arrêtés.
f. Les astronautes sont en apesanteur dans l'espace.
g. Vous aurez eu le temps de finir la randonnée avant qu'il pleuve.
h. Je prendrai un bâton pour faire l'ascension de cette montagne.

10. *Exemple de production :*
C'est décidé, je vais partir faire une grande randonnée dans les Alpes. C'est une longue randonnée de trois semaines à un mois, pour laquelle il faut prévoir du matériel. Je partirai de Nice et je marcherai jusqu'au lac Léman. C'est un véritable défi pour moi. Il faut que j'emporte des chaussures de randonnée et des bâtons pour marcher et aussi des vêtements chauds adaptés à la randonnée en montagne. Il y aura 36 étapes et un bon dénivelé quand je passerai par le col de l'Izoard avant d'arriver à Briançon. Je ferai mes étapes de nuit aux refuges dans lesquels on peut dormir ou sous la tente que je dois emporter. Quelle aventure ! Quand j'arriverai au lac Léman, j'aurai marché 600 kilomètres, et j'aurai fait 30 000 mètres de dénivelé !

11. *Exemple de production :*
Je viens d'être sélectionné(e) pour un séjour dans la Station spatiale internationale qui aura lieu dans deux ans. C'est chouette ! C'est un véritable défi, pour lequel il faut s'entraîner plusieurs mois avant de partir. Avec deux autres astronautes, nous partirons quand nous aurons eu toute la formation nécessaire. Nous allons nous préparer avec un entraînement physique, grâce auquel nous serons dans de bonnes conditions pour affronter les difficultés du voyage. Au moment du vol, j'aurai passé plusieurs semaines dans le centre de formation spatiale, dans lequel nous allons nous entraîner à décoller et atterrir. Je serai préparé(e) à passer du temps en apesanteur. Quand nous partirons, la formation m'aura donné aussi la force mentale pour accomplir cet exploit. Il faudra se préparer à passer beaucoup de temps dans la station orbitale, dans laquelle il y a peu d'espace. C'est un vrai challenge, pour lequel il faut une grande détermination !

Leçon 35

Réfléchir au voyage

1. a. Le voyage immobile commence quand on choisit un lieu inspirant et qu'on décide de s'y poser.

Corrigés

b. Non, l'article ne recommande pas de ne rien faire, il est possible de faire des activités, on peut se fixer des objectifs.
c. L'article recommande surtout d'être ouvert à plusieurs possibilités et de prendre du temps pour soi.
d. On peut profiter de tous les supports culturels existants, on peut redécorer son intérieur, on peut cuisiner et retrouver des saveurs que nous avons découvertes ailleurs.
e. Il s'agit de trouver à l'intérieur de nous-mêmes des idées et d'inventer des voyages.

2. a. trouver – b. examiner – c. circuler – d. s'en aller – e. s'installer – f. se promener – g. emménager

3. a. Mon amie n'a pas retrouvé son billet de train, pourtant elle l'a cherché **partout** !
b. Je n'aime pas cet endroit, on peut aller **ailleurs** ?
c. Le voyageur lui demande s'il peut l'emmener **quelque part/ailleurs** ?
d. L'équipage a beaucoup voyagé, il est allé **partout** dans le monde.
e. Nous voulons bien partir faire une randonnée, mais nous ne voulons pas aller **n'importe où** !
f. – Tu veux partir en voyage ? – Non, je ne veux voyager **nulle part**.
g. Elles adorent leur village et elles ne voudraient pas habiter **ailleurs**.
h. Le navire est très bien équipé, il peut naviguer **n'importe où/partout**.

4. a. Je regrette de devoir quitter cet endroit pour aller quelque part, j'aurais préféré n'aller **nulle part**.
b. L'aventurier peut voyager n'importe où dans le monde, il se sent bien **partout**.
c. Quand on reste chez soi, le principe du voyage immobile, c'est de ne voyager **nulle part** physiquement et de pouvoir aller **partout/n'importe où** en pensée.

5. b. 4 – c. 7 – d. 5 – e. 3 – f. 1 – g. 8 – h. 6

6. J'aime les voyages intérieurs qui permettent de me *découvrir* toujours un peu plus. Quand je me déplace pendant mes vacances, je m'arrête souvent pour **contempler** un lieu ou un paysage qui me plaît. Je peux **me poser** plusieurs heures au même endroit, **immobile**, et je laisse mes pensées **vagabonder**. C'est une grande source de **plaisir**, je me sens **heureuse** et détendue. Plus rien n'a d'importance, j'ai l'impression de **laisser derrière moi** mes problèmes du quotidien… Quand je rentre chez moi et que je reprends mes activités, je **regrette** souvent ces merveilleux moments. Je suis **triste** de ne pas pouvoir recommencer rapidement.

7. b. 4 – c. 1 – d. 7 – e. 3 – f. 8 – g. 6 – h. 5

8. a. Es-tu heureux qu'il **aille** séjourner dans un monastère ?
b. Je suis étonnée que les gens **veuillent** voyager si vite.
c. Le voyageur est triste que le tourisme **détruise** les sites naturels.
d. Je regrette que ton navire **ne soit pas** disponible.
e. Mon père est surpris que nous **puissions** passer autant de temps à contempler la mer.
f. Vous êtes contents que nous **restions** à la maison ?
g. La randonneuse est heureuse qu'il **fasse** beau aujourd'hui.
h. L'aventurière est satisfaite que son équipier **sache** aussi bien naviguer.

9. a. Il faut que vous **emportiez** des vêtements chauds.
b. Je ne suis pas sûre que le navire **parte** à l'heure.
c. Croyez-vous que les moines **puissent** rester dans ce monastère ?
d. Elle regrette de **ne pas savoir** naviguer.
e. J'aimerais que nous nous **posions** pour contempler ce paysage.
f. Je suis triste que vous ne **soyez** pas capables d'explorer ces chemins.
g. Il pense que tout le monde **connaît** le plaisir de contempler un paysage.
h. Elle est contente que vous **fassiez** l'ascension du Kilimandjaro.

10. a. J'aime rester immobile et contempler le paysage.
b. Il est heureux que les habitants l'aient accueilli chez eux.
c. J'ai pu quitter les rivages et laisser derrière moi mon quotidien.
d. J'aimerais que nous allions ailleurs.
e. Tu regrettes de ne pas être resté au monastère ?
f. J'ai laissé mon esprit vagabonder en contemplant la mer.
g. Ils sont déçus que leur voyage n'ait pas duré plus longtemps.
h. Nous avons découvert une autre manière de voyager.

11. *Exemple de production :*
Ce soir, Bastien est chez lui, il s'est installé à son bureau et son esprit vagabonde ailleurs. Il fait un voyage dans l'espace, il est en apesanteur dans les étoiles. Bientôt sa fusée atterrira sur la lune. Il aura besoin d'air pour respirer et il s'est équipé de sa combinaison spatiale. Tous les jours, il explore un peu plus le ciel étoilé. Il dessine les êtres imaginaires qu'il va rencontrer là-haut. Il leur racontera la vie sur la Terre qu'il a laissée derrière lui. Il regrette qu'ils ne puissent pas bien se comprendre parce qu'ils ne parlent pas la même langue. Mais il est heureux d'être un explorateur et de découvrir un nouveau monde.

12. *Exemple de production :*
J'ai eu la chance de passer quelques semaines dans un phare au bord de la mer. J'étais invité(e) par un(e) ami(e), qui devait partir et m'a proposé de me poser dans ce lieu. Pour moi, c'était une expérience incroyable. Je passais mes journées à contempler la mer, sur laquelle glissaient les navires par beau temps. J'étais heureux/heureuse que le temps ne passe pas vite, et que mon regard puisse se perdre n'importe où, loin. Quand il y avait du vent, je voyais la houle et

Corrigés

le paysage devenait très différent. Mon esprit pouvait vagabonder en regardant la mer, et je me sentais triste que d'autres gens ne puissent pas profiter de ce voyage immobile. Il n'était pas nécessaire de s'éloigner du phare, je n'avais pas besoin d'aller quelque part : être là à contempler le paysage me suffisait. Après être revenu(e), j'ai regretté que cette expérience n'ait pas duré plus longtemps.

13. J'aime le voyage intérieur qui nous permet de nous <u>découvrir</u> <u>nous</u>-mêmes. Quand je trouve un endroit qui me plaît, je peux me poser plusieurs <u>heures</u> au même endroit, <u>immobile</u>, et je laisse alors mon esprit vagabonder, je <u>quitte</u> les rivages de ma vie <u>quotidienne</u>.

Bilan

1. a. Elle parle d'une expérience de voyage différente.
b. Théa a eu un accident et son voyage s'est arrêté.
c. Théa a choisi d'attendre ses amis.
d. Elle a contemplé les paysages.
e. Elle allait se baigner dans des sources d'eau chaude.
f. Elle était heureuse d'avoir eu du temps pour elle.

2. *Exemple de production :*
Je viens de lire un article sur le voyage immobile. Tu connais ? C'est très intéressant. On peut voyager en restant chez soi : par exemple, on peut lire des livres de voyages ou regarder des reportages sur des lieux touristiques, et imaginer les voyages que l'on pourrait faire. Tu peux aussi aller dans un endroit inconnu et y rester pour passer du temps. Ce n'est pas utile d'avoir beaucoup d'activités. Le plus important, c'est de prendre son temps, laisser son esprit vagabonder, et surtout quitter le rythme de la vie quotidienne auquel nous sommes habitués. Je crois que j'aimerais beaucoup vivre cette expérience grâce à laquelle on doit ressentir du calme et de la tranquillité. Il me semble que ce serait une bonne façon de moins consommer. Je serais heureux/heureuse que les gens prennent conscience qu'on n'est pas obligé de prendre un avion pour voyager ! Au moment où il faut changer nos habitudes de vie pour limiter les effets du changement climatique, ce serait faire un bon choix.

Barème :
Je décris le voyage immobile. *4 points*
J'utilise les pronoms relatifs composés. *3 points*
Je donne mon opinion sur un sujet. *3 points*

3. *Exemple de production :*
Je reviens d'une randonnée dans les Pyrénées. C'était magnifique ! Je suis parti(e) plusieurs jours, après m'être entraîné(e) physiquement. Avant de partir, j'avais acheté une tente pour passer les nuits dehors. Dès que je me réveillais le matin, j'étais impressionné(e) par les paysages magnifiques. Je me suis souvent arrêté(e) pour les contempler. J'étais seul(e) et je me sentais bien. Il y a eu quelquefois des ascensions un peu difficiles, avec beaucoup de dénivelé. Un jour, j'ai dû affronter la pluie et le mauvais temps avant d'arriver à un refuge. Après que la pluie s'est arrêtée, mes affaires étaient humides et j'ai dormi dans mes vêtements mouillés. Et puis, tout a séché car il a fait très beau le jour suivant. Pendant la randonnée, j'ai vu des animaux, qui venaient rôder autour de moi. J'ai beaucoup aimé cet itinéraire, au cours duquel j'ai pu profiter de la beauté de la nature. J'ai eu l'impression de me dépasser, pour moi c'était un vrai défi. Au moment où je suis rentré(e) chez moi, j'étais triste que l'aventure soit terminée, et j'ai eu envie de repartir encore plus longtemps. Je pourrai le faire quand j'aurai assez travaillé pour prendre des congés plus longs !

Barème :
Je raconte au passé. *4 points*
J'utilise les structures de l'antériorité, la simultanéité et la postériorité. *3 points*
J'utilise le lexique de la randonnée. *3 points*

4. a. Vrai. « Nous avons lu pour vous… *Sur les chemins noirs* de Sylvain Tesson […] C'est par cette citation de Thomas de Quincey que débute le livre *Sur les chemins noirs*. »
b. Faux. « […] marcher, arpenter les chemins, c'est la thérapie que Sylvain Tesson a choisie pour guérir après qu'il a fait une chute de huit mètres, un an plus tôt. »
c. Vrai. « Pendant son séjour à l'hôpital, il prend une décision très forte : *Si je m'en sors, je traverse la France à pied*. »
d. Faux. « Mais cette traversée à pied de l'Hexagone, il ne veut pas la faire n'importe comment. Il empruntera des sentiers, ceux que l'on a oubliés et qui permettent d'avancer en étant caché du monde. »
e. Faux. « Dès qu'il sort de l'hôpital, Sylvain Tesson décide de tenir la promesse qu'il s'est faite. Équipé de son sac à dos et de ses bâtons de marche, il part sur ces chemins. »
f. Faux. « Mais, cette vitesse qui *chasse le paysage*, Sylvain Tesson la déteste. Il regrette qu'on ne prenne pas le temps de marcher pour profiter du monde, méditer, philosopher aussi parfois. »
g. Vrai. « Pour que rien ne vienne perturber sa promenade, il faudra des sentiers appropriés pour vagabonder. Peut-on vraiment traverser toute la France sans prendre une seule route, sans croiser aucune voie ferrée ? »

DELF B1

I Compréhension de l'oral

Exercice 1
1. c *1 point*
2. b *1 point*
3. a *1,5 point*
4. a *1,5 point*
5. c *1 point*
6. c *1 point*

Exercice 2
1. b *1,5 point*
2. b *1 point*
3. b *1 point*
4. a *1,5 point*
5. b *1 point*
6. c *1,5 point*
7. b *1,5 point*

Exercice 3
1. b *1 point*
2. c *1 point*
3. c *1,5 point*
4. c *1 point*
5. b *1,5 point*
6. a *1,5 point*
7. c *1,5 point*

II Compréhension des écrits

Exercice 1
Doc. 1 : 1. Oui 2. Oui 3. Oui 4. Non
Doc. 2 : 1. Oui 2. Non 3. Non 4. Oui
Doc. 3 : 1. Non 2. Oui 3. Oui 4. Oui
Doc. 4 : 1. Non 2. Oui 3. Non 4. Oui

0,5 point par bonne réponse

Exercice 2
1. b *1,5 point*
2. c *1 point*
3. a *1 point*
4. a *1 point*
5. a *1,5 point*
6. b *1 point*
7. a *1 point*

Exercice 3
1. c *1,5 point*
2. b *1 point*
3. a *1,5 point*
4. b *1 point*
5. c *1 point*
6. c *1,5 point*
7. a *1,5 point*

Transcriptions

Transcriptions

Unité 1 — Être différents et vivre ensemble, c'est possible ?

Leçon 1
Parler de soi

🎧 Piste 2. Activités 1 et 2

Je suis Jovan, j'ai 21 ans. Je suis cuisinier dans un restaurant. Avant, j'étais un peu timide, mes amis me trouvaient réservé. Alors j'ai fait du théâtre pendant plusieurs années, et maintenant je suis très ouvert : j'aime aller vers les autres pour les connaître. Je viens du Québec où j'ai grandi. Je vis ici depuis quelques mois, et je viens de me pacser avec ma compagne. Nous aimerions rencontrer des gens pour découvrir la région. Et je voudrais aussi créer un atelier de théâtre pour partager ma passion.

Je m'appelle Erica, j'ai 32 ans. Je suis médecin dans un centre médical pour les jeunes. C'est un métier dont je suis fière. C'est parfois difficile mais j'essaie d'être à l'écoute des gens. Je suis très attachée aux adolescents dont je m'occupe. Heureusement, je suis toujours de bonne humeur ! Je suis célibataire et je vis seule. Je passe beaucoup de temps à mon travail. J'apprécie parfois de rester tranquille à la maison. Quand je ne travaille pas, mon loisir préféré, c'est la musique. Je joue de la guitare et j'aimerais jouer avec un groupe.

Moi, c'est Maëlle, j'ai 49 ans. En ce moment, je suis au chômage. Mon métier, c'est aide-ménagère. Je suis sociable et je fais connaissance facilement avec les gens. J'ai envie de travailler pour aider les personnes âgées. Ce sont souvent des gens un peu seuls qui ont besoin d'échanger. Pendant mes loisirs, j'aime faire de la randonnée. J'ai deux enfants qui sont grands et je suis divorcée. Alors, j'ai du temps libre ! Je voudrais créer une association pour proposer des services à la maison, et je cherche des gens qui voudraient créer ce projet avec moi.

🎧 Piste 3. Activité 7

Ex. : Je suis en train de terminer mon travail.
a. Ils viennent de faire connaissance avec le maire.
b. Elle va participer à la réunion demain matin.
c. Tu viens de déménager dans notre ville ?
d. Il est en train de vendre le bureau de tabac.
e. Vous allez habiter dans une nouvelle maison ?
f. Nous venons de nous inscrire pour participer à l'atelier de théâtre.

🎧 Piste 4. Activité 10. Dictée

a. Je suis une personne très sociable, mais un peu réservée.
b. Nous allons à la mairie pour nous inscrire aux activités.
c. Ils finissent la réunion.
d. Je préfère les moments où je suis en famille.
e. C'est une idée dont il est fier.
f. Le maire est toujours à l'écoute de nos problèmes.
g. Tu n'es pas nostalgique ?
h. Elle ne vient pas à l'association cet après-midi.

🎧 Piste 5. Activité 12. Phonétique

Je m'appelle Johana Reforma, j'habite à Montpellier depuis un an. Je vis avec mon compagnon Ivan et nous avons un enfant, qui a deux ans. Je suis vendeuse dans le magasin de chaussures qui se trouve sur la place de la mairie. Le week-end, nous sortons avec nos amis, nous allons au cinéma ou au théâtre. Mon compagnon est très sociable. Moi, je suis plus réservée, mais j'aime rencontrer des gens.

Leçon 2
Comprendre les autres

🎧 Piste 6. Activités 1 et 2

Elsa : Salut Kader, tu vas bien ?
Kader : Salut Elsa, oui, je vais très bien et toi ? Tu as trouvé un appartement ?
Elsa : Non, je n'ai pas trouvé. Je ne sais pas comment faire, tout est cher !
Kader : Tu devrais chercher une colocation avec une personne âgée. J'ai une copine qui habite avec une vieille dame de 81 ans, elle est très sympathique, et la cohabitation se passe très bien.
Elsa : Ah bon, comment je peux faire pour trouver ?
Kader : Il faudrait passer par une agence. Ma copine a été très contente de son soutien. La dame lui a proposé une chambre dans son appartement où elle vit seule. C'est plus grand que sa chambre d'étudiante et c'est dans le centre-ville !
Elsa : Oui, mais c'est plus difficile d'habiter avec une personne qui est beaucoup plus âgée, non ?
Kader : Non, je ne crois pas. Au contraire, c'est une expérience de partage intéressante. C'est préférable de rencontrer la personne avant pour voir si le contact est agréable, et pour discuter de la cohabitation. Le plus important, c'est d'être d'accord sur les règles de vie avant de commencer.
Elsa : Les règles de vie ?
Kader : Oui, par exemple, il vaut mieux avoir un contrat pour les horaires, l'utilisation des pièces de l'appartement, etc. Il faut être réaliste : il y aura moins de problèmes si vous avez tout prévu !
Elsa : C'est vrai.
Kader : Je te conseille de discuter avec ceux qui ont fait ce choix. Je peux te donner le numéro de téléphone de mon amie, elle s'appelle Soraya. Tu pourrais lui demander des conseils.
Elsa : Oui, je veux bien.
Kader : Et puis, il y a l'échange et le soutien, c'est mieux de ne pas vivre seul. Et souvent, les personnes âgées sont plus flexibles que nous !
Elsa : Oui, c'est vraiment la meilleure idée.

J'espère que je vais rencontrer une personne aussi enthousiaste que moi !

🎧 Piste 7. Activité 9
Ex. : Il devrait chercher une cohabitation.
a. Je te conseille de rester flexible.
b. Vous êtes enthousiaste et optimiste.
c. Il vaut mieux rencontrer plusieurs personnes.
d. C'est préférable de faire un contrat avant de déménager.
e. Tu peux avoir un temps de repos supplémentaire dans ton entreprise.
f. Il faudrait encourager le partage entre générations.
g. Dans quelques années, vous ferez tous du télétravail.
h. Tu devrais chercher un colocataire.

🎧 Piste 8. Activité 11. Dictée
a. Les jeunes sont plus flexibles que leurs aînés.
b. Vous devriez faire un contrat pour la colocation.
c. C'est important d'avoir une reconnaissance dans son travail.
d. Le télétravail est aussi efficace que le travail dans un bureau.
e. Les personnes âgées ont besoin de soutien et de partage.
f. Il ne faut pas être trop perfectionniste, il vaut mieux être efficace.

Leçon 3

Expliquer des différences culturelles

🎧 Piste 9. Activités 5
Ex. : Nous aimons voyager parce que c'est un moyen de découvrir d'autres cultures.
a. C'est important de rester ouvert quand on rencontre des personnes d'autres cultures car on peut avoir une mauvaise expérience si on est trop fermé.
b. À cause des différences culturelles, c'est parfois difficile de travailler dans un autre pays.
c. Les gens pensent souvent que quelqu'un d'une autre culture est bizarre, c'est pourquoi il y a des incompréhensions.
d. Je voyage souvent dans des pays lointains, du coup, j'ai l'habitude qu'on me pose des questions sur ma culture.
e. Il est devenu plus ouvert grâce à toutes les années qu'il a passées à l'étranger.
f. Mes amis me disent que je suis distant, c'est pour ça que j'ai des relations difficiles avec les autres.
g. Comme il est très chaleureux, il se fait des amis partout.
h. Mon cousin a été élevé au Vietnam donc, il connaît bien la culture de ce pays.

🎧 Piste 10. Activité 8. Dictée
a. Nous avons vécu plusieurs années à l'étranger, c'est pourquoi nous avons des amis dans beaucoup de pays.
b. Parfois c'est difficile de comprendre les étrangers à cause de nos habitudes.
c. J'adore la cuisine épicée parce que j'ai longtemps vécu en Asie.
d. Quand on rencontre quelqu'un d'une autre culture, il faut rester ouvert pour le comprendre.
e. Parfois les gens sont distants car ils ne savent pas comment se comporter avec les étrangers.
f. Les habitudes locales peuvent être choquantes si on ne les connaît pas.

Bilan

🎧 Piste 11. Activité 2
Journaliste : Bonjour à tous, aujourd'hui c'est notre émission consacrée aux expériences interculturelles. Nous recevons deux jeunes femmes étrangères qui sont arrivées récemment pour travailler en France : Ashley et Daria... Bonjour Ashley, pouvez-vous nous raconter votre expérience depuis que vous êtes en France ?
Ashley : Oui, bonjour... Je viens d'une ville proche de Philadelphie aux États-Unis. Pour moi, ça a été un grand changement de venir vivre ici. D'abord, j'ai été surprise de voir que les femmes françaises n'étaient pas toujours très intéressées par leur carrière professionnelle parce que c'est très différent aux États-Unis. Dans mon pays, la réussite professionnelle, c'est très important pour les femmes. Et puis, ici on ne parle pas vraiment d'argent. Moi, je suis plus directe donc parfois, c'était choquant pour les gens quand je leur posais des questions sur leur salaire par exemple. On me trouvait trop familière. Et enfin, ici je trouve que les gens sont très polis, et parfois très formels !
Journaliste : Merci Ashley pour ce témoignage... Daria, bonjour, vous êtes polonaise, est-ce que les Français connaissent bien la Pologne ?
Daria : Bonjour, je voudrais dire d'abord que l'image de la France en Pologne est très positive. Mais nous connaissons surtout Paris ! En Pologne, nous sommes fiers de notre culture et nous partageons ce sentiment avec les Français. Mais je pense que mon pays n'est pas très connu ici. Les gens me parlent toujours de la neige et du froid, ils pensent qu'on croise tout le temps des ours quand on sort de la ville, et que nous buvons de la vodka toute la journée ! C'est drôle ces stéréotypes culturels. Il faudrait développer les échanges entre nos pays pour mieux se connaître !
Journaliste : Merci à vous deux pour vos témoignages. Nous allons maintenant écouter...

Transcriptions

Unité 2 — Peut-on combattre les inégalités ?

Leçon 5

Raconter un engagement

Piste 12. Activité 4
Ex. : Elle s'est engagée pour aider les enfants malades, mais…
a. Nous n'avons pas assez de jeunes bénévoles, par contre…
b. La lutte contre les inégalités sociales concerne tout le monde. En revanche,…
c. Le jeune homme a pu être régularisé alors qu'…
d. Ils sont allés à la manifestation contre le réchauffement climatique, mais…
e. On peut se mobiliser dans une association caritative plusieurs heures par semaine, par contre…
f. La collecte alimentaire a bien réussi cette année alors que…

Piste 13. Activité 8. Dictée
a. Nous avons manifesté vendredi pour le climat.
b. Tu peux agir pour plus de solidarité.
c. Monsieur le directeur, vous vous êtes engagé dans cette association ?
d. Je faisais régulièrement des dons pour la collecte alimentaire.
e. L'association propose des cours de français aux migrants, par contre elle n'apporte pas d'aide alimentaire.
f. Elle s'est intégrée en travaillant dans un magasin.

Leçon 6

Donner son avis

Piste 14. Activités 1 et 2
Journaliste : Bonjour à toutes et à tous. Aujourd'hui, dans notre émission, Claire Rochas. Elle dirige depuis un an une entreprise qui embauche des travailleurs handicapés. Bonjour Claire, racontez-nous votre parcours.
Claire Rochas : Bonjour ! J'ai travaillé plusieurs années dans le service communication d'une banque, j'adorais mon métier. Un jour, j'ai cherché une agence qui employait des personnes handicapées, mais je n'ai pas trouvé. Alors je me suis lancée ! À mon avis, il faudrait que toutes les entreprises recrutent des personnes en situation de handicap.
Journaliste : Comment avez-vous commencé ?
Claire Rochas : J'ai un ami qui est dans un fauteuil roulant. Nous avons décidé de lancer ce projet ensemble. Nous étions confiants. Ce que nous voulions, c'est travailler pour aider d'autres personnes en situation de handicap.
Journaliste : Qu'est-ce que fait votre entreprise ?
Claire Rochas : C'est une entreprise de communication, avec un petit effectif. Nous pensons que c'est important de travailler en équipe.
Journaliste : Vous avez embauché pour quels postes ?
Claire Rochas : Nous avions besoins de graphistes, alors nous avons embauché des personnes sourdes ou malentendantes. Mais nous restons ouverts à tous les profils.
Journaliste : Comment s'est passée la création de l'entreprise ?
Claire Rochas : Nous avons obtenu une aide financière parce qu'il existe une loi pour recruter des personnes handicapées. Nous avons embauché des personnes en contrat à durée indéterminée, à temps plein et à temps partiel. Je pense que c'est très important de proposer des vrais emplois à des personnes en situation de handicap.
Journaliste : D'après vous, est-ce que c'est plus difficile de diriger une entreprise avec des personnes handicapées ?
Claire Rochas : Non, les personnes en situation de handicap ont aussi des compétences, et sont très motivées ! Pour moi, il faut proposer des missions qui sont possibles pour elles. Certains vont avoir besoin de temps partiel, d'autres d'un bureau adapté. Ce dont je suis fière, c'est de créer de la solidarité et du partage.

Piste 15. Activité 6
Ex. : Ces personnes ont des difficultés pour entendre.
a. Nous avons embauché deux personnes en contrat à durée indéterminée.
b. Pour les personnes en fauteuil roulant, il faut des portes plus larges.
c. Douze personnes, c'est l'effectif total de la société d'édition.
d. Il existe une loi et des aides financières pour lutter contre les inégalités.
e. Quand nous avons décidé d'aller à la manifestation, nous étions motivés.
f. Après son stage, elle a trouvé sa vocation.
g. Il voudrait faire des études d'informatique aux États-Unis, il est sûr de lui.

Piste 16. Activité 7
Ex. : Ce qui est difficile pour moi, c'est de trouver du travail.
a. Ce qui compte le plus pour moi au travail, c'est la solidarité.
b. Ce dont il a besoin, c'est de se reposer après toutes ces années de bénévolat dans l'association.
c. Son engagement, c'est ce qui est le plus important pour lui.
d. Ce que j'ai le plus aimé dans cette mission, c'est la rencontre avec les jeunes.
e. Embaucher des personnes handicapées, c'est ce que devrait faire cette agence de communication.
f. Ce dont j'ai envie l'année prochaine, c'est de faire un service civique.

Piste 17. Activité 10. Dictée
a. À mon avis, on devrait prévoir des bureaux pour les personnes en fauteuil roulant.
b. Ce que j'aimerais faire, c'est un travail à temps partiel dans une association.
c. Dans cette entreprise, il y a un effectif de cent vingt personnes.
d. On a embauché un employé en situation de handicap, il est malvoyant.
e. Vous avez eu une aide financière quand vous avez créé l'entreprise ?
f. Ce dont elle est fière, c'est d'avoir travaillé dans une association d'aide aux migrants.

Leçon 7
Parler des inégalités

Piste 18. Activité 2
89 % des Français pensent que le partage des tâches ménagères entre les hommes et les femmes s'est amélioré ces cinquante dernières années. Plus d'un Français sur deux – surtout les hommes (63 %), et un peu moins les femmes (47 %) – estiment que les inégalités hommes-femmes dans le partage des tâches ne sont plus vraiment un problème à la maison. 32 % des hommes disent par exemple faire les courses régulièrement (14 % seulement d'après les femmes), 29 % préparer les repas (18 % seulement d'après les femmes) et 13 % s'occuper des enfants (4 % seulement d'après les femmes). Pour 83 % des Français, les hommes s'investissent plus dans les tâches ménagères. Alors que ce sont encore 80 % des femmes qui font le repassage.

Piste 19. Activité 7
Ex. : Ils ont tous bien travaillé.
a. Je pense que l'étude sur les inégalités n'est pas assez précise.
b. Nous avons manifesté contre le réchauffement climatique.
c. Il me semble que ces statistiques sont complètement fausses !
d. Les injustices sociales sont trop fortes dans notre pays.
e. Des inégalités existent dans le monde professionnel.
f. Il a fièrement présenté les résultats du sondage sur l'environnement.
g. Le sondage montre des différences importantes de salaire.
h. Ils ont vraiment lutté pour la parité hommes-femmes.

Piste 20. Activité 8. Dictée
a. Les inégalités entre les femmes et les hommes restent très importantes.
b. Le nombre de femmes aux postes de direction progresse.
c. De plus en plus de personnes veulent vraiment agir pour l'environnement.
d. Les femmes ont trop fréquemment des salaires moins élevés que les hommes.
e. Les tâches ménagères sont plutôt faites par les femmes.
f. Ce sondage montre assez clairement les différences de salaire entre les hommes et les femmes.

Piste 21. Activité 10. Phonétique
Ex. : vraiment – a. sondage – b. absolument – c. injustice – d. différence – e. embaucher – f. combat – g. indéterminé – h. soutien

Bilan

Piste 22. Activité 1
Présentateur : Quels sont aujourd'hui les engagements des jeunes ? À quoi s'intéressent-ils ? Nous sommes allés à la rencontre d'Alma qui agit pour un monde plus juste.
Alma : Je m'appelle Alma, je viens d'avoir un diplôme en économie et je vais partir faire un service civique. Je suis très choquée par les inégalités dans la société. Beaucoup de jeunes sont au chômage et ne trouvent pas de travail. On sait que les personnes les moins diplômées ont le plus de difficultés à trouver un emploi. Il faut aider ces jeunes à se former. Depuis un an, je fais partie d'une association qui organise des formations professionnelles pour les jeunes sans diplôme. Moi, j'ai eu la chance d'aller à l'université alors que beaucoup de jeunes n'ont pas pu faire des études. C'est pourquoi je me suis engagée. Je suis bénévole et j'apporte une aide pour la collecte des dons. Ce qui me plaît le plus, c'est de me sentir utile. Presque un jeune sur cinq est au chômage, et c'est surtout les moins diplômés. C'est pourquoi il est important d'avoir une formation professionnelle pour obtenir du travail. Grâce à notre action, ils sont plus sûrs d'eux et trouvent leur vocation. Je pense que chaque jeune peut développer des compétences et trouver un métier qui lui plaît. Ce qui compte le plus pour moi, c'est leur donner confiance dans l'avenir. Je voudrais vivre dans une société plus juste !

Unité 3
Peut-on tout faire en ligne ?

Leçon 9
Donner des renseignements

Piste 23. Activités 1 et 2
Raoul : Bonjour Gonzague !
Gonzague : Salut Raoul, je me suis inscrit sur l'application perdtesrondeurs !... Au début, j'ai hésité

Transcriptions

un peu car je pensais qu'il fallait suivre un vrai régime pour perdre du poids !
Raoul : Qu'est-ce qui t'a décidé à t'inscrire finalement ?
Gonzague : L'application propose des menus pour toute la semaine. Et c'est très bien parce que je n'aime pas cuisiner ! Tu choisis tes menus et tu peux télécharger la liste de courses !
Raoul : C'est vraiment génial ! Comment ça marche ?
Gonzague : D'abord il faut s'inscrire : tu te connectes et c'est sécurisé ! Il n'est pas indispensable de remplir totalement son profil, il faut indiquer son poids actuel et le poids souhaité. Puis tu choisis la formule d'abonnement que tu préfères.
Raoul : Et ensuite ?
Gonzague : Ensuite, tu reçois les propositions de menu. Il y a cinq choix possibles dont un menu végétarien. Tu dois sélectionner tes plats et tu reçois ta liste de courses. Il te suffit de l'enregistrer sur ton téléphone et tu peux aller faire tes courses.
Raoul : Les recettes sont difficiles ?
Gonzague : Non ! Les plats sont très faciles à réaliser... Il y a aussi des cours à distance qui proposent des exercices que tu dois faire quotidiennement. Parce que pour être en pleine forme, il faut faire du sport !!! Tu peux t'inscrire toi aussi, mais il faut que tu sois vraiment motivé !
Raoul : Tu as perdu beaucoup de poids ?
Gonzague : J'ai déjà perdu 4 kilos !
Raoul : Bravo ! Félicitations ! Je crois que je vais m'inscrire aussi ! Il est nécessaire que je perde un peu de poids !
Gonzague : D'accord, je t'envoie le lien.

Piste 24. Activité 9. Dictée
a. Je me suis inscrite au cours de sport pour rester en forme.
b. Je dois aller chez le médecin pour une consultation médicale.
c. Il est nécessaire que nous ayons un numéro de sécurité sociale.
d. Il n'est pas indispensable d'avoir une tablette.
e. J'aimerais que vous utilisiez un site sécurisé.
f. Le patient doit se connecter sur son compte AMELI.
g. On peut consulter le site sans abonnement.
h. Le cabinet médical n'est pas équipé de matériel informatique.

Leçon 10

Organiser une activité à distance

Piste 25. Activité 5
Ex. : Si tes amis organisent une soirée Jeux de société, je viendrai.
a. J'aimerais télétravailler le vendredi et le lundi.
b. Vous serez moins efficace si vous n'avez pas un bon équipement.
c. Si tu te fixes des horaires de travail, tu ne laisses pas le travail occuper toute ta vie.
d. Si elle aménage un espace bureau dans sa chambre, elle s'isolera des enfants.
e. Nous aimons faire des jeux en ligne pour rester en contact avec nos amis.
f. Organise un apéro Zoom vendredi soir si toute l'équipe est d'accord !

Piste 26. Activité 8. Dictée
a. Tous les lundis matin, l'équipe travaille en visioconférence.
b. Si vous passez plusieurs heures consécutives sur l'écran, vous serez fatigués.
c. Je souhaite rester en contact avec mes amis.
d. Il aimerait qu'on aménage un espace bureau.
e. Si vous voulez travailler dans le calme, isolez-vous.
f. Vous ne conseillez pas de rester en pyjama pour télétravailler.

Piste 27. Activité 10. Phonétique
Ex. : Mon ordinateur actuel est trop petit, je dois m'en acheter un autre
a. Si vous avez un conseil à me donner, je le suis immédiatement.
b. C'est difficile de télétravailler quand les enfants sont à la maison.
c. Tu seras plus efficace si je t'offre un siège de bureau ?
d. Les apéros Zoom ?! C'est une idée géniale à mon avis !
e. Nous étions tous en télétravail vendredi.
f. Nous sommes allées à la soirée et il n'y avait personne !

Leçon 11

Parler de ses expériences

Piste 28. Activités 1 et 2
Il y a trois mois, j'ai commandé un pull magnifique en ligne. Pendant la commande, on m'a proposé 15 % de réduction si j'en prenais trois ! Ce pull me plaisait beaucoup et il n'était pas cher alors j'en ai pris trois ! Mais je ne les ai jamais reçus. Quelle arnaque ! Le site propose une réduction pour convaincre les futurs acheteurs d'acheter plus de produits ! Il présente des commentaires positifs et beaucoup de likes aussi ! Les frais de livraison sont gratuits... J'ai reçu un mail de confirmation après le paiement en ligne. J'ai attendu deux mois et je n'ai rien reçu. Alors j'ai contacté le service client par mail, je n'ai jamais eu de réponse ! J'ai téléphoné au numéro de téléphone sur le site et personne n'a répondu. Je me suis connecté sur Facebook pour chatter avec eux, et là, j'ai vu que je n'étais pas seule à rencontrer des problèmes ! Il y avait des commentaires d'acheteurs. C'est un faux site ! Il n'y a pas de remboursement possible ! Maintenant toutes les activités se font à distance. Et il est souvent difficile ou impossible de trouver une solution quand on a un problème avec une commande comme moi.

La communication entre les gens est devenue virtuelle, sans contact !

🎧 Piste 29. Activité 4
1. un like – 2. un message vocal – 3. un commentaire – 4. virtuel – 5. une notification – 6. le streaming – 7. le GPS – 8. le speed watching

🎧 Piste 30. Activité 6
Ex. : Je lui ai demandé un remboursement de mon achat et des frais de port.
a. Elle vient de les commander sur un site de vente en ligne.
b. Nous lui avons téléphoné mais il n'a pas répondu.
c. Le transporteur ne nous a pas livré le colis hier.
d. Tu m'as demandé de contacter le service de réclamation ?
e. Les clients l'envoient au service client après la livraison.
f. Il leur propose d'organiser une conférence en ligne.

🎧 Piste 31. Activité 10. Dictée
a. Le service client leur a offert les frais de port.
b. Le service en ligne propose un remboursement de l'article.
c. C'est toi qui as reçu une notification ?
d. Elle a demandé un renvoi de l'article, mais elle ne l'a pas encore reçu.
e. Je vais vous envoyer une notification.
f. Les réseaux sociaux créent une société virtuelle et sans contact.

Bilan

🎧 Piste 32. Activité 2
Giorgia : Salut Victor !
Victor : Salut Giorgia, tu n'as pas l'air en forme… Tu as consulté un médecin ?
Giorgia : Je n'ai pas de médecin ici en France. Je viens seulement de m'inscrire à l'assurance maladie et je n'ai pas encore reçu mon numéro de sécurité sociale.
Victor : Tu peux faire une consultation médicale dans un cabinet.
Giorgia : Je serai remboursée si je n'ai pas encore de numéro de sécurité sociale ?
Victor : Non. Pour obtenir un remboursement, il est indispensable que tu sois assurée. Mais tu peux demander une consultation payante dans un établissement de santé.
Giorgia : Et pour une téléconsultation, est-ce qu'il faut que je sois assurée ?
Victor : Il faut que le médecin te connaisse déjà pour faire une téléconsultation. Tu dois prendre rendez-vous au secrétariat du cabinet médical. Tu auras d'abord une première consultation avec un médecin, ensuite tu pourras bénéficier d'une téléconsultation.
Giorgia : Comment se déroule une téléconsultation ?
Victor : Il faut prendre rendez-vous. Il n'est pas nécessaire que tu ailles au secrétariat, tu peux le faire en ligne. Avant la consultation, le médecin t'enverra un lien avec l'heure du rendez-vous.
Giorgia : Quels équipements sont nécessaires ?
Victor : Il te faut un ordinateur avec une webcam ou un smartphone. Il est indispensable d'avoir une bonne connexion à Internet. Si tu n'en as pas, tu peux faire la téléconsultation dans une pharmacie qui dispose d'un espace dédié.
Giorgia : C'est vraiment pratique ! Merci pour toutes ces informations. Je vais à la pharmacie.

UNITÉ 4 — Profitons-nous de notre temps libre ?

Leçon 13
S'informer sur les loisirs

🎧 Piste 33. Activités 1 et 2
« Nous vous écoutons », des gens d'ici et d'ailleurs qui vous ressemblent.
Animateur : Bonjour à tous ! Aujourd'hui, notre reporter Rémy Plassard a installé son micro dans le quartier de La Défense à la sortie des bureaux.
Rémy Plassard : Bonjour Madame, bonjour Monsieur. Vous sortez de l'immeuble d'une grande multinationale. Comment s'est passée votre journée ?
Femme : Deux réunions, des appels téléphoniques et beaucoup de projets à gérer !
Rémy Plassard : Si vous pouviez organiser votre journée différemment, qu'est-ce que vous feriez ?
Femme : Si je pouvais organiser ma journée différemment, tous les matins, je me réveillerais à sept heures et demie. Je resterais un peu au lit et je me lèverais à huit heures. Pendant mon petit-déjeuner, je lirais un peu et j'écouterais la radio. Ensuite je me préparerais pour partir au travail. Je ne partirais de chez moi qu'à huit heures et demie. Si je pouvais habiter près de mon lieu de travail, je ne commencerais à travailler qu'à 9 heures… et à temps partiel.
Rémy Plassard : Et vous Monsieur ?
Homme : Comme Svetlana, si je travaillais à temps partiel le matin, je pourrais voir mes amis l'après-midi. J'irais au cinéma et voir des expositions. Le soir, je participerais à la distribution alimentaire d'une association de mon quartier.
Femme : Moi, j'irais plus souvent à mon cours de yoga et je passerais plus de temps avec mes enfants l'après-midi.
Homme : C'est vrai ! Si j'organisais ma journée différemment, je pourrais faire des activités avec mes enfants après l'école. Je nous inscrirais à des cours de théâtre. Le théâtre en famille, c'est sympa !
Rémy Plassard : Merci, très bonne fin de journée… Monsieur, bonjour, vous sortez…

Transcriptions

🎧 Piste 34. Activité 10. Dictée
S'il pouvait organiser sa semaine différemment, Julien travaillerait seulement trois jours. Il consacrerait ses week-ends à la pêche et à la randonnée, ses deux passions. Il s'intéresserait à l'œnologie. Il passerait plus de temps à faire la cuisine pour ses amis. Il irait plus souvent au théâtre et au musée. Il ferait les courses et le ménage pendant la semaine ! Enfin, il n'aurait pas d'heures de sommeil en retard. Une chose est sûre, il ne ferait pas plus de bricolage !

Leçon 14
Découvrir un fait de société

🎧 Piste 35. Activité 3
a. Être à l'écoute.
b. Plus ou plus longtemps.
c. Une discipline pratiquée en Inde.
d. Évaluer.
e. Pratiquante du yoga.
f. Un art vocal.
g. Une technique de relaxation.
h. Un lieu calme où l'on va pour méditer.
i. Avoir de l'intérêt pour quelque chose.
j. Établir un bilan.

🎧 Piste 36. Activité 8. Dictée
a. Je dois apporter quoi comme vêtements ?
b. Est-ce qu'on dîne ensemble tous les soirs ?
c. Que fait-on le soir après la séance de méditation ?
d. Y a-t-il un lieu de retraite dans ma région ?
e. Le stress est devenu un fait de société.
f. On peut s'inscrire au stage de yoga à partir de 18 ans.
g. Comment mesure-t-on une grande fatigue psychologique ?
h. L'historien a observé que le problème touche toutes les classes sociales.

🎧 Piste 37. Activité 11. Phonétique
Ex. : un œuf – a. les jeunes – b. des œufs – c. un professeur – d. directement – e. les yeux – f. on peut – g. je – h. d'ailleurs – i. est-ce que

Leçon 15
Imaginer

🎧 Piste 38. Activité 8. Dictée
a. Pour mes congés, je ne veux aller ni à la mer ni à la montagne.
b. Il faut décrocher du travail pendant son temps libre.
c. Personne ne s'ennuie en vacances.
d. Il opte pour une soirée de paresse dimanche soir.
e. Sept Français sur dix ne déconnectent jamais du travail.
f. Il imagine qu'il serait à la mer sous les rayons du soleil.

Bilan

🎧 Piste 39. Activité 1
Animateur : Bonsoir et bienvenus dans notre émission quotidienne « On en parle ». Le débat d'aujourd'hui porte sur la question suivante : profitons-nous pleinement de notre temps libre ?
Pendant notre temps libre, nous faisons des activités de loisirs mais aussi toutes ces petites activités que nous n'avons pas le temps de faire pendant la semaine. Pour les spécialistes que j'ai interrogés, il est indispensable d'organiser ce temps libre. Et pour cela, il y a six règles à respecter.
Première règle : définissez un emploi du temps. D'abord, listez vos activités obligatoires : courses, ménage, bricolage, etc. Ensuite, établissez un horaire pour chaque activité. À quelle heure voulez-vous rentrer des courses pour avoir le temps de faire votre bricolage ? À quelle heure pourriez-vous commencer à faire le ménage ? N'oubliez pas les temps des repas et le passage sous la douche ! Demandez-vous aussi quel sera le meilleur moment pour chaque activité. La première heure du matin est en général plus productive que la fin de la journée.
Deuxième règle : soyez raisonnable. Si vous n'avez pas fini une activité très longue, vous la ferez un autre jour. Il ne faut pas prévoir trop d'activités pour ne pas subir de stress.
Troisième règle : prévoyez un emploi du temps sur une semaine par exemple, pour partager une activité longue sur deux ou trois jours. Quatrième règle : organisez des loisirs. Ce n'est pas parce que vous avez beaucoup de choses à faire qu'il faut oublier les moments de plaisir. On peut organiser ses loisirs comme on le fait pour le ménage, les courses, etc. Il faut que vous sachiez clairement ce que vous souhaitez faire pour profiter de vos week-ends et de vos jours de congés. Prévoyez des activités calmes : lecture, films, promenades ; et des activités plus sportives : vélo, tennis, gymnastique. Cinquième règle : prenez au sérieux votre repos. Prévoyez des pauses ou de courts moments de sommeil pour éviter le stress et le burn-out. C'est indispensable ! Sixième règle : réfléchissez toujours à ce qui vous ferait plaisir. Il n'y a personne d'autre que vous qui peut le savoir ! Et n'oubliez pas : ce que vous aimez faire aujourd'hui n'est pas ce que vous aimerez faire demain !
Nous allons maintenant entendre vos opinions sur la question. Premier appel téléphonique : Gwenaelle de Quimper…

Unité 5 — Comment améliorer son cadre de vie ?

Leçon 17
Proposer un projet

Piste 40. Activité 7
Ex. : Mon voisin m'a aidé à créer ce jardin en me donnant des plantes.
a. J'ai obtenu un permis de végétaliser en déposant une demande à la mairie.
b. La Mairie de Paris va réaménager complètement l'avenue des Champs-Élysées.
c. Vous pourrez profiter de la ville en vous promenant dans ses jardins.
d. Le maire a un projet innovant pour rendre la ville plus verte.
e. C'est une bonne chose de développer la végétalisation en ville.
f. Quand j'aurai mon permis de végétaliser, je créerai un petit jardin en bas de mon immeuble.
g. Le service d'urbanisme a créé des pistes cyclables en réduisant l'espace pour les voitures.

Piste 41. Activité 9. Dictée
a. La végétalisation de l'espace public est très importante.
b. Les trottoirs le long de l'avenue sont maintenant plus larges.
c. La ville est plus agréable en aménageant des espaces verts.
d. Nos voisins entretiennent les pieds d'arbre de la rue.
e. C'est un réaménagement durable de notre quartier.
f. On peut circuler à pied en utilisant les voies piétonnes.

Leçon 18
Faire visiter un lieu

Piste 42. Activité 1
Bienvenue à Toulouse ! C'est une ville du sud-ouest de la France, la capitale de la région Occitanie. Elle est la quatrième plus grande ville de France, après Paris, Lyon et Marseille. On l'appelle la « Ville rose » à cause de la couleur de ses bâtiments. C'est une ville très animée parce qu'il y a beaucoup d'universités et donc beaucoup d'étudiants. Le long du fleuve, la Garonne, il y a des espaces verts et des parcs, avec des cafés et des restaurants. Beaucoup de rues piétonnes permettent de se promener dans la ville et d'admirer les monuments, c'est très agréable. Les beaux monuments sont très nombreux. La ville a su rénover ses vieux bâtiments en conservant l'architecture du passé. Par exemple, l'hôtel d'Assezat, qu'un marchand avait fait construire entre 1555 et 1557, a pu être conservé et il offre à présent une architecture magnifique. On voit aussi de vieux immeubles avec des cours plantées d'arbres, preuve que la ville a une longue histoire. Autour du centre ancien, on a construit récemment des bâtiments plus modernes qui sont des lieux de culture. Par exemple, la médiathèque José Cabanis est un espace agréable créé pour développer la lecture et l'accès aux nouvelles technologies. Elle est située à côté du métro. Plus loin, les architectes ont conçu la Cité de l'espace composée de plusieurs bâtiments modernes dans un grand parc. Cette cité de l'espace a été ouverte en 1997 après des travaux qui ont duré trois ans. On y voit une immense fusée, la réplique d'Ariane, qui domine la ville comme un phare. En 2003, la cité a aménagé ses espaces pour pouvoir accueillir les personnes handicapées.

Piste 43. Activité 6
Ex. : L'architecte avait conçu ce bâtiment avant la construction du parking.
a. Les habitants n'ont pas toujours apprécié les bâtiments modernes dans leur ville au moment de leur construction.
b. L'architecte l'a enfin autorisé à visiter le chantier, avant il n'avait pas pu y aller.
c. Avant notre installation, nous avions dû rénover tout l'appartement.
d. Ils ont construit des logements modernes sur une place où il y avait des vieux immeubles.
e. Les nouveaux élus ont détruit les bâtiments que l'ancien maire avait construits dans les années 1950.
f. Nous avons fait des travaux dans notre logement en 1975 parce que nous n'avions pas l'eau courante.

Piste 44. Activité 9. Dictée
a. La Ville de Paris a fermé le musée pendant deux ans pour des travaux de rénovation.
b. On a construit un magnifique centre culturel dans ma ville en 2021.
c. Avant les années 1960, les urbanistes avaient proposé de construire des immeubles très hauts.
d. Les anciens logements n'avaient pas l'eau courante, maintenant tous ont une salle de bains.
e. Dans ma résidence, l'ensoleillement est très agréable, c'est une orientation à l'est.
f. La ville est devenue beaucoup plus agréable depuis la construction de la médiathèque.

Leçon 19
Parler de son lieu de vie

Piste 45. Activité 9. Dictée
a. Tu as vu les belles fleurs que j'ai plantées ?
b. Dans ce logement, il y a un balcon orienté plein sud.
c. Il recherche un appartement de 25 m^2 avec une cuisine ouverte.
d. Nous habitions dans un studio au cinquième étage d'un immeuble.

e. Il y a de la moisissure et les murs se fissurent.
f. La résidence à côté de l'hôtel de ville, je ne l'ai pas remarquée.

Piste 46. Activité 11. Phonétique
Ex. : Toulouse – a. peinture – b. fissurer – c. studio – d. bouche – e. cour – f. mur

Piste 47. Activité 12. Phonétique
Ex. : trottoir – a. huit – b. moisissure – c. cuisine – d. construire – e. loin – f. voie

Bilan

Piste 48. Activité 1
Ilyan : Salut Flora, qu'est-ce que tu fais cet après-midi ?
Flora : Je vais déposer une demande à la mairie. Je voudrais un permis pour végétaliser les espaces en bas de chez moi.
Ilyan : Ah bon ? Comment ça se passe ?
Flora : Eh bien, tu vois les pieds d'arbre et les espaces verts qui bordent les rues ? Les habitants qui le souhaitent, peuvent y planter des fleurs et jardiner.
Ilyan : Ah oui, ma voisine a fait une demande. On l'a autorisée à s'occuper d'un pied d'arbre devant chez nous.
Flora : On peut tous rendre la ville plus belle, en plantant des fleurs dans les cours d'immeubles et en s'occupant des petits espaces verts dans la ville. C'est possible maintenant !
Ilyan : C'est vrai… et on peut aussi améliorer la qualité de la vie en circulant à pied ou à vélo et en laissant la voiture au parking. On a aménagé des pistes cyclables sur les avenues !
Flora : Il y a eu beaucoup de changements dans notre ville. Par exemple, il y a deux ans on a créé un grand parc sur la place de l'hôtel de ville, au lieu des places de parking qu'on avait installées. Tu te souviens ?
Ilyan : Oui, maintenant, les trottoirs sont plus larges et des arbres bordent la place, c'est plus agréable pour se promener. On respire mieux ! Et pour rafraîchir plus l'atmosphère, la mairie devrait interdire l'accès de la place aux voitures, en changeant les axes de circulation. Ce serait la piétonisation de tout le centre !
Flora : Et nous pourrions mieux profiter de l'architecture de la ville, qui a de très jolies avenues et de beaux bâtiments !

UNITÉ 6 — L'art peut-il changer notre quotidien ?

Leçon 21
Parler d'une œuvre d'art

Piste 49. Activité 7. Dictée
a. La nouvelle exposition a été très appréciée.
b. Le personnage du tableau est extraordinaire.
c. La galerie met en valeur les œuvres magnifiques qui sont présentées.
d. La composition originale est très harmonieuse.
e. Cette œuvre est exposée pour la première fois.
f. La pose artificielle de cette femme est sans intérêt.
g. Il y a un contraste important entre ces deux sculptures.

Leçon 22
Nuancer un avis

Piste 50. Activité 6
Ex. : Certains collages y sont exposés.
a. L'artiste Banksy en a réalisé sur les murs de nombreuses villes.
b. Il y en a qui n'ont plus de succès.
c. Nous nous y intéressons toujours.
d. Les artistes de street art y ont participé.
e. Nous en avons vu dans les rues d'Amsterdam.
f. Quand vous habitiez à Strasbourg, vous y êtes allés.
g. J'en suis content.
h. Les graffitis y sont devenus célèbres.

Piste 51. Activité 9. Dictée
a. Les graffitis et les pochoirs sur les murs ne sont pas toujours de bonne qualité.
b. J'aime beaucoup les spectacles de rue, je vais en voir souvent.
c. Même s'il faut encadrer les arts de la rue, les artistes doivent pouvoir s'exprimer librement.
d. Cet artiste est connu pour ses graffitis, il en a peint dans toutes les grandes capitales.
e. Les galeries d'art ne sont pas accessibles à tous les artistes.
f. Des artistes ont organisé des spectacles sur la place, bien qu'ils y soient interdits.

Leçon 23
Échanger sur le rôle de l'art

Piste 52. Activité 1
Journaliste : Bonjour, bienvenue dans l'émission « les clefs du bien-être ». Aujourd'hui, nous allons essayer de comprendre pourquoi l'art nous fait du bien. Et pour répondre à cette question, nous accueillons aujourd'hui Thierry Marioux, psychanalyste et auteur d'un essai sur les bienfaits de la création artistique. Bonjour, Thierry Marioux, pourquoi l'art peut être positif pour la santé ?
Thierry Marioux : Face à une peinture, une sculpture, une musique… nous ressentons souvent des émotions agréables. C'est la preuve que l'art aide à notre bien-être. Par ailleurs, l'art permet aussi d'apprendre beaucoup sur soi. Nous sommes souvent surpris d'être ému par une belle œuvre ! Quand une œuvre nous plaît, c'est une vraie rencontre, comme avec un être humain. Elle nous transforme et permet de mieux se connaître.

Journaliste : L'art est donc nécessaire à notre bien-être.
Thierry Marioux : En effet, nous éprouvons des émotions nouvelles et nous affirmons notre personnalité. Néanmoins, il ne faut pas s'obliger à aller voir des expositions et des spectacles parce qu'il faut les avoir vus. Il faut plutôt se faire confiance et choisir l'art qui nous attire. Nous sommes alors libres d'en profiter pleinement. Ainsi, face à une œuvre qui nous plaît, ne nous demandons pas pourquoi nous la trouvons belle mais interrogeons-nous plutôt sur nos émotions : « qu'est-ce que je ressens face à cette œuvre ? » et multiplions les expériences de rencontre avec l'art.
Journaliste : Mais est-ce que l'art nous fait seulement du bien ?
Thierry Marioux : D'une part, l'art nous fait du bien et nous apaise. L'art, ce n'est ni bien ni mal, ni vrai ni faux, c'est simplement beau et reposant. Il nous arrive, bien sûr, de ressentir des émotions fortes devant une toile ou en écoutant une musique, néanmoins on se sent toujours apaisé après. D'autre part, l'art donne envie de partager. Non seulement nous ressentons des émotions très personnelles, mais aussi nous avons besoin de les communiquer à quelqu'un. Ainsi, la rencontre avec l'art provoque l'ouverture vers les autres.
Journaliste : Merci Thierry Marioux. À côté de vous, l'artiste peintre Amelle Benguigui…

🎧 Piste 53. Activité 8. Dictée
a. L'art-thérapie est adaptée à tous les âges, ainsi elle peut être très utilisée.
b. Les personnes âgées ressentent du bien-être grâce à la musicothérapie.
c. C'est un grand compositeur, il a créé des morceaux très connus.
d. Grâce à l'art-thérapie, il a mieux supporté ses douleurs.
e. L'art-thérapie permet de réduire la tension artérielle et l'anxiété.
f. D'une part, l'art-thérapie existe depuis longtemps, d'autre part, les recherches ont montré son efficacité.

🎧 Piste 54. Activité 11. Phonétique
Ex. : harmonieux – a. J'ai un ami. – b. Il est où ? – c. aéré – d. J'y suis allé. – e. Tu as un euro ? – f. mosaïque – g. extraordinaire – h. Léa

Bilan

🎧 Piste 55. Activité 1
Le Centre Pompidou, appelé aussi Centre Beaubourg, a été créé en 1977 par l'architecte Renzo Piano. On le reconnaît grâce aux couleurs vives qu'on voit sur sa façade. Bien qu'il se trouve dans un vieux quartier de Paris, il a une architecture très originale, avec sa structure à l'extérieur du bâtiment ! En effet, les architectes ont voulu réserver l'intérieur à des grands espaces pour les expositions.
Le Centre Pompidou a été pensé pour être un musée ouvert et moderne, mais aussi un espace différent des musées traditionnels. Ainsi, non seulement la structure du bâtiment est visible, mais elle est composée d'acier et de verre uniquement. Regardez ce grand escalier extérieur qui traverse tout le bâtiment.
Nous allons monter au quatrième étage pour visiter la galerie du musée qui abrite des œuvres du 20e siècle de différents courants artistiques. Mais d'abord, arrêtons-nous à côté du bâtiment principal, pour voir les œuvres exposées de Brancusi. Constantin Brancusi est un sculpteur arrivé à Paris en 1904 de Roumanie où il est né à la campagne. Il est resté toute sa vie dans le même atelier, qui est reproduit ici. On peut y voir ses œuvres les plus importantes *L'Oiseau dans l'espace* et *Le Baiser*, qu'il a réalisées plusieurs fois. Brancusi pense que…

Sommes-nous tous journalistes ?

Leçon 25

Parler des métiers de l'information

🎧 Piste 56. Activité 2
Ex. : Un ou une journaliste
a. Un ou une cameraman
b. un dessinateur ou une dessinatrice
c. un ou une secrétaire de rédaction
d. un influenceur ou une influenceuse
e. un rédacteur ou une rédactrice en chef

🎧 Piste 57. Activité 9. Dictée
a. Les journalistes doivent mettre en contexte les informations qu'ils trouvent.
b. La déontologie doit être respectée pour garantir la véracité des informations.
c. Le journaliste a proposé des idées à l'illustratrice pour qu'elle fasse les dessins.
d. Le rédacteur en chef écrivant un éditorial donne le point de vue de la rédaction.
e. Nous avons besoin d'un reporter sachant parler arabe.
f. Certains influenceurs écrivent pour amuser leurs followers.

Leçon 26

Transmettre des informations

🎧 Piste 58. Activités 1 et 2
Journaliste : Bonjour et bienvenue sur Radio France. Aujourd'hui dans notre émission « Le temps du

Transcriptions

débat », nous allons nous interroger sur la surcharge d'information. Notifications sur nos téléphones, informations venant des réseaux sociaux, chaînes télévisées ou radio en continu : depuis vingt ans, les alertes d'information se sont multipliées. Comment les nouvelles façons d'informer changent-elles notre quotidien ? Quels sont les effets de ces alertes sur notre santé ? Pour répondre à ces questions, nous recevons la médiatrice de Radio France. Bonjour Madame, alors, est-ce qu'il y a une surcharge d'information ?
Médiatrice : Les auditeurs ne disent pas qu'il y a une surcharge d'information. Ils disent plutôt que les journalistes ne donnent que des informations négatives. Ils aimeraient entendre des reportages qui présentent des initiatives positives... Et ils ne pensent pas qu'il y a une surcharge d'information. Au contraire, ils demandent de pouvoir s'informer sur plusieurs médias et ils veulent toujours être informés sur l'actualité.
Journaliste : Je me tourne vers notre second invité qui est médecin et spécialiste de l'information. Alors, est-ce qu'il y a une surcharge d'information ? Et quel est l'effet de cette « infobésité » sur la santé ?
Spécialiste : Le problème, c'est qu'il y a tellement d'informations qu'on ne prend pas le temps de réfléchir. En effet, il est nécessaire de mettre en contexte les informations que l'on reçoit. Mais une information est vite remplacée par une autre. Les alertes se multiplient parce que le flux est continu. Cette surcharge peut entraîner un grand stress. Et les conséquences de ce stress sont réelles. La dégradation du sommeil, des troubles de la concentration sont les plus connues. Les alertes stimulent le cerveau comme une addiction et créent une dépendance : c'est la cyberdépendance. La solution serait d'apprendre à hiérarchiser les informations, d'arrêter de regarder les chaînes d'information en continu et surtout de désactiver les notifications qui encouragent à aller sur les réseaux sociaux.

Piste 59. Activité 8
Ex. : Les réseaux sociaux peuvent conduire à une addiction.
a. Il faut faire attention à la dégradation du sommeil.
b. Essayez de passer deux heures par jour sans regarder les écrans.
c. Qu'est-ce que tu feras pour lutter contre l'addiction ?
d. J'ai longtemps suivi ce youtubeur.
e. Les gens veulent s'informer en continu.
f. Reposez-vous !
g. Il faut faire attention au burn-out.
h. Il faudra laisser les téléphones dans les sacs.

Piste 60. Activité 9. Dictée
a. Il a dit que c'était important de se tenir au courant.
b. La jeune femme a ajouté qu'elle ne savait pas hiérarchiser les informations.
c. Le médecin a confirmé qu'il souffrait d'une perte de mémoire.
d. Le spécialiste a précisé que nous devrions faire attention à notre santé.
e. Elles ont expliqué que l'épuisement professionnel était assez courant.
f. La cyberdépendance est un problème chez les jeunes.
g. Le twittos répond à toutes les notifications sur son téléphone.

Piste 61. Activité 11
Journaliste : Nous avons fait un reportage sur la surcharge d'information. Écoutez le témoignage d'un jeune homme que nous avons rencontré.
Jeune homme : Les gens aiment beaucoup les informations sensationnelles qui circulent sur les réseaux sociaux et les chaînes d'information en continu ont beaucoup de succès. Tout va très vite ! Les gens ne savent plus faire la différence entre une information vérifiée et une fausse information. Dans mon travail, les employés sont connectés en permanence à l'intranet et à la messagerie instantanée. Je reçois souvent plus de soixante messages par jour ! C'est trop ! Comment faire pour éviter le burn-out ?

Leçon 27

S'interroger sur l'information

Piste 62. Activité 7
Ex. : Si le journalisme indépendant était menacé, ce serait une catastrophe pour la véracité de l'information.
a. Le spécialiste a expliqué que les fausses informations seraient de plus en plus difficiles à détecter.
b. Le ministre de l'Éducation serait très intéressé par l'introduction d'un programme d'éducation aux médias dans les écoles.
c. Vous devriez faire attention à toutes les fausses nouvelles qui circulent sur ce sujet.
d. D'après la rumeur, l'intelligence artificielle permettrait de détecter des images retouchées.
e. Le directeur du journal voudrait publier cet article dans l'édition de demain.
f. Attention, sur l'autoroute A6, il y aurait deux camions accidentés et la circulation serait ralentie.
g. S'il y avait des avatars pour toutes les personnes publiques, le risque de fausses informations serait plus important.
h. La direction de la chaîne a précisé que le reportage sur les algorithmes serait diffusé lundi.

Piste 63. Activité 10. Dictée
a. Les fausses nouvelles se répandent rapidement bien qu'elles soient souvent démenties.
b. L'intelligence artificielle permet de détecter les images retouchées.

c. La télévision utiliserait bientôt des présentateurs virtuels.
d. L'information sur les nouveaux algorithmes a rencontré un écho dans la presse.
e. Un incendie se serait déclaré en fin d'après-midi.
f. D'après la chaîne d'information, le gouvernement devrait démentir l'utilisation d'algorithmes de reconnaissance des visages dans les hôpitaux.

Piste 64. Activité 13. Phonétique
Ex. : j'arrive – a. réfléchir – b. dix ans – c. intelligent – d. souffrir – e. recherche – f. rusé – g. retoucher – h. glisser

Bilan

Piste 65. Activité 1
Journaliste : Bonjour à toutes et tous, bienvenue dans notre émission « C'est demain ».
Aujourd'hui, les moyens de s'informer se sont multipliés, on s'informe quand on veut, où on veut et comme on veut. Grâce à Internet, on peut tous diffuser de l'information et avoir un public de followers. C'est pourquoi, il devient difficile de faire la différence entre les professionnels et les amateurs, entre l'actualité sérieuse et le divertissement, entre l'information et la communication avec le risque d'être manipulé. Quelles sont les conséquences sur le contenu de l'information ? Nous allons en parler avec notre invité Frédéric Filloux, responsable du numérique aux *Échos*. Frédéric Filloux, tout le monde utilise les réseaux sociaux pour s'informer alors, est-ce qu'ils sont devenus les premiers diffuseurs de l'information ?
Frédéric Filloux : Oui, les réseaux sociaux sont devenus les premiers diffuseurs de l'information et c'est en les utilisant que les médias classiques diffusent le plus leurs informations. Aujourd'hui, il n'est plus nécessaire d'attendre le journal télévisé de 20 heures pour être informé. Au 21e siècle, l'information est accessible en continu, à tous moments et en tous lieux grâce à Internet. Facebook est devenu la principale source d'information. Le problème c'est qu'il y a des règles à respecter pour diffuser sur les réseaux sociaux. Par exemple, si on propose une information, il faut y mettre de l'émotion. Les médias vont donc sélectionner des articles qui provoquent une émotion, parce que c'est grâce à l'émotion qu'on a envie de partager. Aujourd'hui, c'est la popularité d'un sujet qui fait son succès. On privilégie ce qui peut être partagé rapidement et on élimine les informations qui demandent plus de temps de lecture ou de réflexion. Les réseaux sociaux ne favorisent pas la qualité de l'information.
Journaliste : Il faut donc être un peu rusé pour détecter les fausses informations dans toute cette diffusion ?
Frédéric Filloux : Non, je ne pense pas. J'explique dans mon dernier livre *Se former et s'informer sur le Net* comment des influenceurs ayant une expertise dans des domaines pourraient nous y aider. On oublie souvent que…

Unité 8 — Quelle place réserver au vivant ?

Leçon 29

Parler des changements climatiques

Piste 66. Activité 4
Ex. : Les gaz produits par les activités humaines.
a. Les sols, la végétation et les animaux qui y vivent.
b. La transformation d'une région qui devient sèche.
c. Les difficultés pour trouver de l'eau.
d. Les différents êtres vivants sur la Terre.
e. La disparition de la protection naturelle de la Terre contre le soleil.

Piste 67. Activité 8
Ex. : Nous aurions dû être plus attentifs à l'évolution du climat.
a. J'aurais voulu agir pour l'environnement plus tôt dans ma vie.
b. Il aurait fallu prendre des mesures tous ensemble.
c. Vous auriez dû venir à la manifestation pour le climat.
d. Les dirigeants auraient pu réagir dès la fin des années 70, mais ils ne l'ont pas fait.
e. Personne ne devrait ignorer les conséquences du changement climatique.
f. Les tornades auraient fait plusieurs morts.
g. Nous aurions dû faire confiance aux experts.

Piste 68. Activité 9. Dictée
a. Il aurait fallu s'engager tous ensemble pour le climat.
b. Si la déforestation s'était arrêtée, la situation ne se serait pas dégradée.
c. La perte de la biodiversité est une catastrophe pour l'avenir de la planète.
d. La canicule est de plus en plus fréquente dans nos villes.
e. Si des décisions avaient été prises plus tôt pour le climat, nous aurions pu nous adapter.
f. Nos dirigeants auraient dû agir beaucoup plus tôt !

Leçon 30

Prendre position sur les droits des animaux

Piste 69. Activités 1 et 2
Leya : Tu sais Amidou, j'ai entendu à la radio une émission très intéressante sur les droits des animaux.

Amidou : Ah bon ?!! Leya, tu es sûre que les animaux ont des droits ?
Leya : Oui, depuis 1978, il existe une Déclaration universelle des droits de l'animal pour encadrer les comportements humains envers les animaux. Nous, les hommes et les femmes, devons les respecter et leur éviter des souffrances. Il n'est pas normal qu'on maltraite les animaux, ou qu'on ne les respecte pas. Aucun animal ne devrait souffrir à cause des êtres humains.
Amidou : Oui, mais je doute qu'en France ce soit très encadré… Nous avons beaucoup d'élevages, et plus de la moitié de la population possède un animal de compagnie ! On entend dire que les gens abandonnent souvent leur chien ou leur chat.
Leya : C'est vrai que pendant longtemps, les animaux n'avaient aucun droit en France, ils étaient traités comme des objets. Maintenant, la situation est différente : il y a des lois pour protéger plusieurs catégories d'animaux. Par exemple les animaux de compagnie, les chiens et les chats, et aussi les animaux exploités dans le cadre des loisirs. Aujourd'hui, en France, les animaux sont reconnus comme des êtres sensibles.
Amidou : Et quelles en sont les conséquences exactement ?
Leya : Une loi vient d'être passée pour interdire les animaux dans les cirques et les delphinariums. Ça signifie qu'en 2028 il sera interdit de proposer des spectacles avec des animaux sauvages. C'est aussi la fin des élevages d'animaux pour faire des vêtements, comme les visons d'Amérique.
Amidou : Mais crois-tu que les animaux puissent être protégés s'il y a encore des élevages et des abattoirs ?
Leya : C'est difficile, mais je pense qu'on fait des progrès. Je sais qu'il existe des textes qui réglementent les conditions de vie des animaux dans les élevages en respectant la physiologie de chaque espèce. Tout le monde commence à être sensibilisé à la souffrance des animaux. Il y a plusieurs associations qui travaillent sur ce sujet, alors nous ne pouvons que progresser.
Amidou : C'est vrai qu'il faudrait aller plus loin. La biodiversité diminue et beaucoup d'animaux disparaissent. Heureusement, en France les loups et les ours sont des espèces protégées ! Pour moi, négliger la biodiversité, c'est le plus grand danger, je ne crois pas qu'on puisse vivre dans un monde où la vie sauvage a disparu.

Piste 70. Activité 4
1. Tous les organismes vivants en lien avec leur milieu naturel.
2. L'étude du fonctionnement des êtres vivants.
3. La production et l'entretien des animaux domestiques.
4. Contrôler une situation par un règlement ou des lois.
5. Décider d'une nouvelle loi.
6. Un animal dangereux pour l'homme.
7. Un petit animal avec plusieurs pattes et/ou des ailes.
8. Un lieu où les animaux sont tués pour l'alimentation.
9. Un parc de loisirs avec des animaux de mer.

Piste 71. Activité 7
Ex. : Tous les animaux sont des êtres sensibles.
a. Certains ne pensent pas à la souffrance animale.
b. Plusieurs chasseurs se sont opposés à une loi réglementant la chasse à la glu.
c. Des cirques ont fermé ; quelques-uns refusaient d'arrêter le dressage des animaux sauvages.
d. La défense de la cause animale concerne tout le monde.
e. Chacun devra changer sa façon de voir les animaux.
f. Aucun animal de compagnie ne pourra plus être abandonné lors des départs en vacances.

Piste 72. Activité 11. Dictée
a. Plusieurs animaux de compagnie sont abandonnés chaque année en France.
b. Je pense qu'il est normal de protéger les animaux.
c. Croyez-vous que tous les animaux soient bien traités dans les abattoirs ?
d. Il est nécessaire de respecter l'équilibre biologique.
e. Vous ne pensez pas que nous soyons très respectueux des animaux.
f. Tu doutes que nous arrêtions de consommer de la viande ?
g. On devrait adopter des nouvelles lois contre la maltraitance animale.
h. Aucun animal ne devrait souffrir à cause des hommes.

Piste 73. Activité 14. Phonétique
Ex. : accueillir – a. falloir – b. travailler – c. un delphinarium – d. plusieurs – e. une ville – f. la biodiversité – g. une fille – h. un chien

Leçon 31
Agir pour l'avenir

Piste 74. Activités 1 et 2
La science entre nous !
Journaliste : Bonjour Aldo Mariasa, vous êtes chercheur à l'Institut écologie et environnement du CNRS. Alors, dites-nous comment était la société humaine il y a quelques milliers d'années ?
Aldo Mariasa : Il faut imaginer la société de nos ancêtres comme une grande communauté où chacun s'entraide. Il faut penser que ce qui compte, c'est de faire des enfants, de passer à la génération suivante.
Journaliste : Est-ce qu'on n'est pas alors plutôt dans la compétition ?
Aldo Mariasa : C'est vrai que parfois, c'est la compétition qui permet de le faire, mais souvent c'est la coopération. Les humains sont naturellement solidaires, on s'entraide et on se développe

ensemble. D'ailleurs l'entraide est partout autour de nous. Regardez faire les animaux, les plantes, les champignons et les micro-organismes, toute la diversité du vivant ! De cette diversité, on apprend beaucoup des origines de la collaboration : la solidarité est-elle une condition naturelle ? Peut-on coopérer à tous les niveaux ?
Journaliste : Aldo Mariasa, comment définiriez-vous l'entraide ?
Aldo Mariasa : Eh bien l'entraide se développe quand les conditions de vie sont difficiles pour les êtres vivants, c'est ce qu'on trouve partout dans le monde vivant et qui relie les êtres vivants entre eux, c'est la coopération. C'est une manière d'être ensemble.
Journaliste : Est-ce que les êtres humains pourront continuer à s'entraider dans l'avenir ?
Aldo Mariasa : Je pense que oui, surtout si les conditions climatiques deviennent difficiles à supporter, et que l'environnement devient dangereux, parce que c'est comme ça qu'on peut survivre. L'entraide se développe quand les conditions de vie sont difficiles pour les êtres humains.
Journaliste : Que nous apprend la nature sur l'entraide ?
Aldo Mariasa : Quand on regarde les autres êtres vivants, c'est incroyable de voir qu'il existe de nombreuses formes de solidarité dans la nature. Nous sommes naturellement des êtres coopératifs. L'entraide se développe quand le milieu est dangereux, alors que la compétition se développe quand l'environnement est abondant. Par exemple, chez les insectes, il y a une solidarité familiale, comme chez les abeilles. Il y a aussi de la coopération quand les membres de la même espèce agissent les uns pour les autres. La diversité de toutes ces manières de s'associer est très intéressante à étudier. Chez les humains aussi, l'empathie, l'entraide peuvent s'étudier. La compétition telle qu'elle existe dans les sociétés humaines ne s'observe pas chez les autres êtres vivants. Ceux qui survivent sont ceux qui s'entraident, c'est un facteur d'évolution. Les chercheurs nous l'ont montré…

Piste 75. Activité 4
1. Cet exposé sur l'environnement, c'est fastoche !
2. Mon frère m'a prêté sa caisse pour aller au ciné.
3. Ce soir je retrouve une pote au café.
4. C'est cool de pouvoir discuter en ligne avec toi !
5. Tu as préparé un repas végétarien ? C'est top !
6. Tu pars toujours à la même heure pour aller bosser ?
7. On est allés ensemble à la manifestation pour le climat, c'était trop bien !

Piste 76. Activité 8
Ex. : Tu lui en as acheté.
a. Vous le lui avez demandé ?
b. Tu l'y emmènes souvent.
c. Prends-lui-en !
d. Vous leur en donnez.
e. Ils les leur ont proposés.
f. Ne leur en apporte pas !
g. Tu nous en achètes ?

Piste 77. Activité 9
Ex. : T'as vu l'émission sur l'entraide hier à la télé ?
a. Il a pas acheté de pâte à tartiner pour le goûter !
b. Nous avons plus de miel à la maison.
c. Hier, y avait des légumes bio à la cantine.
d. Il aime la cuisine végane ?
e. Vous avez pas lu l'article sur la solidarité entre les arbres ?
f. T'adores les steaks végétariens, on dirait !
g. J'ai jamais pris de viande dans ce restaurant.
h. Est-ce qu'il y a de l'huile de palme dans les chips ?

Piste 78. Activité 10. Dictée
a. L'humidité atmosphérique est nécessaire pour les êtres vivants.
b. Tu vas bosser avec ta caisse.
c. Vous leur en avez pris beaucoup.
d. Emporte-le-lui !
e. Donne m'en un pot.
f. L'empathie et l'entraide seraient présentes dans les communautés animales.
g. J'ai adoré l'émission sur les conditions climatiques.
h. Il y a de l'huile de palme dans les ingrédients.

Bilan

Piste 79. Activité 1
Voix off : L'Association pour la protection de la vie sauvage achète des forêts et des terres un peu partout en France pour redonner tous ses droits à la nature… Clément Roche, 30 ans, a accumulé les diplômes pour devenir expert en environnement. Il exerce aujourd'hui le job de ses rêves en étant salarié depuis deux ans de l'Association pour la protection de la vie sauvage. Sa mission est de transformer un ancien lieu de chasse dans la Drôme acheté grâce à des dons, en une « réserve de vie sauvage ». L'association a pour objectif de retrouver la nature sauvage des lieux, lui permettre de se développer à nouveau pleinement et librement.
Clément Roche : Cet arbre est tombé l'année dernière. Si cela s'était passé ailleurs, on l'aurait très certainement coupé et sorti de la forêt.
Ici, c'est différent, on va laisser la nature agir : naître, grandir, faire sa vie et mourir. Le bois mort représente la moitié de la biodiversité. Alors, si on l'enlevait de nos forêts, on perdrait cette biodiversité. On voit que plusieurs animaux ont mangé les écorces pour trouver les aliments qui leur sont nécessaires… On y trouve aussi quelques poils : les sangliers viennent se frotter pour enlever les insectes sur leur peau. Nous appelons cela le « ré-ensauvagement », cela signifie qu'on laisse faire la nature. On va effacer un peu les traces humaines qui sont partout et laisser ce lieu évoluer sans contrainte et actions humaines. Ici, les animaux ne sont plus nourris par l'homme. Ils doivent réapprendre à s'alimenter seuls avec ce

qu'ils trouvent. Un autre exemple : on ne ramasse pas les bons champignons parce que le principe du « ré-ensauvagement » c'est de ne rien prélever. C'est compliqué de faire comprendre à certains qu'il ne faut pas toucher aux champignons qui sont une partie nécessaire de la biodiversité. On les laisse pousser… Si nous n'avions pas acheté ce lieu, le ré-ensauvagement aurait été impossible.
Voix off : Alors, les hommes sont-ils de trop ? C'est la question qui revient très souvent dans la bouche des chasseurs, éleveurs et agriculteurs de la région. Nous l'avons posée à une des membres de l'association.
Une membre de l'association : Absolument pas ! L'homme fait partie pleinement de la biodiversité. Simplement, il a pris l'habitude, surtout pendant le 20ᵉ siècle, d'être complètement dominant. Cela a conduit à une destruction de la biodiversité. C'est important de mieux partager le territoire entre les êtres vivants et de recréer de la biodiversité. L'association encourage…

Pourquoi voyage-t-on ?

Leçon 33

Raconter une expérience

Piste 80. Activités 1 et 2
Journaliste : Bonjour à toutes et à tous. Aujourd'hui dans notre émission « Voyage insolite », nous recevons Salma Boussif qui revient d'un long voyage. Bonjour Salma, pourquoi avez-vous choisi de voyager ?
Salma Boussif : Quand j'étais jeune, j'avais un rêve : je voulais voyager pendant plusieurs mois, mais je n'avais pas d'argent. Après mes études, j'ai dû commencer à travailler. J'avais 23 ans. Je me suis dit que je ne pourrais jamais prendre une année de césure, puisque j'avais déjà démarré dans la vie active. Pourtant, je n'ai pas abandonné cette idée. J'ai pu faire des économies, et huit ans plus tard, étant célibataire j'étais prête à partir. J'ai quitté mon travail après que l'entreprise qui m'employait m'a donné un congé, et je suis partie !
Journaliste : Comment avez-vous préparé votre voyage ?
Salma Boussif : Pendant que je travaillais, j'ai commencé à penser à mon voyage, à ce que je voulais faire. J'ai décidé de voyager en Amérique du Sud, parce que je parlais espagnol et que j'avais envie de découvrir cette partie du monde. Je voulais visiter plusieurs pays et faire de la randonnée. Il y a de magnifiques sites naturels dans cette région du monde !
Journaliste : Vous n'avez jamais eu peur de la solitude ?
Salma Boussif : Non ! Mes amis étaient déjà en couple ou formaient une famille, les célibataires travaillaient. Si je voulais voyager, il fallait que je le fasse seule ! Avant que je parte, plusieurs personnes de ma famille ont essayé de me décourager. J'ai senti que les autres avaient une crainte, mais moi pas ! Après mon retour, ils ont été très heureux pour moi.
Journaliste : Comment s'est passé votre voyage ?
Salma Boussif : Ça a été un moment de vie extraordinaire. J'étais libre et sans contrainte. Je suis partie six mois, parce que j'avais juste assez d'argent pour ça. Au moment où je suis montée dans l'avion, j'ai ressenti une grande liberté. Quand on a le temps de voyager, on peut s'arrêter dans les endroits qui nous plaisent, on n'est pas obligé de suivre un programme. C'était une expérience incroyable !
Journaliste : Qu'est-ce qui vous a le plus marqué ?
Salma Boussif : Avoir du temps. Dans notre vie quotidienne, nous sommes toujours pressés. Pendant que je voyageais, le temps ne passait pas de la même façon, j'ai aimé ce rythme lent. Et puis, l'accueil et la gentillesse des gens que j'ai rencontrés. Et aussi, avoir la chance d'aller dans des endroits très isolés, peu connus. J'ai traversé la forêt amazonienne sur un petit bateau, j'étais la seule touriste !
Journaliste : Quelle aventure ! Vous avez pensé à votre prochain voyage…

Piste 81. Activité 9
1. Au moment où les voyageurs sont arrivés au port,…
2. Avant qu'elle parte en voyage,…
3. Après que la tempête est passée,…
4. Au moment où j'ai pris ma décision,…
5. Dès que tu recevras ton passeport,…
6. Avant que nos enfants reviennent à Paris,…
7. Pendant que vous prépariez les bagages,…

Piste 82. Activité 10. Dictée
a. Dès qu'il aura trouvé un équipage, il quittera son emploi pour faire le tour du monde sur un voilier.
b. J'avais beaucoup de craintes avant que vous me racontiez votre voyage.
c. Il a rangé les affaires pendant que je préparais l'itinéraire.
d. Nous sommes arrivé(e)s au moment où la course a commencé.
e. Il lui avait fallu beaucoup de temps pour décider d'accomplir cet exploit.
f. Nous avons terminé l'ascension après que vous êtes parti(e)(s).
g. J'avais peur d'affronter des problèmes avant d'entreprendre cet exploit.
h. L'équipage a navigué pendant plus d'un an.

Leçon 34

Parler du tourisme

Piste 83. Activité 9. Dictée
a. Ce sont des livres sur la randonnée auxquels on peut faire confiance.

b. Les voyages dans l'espace seront plus fréquents dans le futur.
c. Pour les habitants des villes, la randonnée est une évasion dans la nature.
d. Nous avons marché vers le refuge dans lequel nous avions dormi l'année dernière.
e. Ce sont les maisons près desquelles nous nous sommes arrêtés.
f. Les astronautes sont en apesanteur dans l'espace.
g. Vous aurez eu le temps de finir la randonnée avant qu'il pleuve.
h. Je prendrai un bâton pour faire l'ascension de cette montagne.

Leçon 35

Réfléchir au voyage

Piste 84. Activité 10. Dictée
a. J'aime rester immobile et contempler le paysage.
b. Il est heureux que les habitants l'aient accueilli chez eux.
c. J'ai pu quitter les rivages et laisser derrière moi mon quotidien.
d. J'aimerais que nous allions ailleurs.
e. Tu regrettes de ne pas être resté au monastère ?
f. J'ai laissé mon esprit vagabonder en contemplant la mer.
g. Ils sont déçus que leur voyage n'ait pas duré plus longtemps.
h. Nous avons découvert une autre manière de voyager.

Piste 85. Activité 13. Phonétique
J'aime le voyage intérieur qui nous permet de nous découvrir nous-mêmes. Quand je trouve un endroit qui me plaît, je peux me poser plusieurs heures au même endroit, immobile, et je laisse alors mon esprit vagabonder, je quitte les rivages de ma vie quotidienne.

Bilan

Piste 86. Activité 1
Théa : Il y a quatre ans, il m'est arrivé une aventure incroyable. J'avais décidé de partir avec des amis pour faire une randonnée dans l'Himalaya. Nous nous sommes retrouvés à New Delhi, en Inde, et de là, nous sommes partis en avion pour Manali. Le premier jour, nous avons marché sur un chemin avant de passer un col à 3 400 mètres d'altitude et nous sommes redescendus vers le petit village de Vashisht, où nous devions dormir. Au moment où nous sommes arrivés au refuge, je me suis tordu la cheville. Je ne pouvais plus marcher. Après être restés quelques jours dans ce refuge, mes amis sont finalement repartis pour terminer la randonnée. Moi, j'ai décidé de séjourner dans ce village jusqu'à ce qu'ils reviennent trois semaines plus tard, en espérant que ma cheville serait guérie. J'ai donc passé du temps dans une petite chambre en bois, à dormir, à rêver, à lire les quelques livres que j'avais emportés. Je pouvais aussi profiter de la terrasse, tout en haut de la maison, de laquelle il y avait une vue magnifique sur les chaînes de montagne enneigées, et j'ai passé des heures à contempler les paysages. Au bout d'une semaine, j'ai découvert qu'il y avait des sources d'eau chaude à la sortie du village, dans lesquelles on pouvait se baigner, et j'ai pris l'habitude d'y aller le matin. Le décor était superbe, entouré de montagnes. J'étais très heureuse que les journées soient tranquilles et rythmées par les choses essentielles : manger, dormir, rêver, réfléchir... J'étais seule, et je ne me suis pas ennuyée un instant. J'ai laissé mes pensées vagabonder. La contemplation des montagnes était reposante et inspirante. J'ai parfois discuté avec le jeune homme qui accueillait les visiteurs, un peintre qui avait choisi de vivre loin de la ville. Je vivais à un rythme lent. Je me sentais bien et reposée, même si ma cheville ne me permettait pas de marcher longtemps et d'explorer les environs. Les trois semaines ont passé très vite, et quand mes amis sont revenus, j'étais triste de devoir quitter cet endroit et la vie tranquille que j'avais passée là. Mais j'étais contente aussi que mes amis puissent découvrir ce lieu magique pendant quelques jours. Cela reste un souvenir merveilleux de voyage intérieur, un voyage au cours duquel j'ai ressenti une très grande liberté que je n'ai jamais retrouvée.

DELF B1

Compréhension de l'oral

Piste 87
Vous allez écouter plusieurs documents. Il y a deux écoutes.
Avant chaque écoute, vous entendez le son suivant : 🔔.
Pour répondre aux questions, cochez la bonne réponse.

Piste 88. Exercice 1
Vous écoutez une conversation.
Lisez les questions. Écoutez le document puis répondez.
Bastien : Tiens, salut Louise ! Alors, comment se passent tes études à Lyon ?
Louise : Eh, salut Bastien ! Tout va bien, surtout depuis que j'ai trouvé un logement !
Bastien : C'est chouette, ça ! Surtout que ce n'est pas facile de se loger à Lyon. Les loyers coûtent cher !
Louise : Oui, mais j'ai trouvé une solution très avantageuse économiquement. Je cohabite avec Martine, une dame de 72 ans qui était professeure de

musique ! J'ai ma chambre et ma salle de bains et nous partageons la cuisine, le salon et le jardin !
Bastien : Ah bon ! Mais dis-moi, elle est sympa ? Les personnes âgées sont difficiles parfois, non ?
Louise : Écoute, franchement avec Martine, il n'y a pas de problème. Elle est très ouverte et indépendante. En plus, c'est une excellente cuisinière et quelquefois elle m'invite à manger avec elle.
Bastien : J'imagine que tu dois lui rendre aussi quelques petits services, non ?
Louise : Oui, bien sûr. Quelquefois, je lui fais des courses dans le quartier ou bien je l'aide dans le jardin. Mais il n'y a pas d'obligation. C'est surtout que ça me fait plaisir ! Et puis, comme ça, je me sens moins seule et du coup, elle aussi.
Bastien : Oui, mais bon, tu vois aussi tes amis ? Tu n'es pas obligée de passer ton temps libre avec elle ?
Louise : Bien sûr ! Je peux sortir quand je veux ! Mais tu sais dans les grandes villes, c'est plus difficile de se retrouver avec ses copains et on ne sort pas tous les soirs. Alors finalement, passer une soirée avec Martine, regarder un film ou jouer du piano avec elle, c'est aussi très agréable !
Bastien : Je comprends. Finalement, c'est un bon compromis quand on est étudiant !

🎧 Piste 89. Exercice 2
Vous écoutez la radio.
Lisez les questions. Écoutez le document puis répondez.
Journaliste : Dans les bars napolitains, le « café suspendu » est une tradition qui consiste à payer un café d'avance pour un client sans argent. Cette pratique s'est beaucoup répandue ces dernières années et concerne aujourd'hui d'autres produits comme des sandwichs, du pain ou des billets de spectacles. Pour chaque billet acheté, le spectateur peut verser quelques euros supplémentaires qui serviront à financer des places qui seront offertes gratuitement. Lorsque la somme d'une place est atteinte, on a un billet suspendu disponible pour une personne qui le souhaite. Aujourd'hui, je reçois une responsable du Festival de cinéma Travelling de Rennes, Caroline Simon, qui a expérimenté les billets suspendus pour la première fois en 2019.
Caroline Simon : L'objectif était de favoriser l'accès à l'événement au plus grand nombre, quels que soient ses moyens. Nous pensons que personne ne peut être exclu d'un événement culturel à cause de moyens économiques insuffisants. Le festival a donc choisi de mettre en place les billets suspendus et de solliciter la générosité des spectateurs. Une boîte pour récolter les dons a été placée au guichet de la billetterie et dès que la somme est atteinte, les billets sont mis à la disposition des personnes. Certains festivaliers ont également déposé des places pour des séances auxquelles ils ne pouvaient finalement pas assister. Ainsi, dix-neuf billets ont été suspendus et distribués et trois places de cinéma. Nous sommes très satisfaits !
Journaliste : Comment avez-vous informé le public sur cette action ?
Caroline Simon : Alors, il faut bien communiquer avant et pendant le festival afin que les éventuels contributeurs et bénéficiaires en prennent connaissance. Puis, pour ne pas stigmatiser les bénéficiaires, aucune mention particulière n'apparaît sur le billet suspendu. Enfin, il est préférable de ne pas mettre de conditions (salaires, étudiants…) ou de demander un justificatif aux bénéficiaires, le billet suspendu perdrait ainsi de sa saveur ! Le principe est de fonctionner sur la confiance et de considérer que si une personne prend un billet suspendu, c'est qu'elle en a besoin.

🎧 Piste 90. Exercice 3
Vous écoutez la radio.
Lisez les questions. Écoutez le document puis répondez.
Journaliste : Vous êtes passionné(e) par l'espace et vous rêvez d'un voyage près des étoiles ? Le tourisme spatial est en train de se développer, mais, hélas, il restera encore longtemps un privilège pour quelques fortunés. Alors, aujourd'hui dans notre émission, nous allons partir à la découverte de quelques expériences s'approchant d'un voyage spatial et qui ne vous coûteront pas une somme astronomique ! Pour naviguer dans le cosmos, vous pouvez vous éloigner des villes et observer le ciel dans une zone comme le Triangle noir du Quercy épargné par la pollution lumineuse et qui offre le ciel le plus obscur de France. En France, plusieurs sites favorisent l'observation des étoiles toute l'année et particulièrement au mois d'août, pendant la Nuit des étoiles. Une autre proposition, peu aventureuse mais très émouvante : vous pouvez revivre le premier voyage spatial de l'astronaute français Thomas Pesquet et ressentir l'émotion de quitter la Terre pendant quelques minutes ; et cela depuis chez vous, en vous connectant au site de l'Agence européenne spatiale. Mais, pour une immersion plus complète, pourquoi ne pas visiter un planétarium ? Sachez qu'il y en a 170 en France. Un des plus spectaculaires et des plus visités est celui de la Cité de l'espace à Toulouse. Pour seulement une quinzaine d'euros, vous serez plongés dans l'obscurité et vous aurez la tête dans les étoiles ! Il existe aussi des solutions plus complètes mais plus chères, notamment aux États-Unis. En Floride, par exemple, un complexe abrite un vaste parcours de visite qui enthousiasmera les passionnés de la conquête spatiale. Le ticket d'entrée (environ 57 dollars) inclut généralement l'accès à la plateforme d'observation des lancements à Cap Canaveral ; l'idéal est donc de s'y rendre un jour de lancement de fusée. Alors, prêts pour un voyage dans les étoiles à petit prix ?

L'épreuve de compréhension de l'oral est terminée. Passez maintenant à l'épreuve de compréhension des écrits.

hachette s'engage pour
l'environnement en réduisant
l'empreinte carbone de ses livres.
Celle de cet exemplaire est de :
0,600 kg éq. CO2
Rendez-vous sur
www.hachette-durable.fr

PAPIER CERTIFIÉ

Achevé d'imprimer en février 2026 sur les presses de MACROLIBROS - Espagne
Dépôt légal : juin 2022 - Édition n° 06
79/8914/1

DELF B1

3 Expression d'un point de vue

Vous tirez au sort deux sujets et en choisissez un.
Vous dégagez le thème soulevé par le document et vous présentez votre opinion sous la forme d'un exposé personnel de trois minutes environ.
L'examinateur/examinatrice peut vous poser des questions.

Sujet 1 – S'investir dans l'humanitaire

Nombreux sont les salariés français qui rêvent d'un métier plus humain, utile à la société. Pour les aider à concrétiser ce rêve, Hervé Dubois, fondateur de l'Institut de Coopération Internationale, a créé il y a deux ans le dispositif « Reconversion humanitaire ». Ce programme sélectionne entre 30 et 50 salariés chaque année pour les accompagner dans leur projet de reconversion professionnelle, et leur permettre de s'engager dans l'action humanitaire internationale, en tant que salarié. « L'envie de voyage, c'est quelque chose que je constate depuis longtemps, mais au cours des dernières années, l'envie de donner du sens à son travail a pris de l'importance », constate Hervé Dubois. « Les salariés ont à peu près tous le même discours : ce que je veux maintenant, c'est faire quelque chose qui a du sens. J'ai travaillé pour une grande entreprise pendant vingt à trente ans, et j'aimerais consacrer les vingt ans qu'il me reste à l'intérêt général. »

Sujet 2 – La frontière entre la sphère personnelle et professionnelle

Pour trouver son équilibre entre vie professionnelle et vie personnelle, il est important de définir clairement la frontière entre les deux. Aujourd'hui, le télétravail ou les outils technologiques de travail à distance, ont rendu cette frontière très floue. Lorsqu'on travaille de la maison et qu'on a tous les outils pour se connecter à distance, il est difficile de résister à la tentation de regarder sa boîte mail ou de répondre à un collègue sur le groupe WhatsApp du bureau. Un bon équilibre passe donc par une déconnexion réelle lorsqu'on est à la maison pour casser la dépendance au téléphone ou à l'ordinateur. La plupart des tâches peuvent attendre le lendemain, et l'entreprise continuera de tourner même si on n'a pas répondu. Il faut faire une vraie coupure entre le travail et le personnel et se consacrer tout entier à son activité ou à sa famille.

hachette s'engage pour l'environnement en réduisant l'empreinte carbone de ses livres. Celle de cet exemplaire est de : **0,550 kg éq. CO2**
Rendez-vous sur www.hachette-durable.fr

Achevé d'imprimer en février 2026 sur les presses de MACROLIBROS - Espagne
Dépôt légal : juin 2022 - Édition n° 06
79/8914/1